Florinela Giurgea

DEPORTAREA ROMILOR
SUB REGIMUL ION ANTONESCU

Florinela Giurgea

DEPORTAREA ROMILOR
SUB REGIMUL ION ANTONESCU

CETATEA
DE SCAUN

Redactor: Mirela Ivan Nobel
Tehnoredactare: Adriana Andreiaș
Coperta: Andrei Mărgărit

Descrierea CIP a Bibliotecii Naționale a României
GIURGEA, FLORINELA
Deportarea romilor sub regimul Ion Antonescu / Florinela
Giurgea. - Târgoviște : Cetatea de scaun, 2022
Conține bibliografie
ISBN 978-606-537-556-7
94

ISBN 978-606-537-556-7
Copyright Editura Cetatea de Scaun, Târgoviște, 2022
email: editura@cetateadescaun.ro, www.cetateadescaun.ro
https://www.facebook.com/EdituraCetateadeScaun
https://www.instagram.com/edituracetateadescaun/

Cuprins

6 *Florinela Giurgea*

CUVÂNT ÎNAINTE

I gnorată cu desăvârșire de istoriografia română de până în ultimul
deceniu al secolului XX, tema deportării romilor în timpul celui
de-al Doilea Război Mondial caută a recupera decalajul și a scoate
din uitare încă unul dintre mecanismele regimului antonescian care
manifesta, printre altele, o vădită ostilitate față de toți acei supuși ne-
români, cu sau fără cetățenie. Iar contribuțiile ultimelor aproape
două decenii nu sunt de neglijat, cu atât mai mult cu cât ele au căutat
să-și întărească analizele pornind mai ales de la acele surse
documentare provenite de la principalele instituții ale statului
totalitar implicate în mecanismul epurării: Președinția Consiliului de
Miniștri, Inspectoratul General de Poliție, Inspectoratul General al
Jandarmeriei, Prefectura Poliției Capitalei și, într-o oarecare măsură,
Marele Stat Major al Armatei. Cum de la sine se înțelege, acestora li
s-a adăugat treptat o suită de mărturii orale din partea puținilor
supraviețuitori, ceea ce reprezintă o altă fațetă a acestui tragic
eveniment. Ca și în cazul evreilor, una dintre problemele de prim
rang pare a fi cea a cifrelor, și nu fără îndreptățire. Finalmente, totul
devine o chestiune de „filozofie a numerelor", care trece parcă în
umbră alte aspecte, nu mai puțin importante.

În acest context, lucrarea de față se înfățișează ca o cercetare
mult mai complexă, nu doar pentru că sistematizează informații
deja existente pe tema deportărilor în Transnistria, ci deoarece
conturează în fond istoria unui grup etno-cultural suficient de
vitregit în istoria românilor. Să nu uităm totuși că am fost cei din
urmă de pe continentul european care i-au eliberat pe romi din
robie, într-o vreme în care – în alte spații – aveau drepturi
cetățenești încă de multă vreme.

Așadar, avem de-a face cu un studiu complex, care pune în
discuție terminologii și concepte (genocid, holocaust etc.), recon-
stituie și contextualizează istoria interbelică a romilor, dar dezvoltă

sintetic și teoriile rasiale din epocă, ce au justificat de fapt tragedia din Transnistria. Dar peste toate, Florinela Giurgea (Naciu-Rușcea) face propriile investigații arhivistice, aducând astfel o contribuție esențială la amplificarea cunoașterii.

Cum indică și titlul, miezul cercetării îl constituie deportarea în Transnistria a romilor, care a avut cu totul alte rațiuni decât în cazul evreilor. Evident, nu poate fi negată conotația rasială, de vreme ce utilizarea termenului de „țigan" este permanentă în discursul epocii.

Lucrarea scoate în evidență o pagină neagră din istoria României, pagină pe care, din nefericire, unii se prefac că nu o văd. Autoarea ia în discuție importanta temă a „negaționismului", iar un capitol distinct este dedicat unui studiu comparativ cu situația romilor din Italia în aceeași perioadă și sub același tip de ideologie. Cu acribie și, uneori, chiar cu un cult pentru detaliu, stilul autoarei, bine controlat, cu îngrijite trimiteri la surse, indică un specialist pe deplin format. Apreciem că lucrarea de față constituie o reală contribuție științifică la tema *deportării* romilor în Transnistria în perioada 1942-1944.

Dr. Lucian Nastasă-Kovács
Academia Română. Institutul de Istorie „George Barițiu"
Cluj-Napoca

PREFAȚĂ

Cercetarea Holocaustului din România în perioada celui de-al Doilea Război Mondial a beneficiat de-a lungul timpului – îndeosebi în perioada postdecembristă – de un interes constant din partea istoricilor români și străini. În plan istoriografic acest interes s-a reflectat prin introducerea în circuitul științific, îndeosebi în perioada postdecembristă, a unui număr însemnat de lucrări, studii și volume de documente, ce au investigat teme precum locul și rolul minorității evreiești în cadrul societății românești, precum și raporturile cu statul român, natura antisemitismului antonescian, legislația și măsurile antisemite inițiate și adoptate de regimul patronat de generalul – din august 1941 mareșalul – Ion Antonescu, acțiunile de deportare și exterminare îndreptate împotriva populației evreiești din Basarabia, Bucovina de Nord și Transnistria, ori deportarea romilor în Transnistria. În pofida unei literaturi de specialitate dense și valoroase, cu o paletă largă de opinii și interpretări pertinente, există încă numeroase aspecte referitoare la Holocaustul din România în cursul celei de- a doua conflagrații mondiale insuficient cercetate, printre acestea numărându-se în opinia noastră inclusiv măsurile discriminatorii adoptate de regimul antonescian împotriva minorității rome. Prezenta lucrare, dincolo de menirea sa firească de a umple un gol istoriografic, poate oferi răspunsuri la o serie de întrebări cu privire la politica rasială promovată de regimul antonescian și contribui în mod evident inclusiv la o mai bună cunoaștere a trecutului zbuciumat al acestei minorități – prin intermediul unei analize echilibrate și multidisciplinare.

Obiectivul principal al lucrării de față îl reprezintă abordarea deportării romilor în Transnistria din perspectiva analizării acestei măsuri ca politică publică, în cadrul „politicilor de populație" elaborate de instituțiile vremii (în primul rând de specialiștii care activau în cadrul Institutului Central de Statistică, dar nu numai).

Această abordare este firească, dacă luăm în considerare faptul că atât Ion Antonescu, cât și vicepremierul Mihai Antonescu și-au exprimat în repetate rânduri dorința de a soluționa chestiunea evreiască, precum și de a asigura „omogenizarea" națiunii, într-o manieră sistematică, în consens de altfel cu metodele implementate la nivel european.

În economia capitolului II, dedicat delimitărilor conceptuale, autoarea consacră câte un subcapitol pentru explicarea utilizării termenilor de Holocaust, Porrajmos, Samudaripen în legătură cu persecuția romilor în cursul celui de-al Doilea Război Mondial, inclusiv în România, respectiv pentru a trata și a analiza dacă măsura deportării romilor în Transnistria se încadrează în terminologia de genocid, masacru sau purificare etnică. Ultimul subcapitol al acestuia, cel mai important în opinia noastră, prezintă și analizează planurile referitoare la schimburile de populație, respectiv „politicile de populație" elaborate de Sabin Mănuilă, directorul Institutului Central de Statistică și principalul colaborator al mareșalului Ion Antonescu în acest domeniu, precum și legătura existentă între aceste planuri, respectiv politica rasială și de purificare etnică gândite și implementate parțial de regimul antonescian, îndeosebi în anii 1941-1942.

În cadrul capitolului III, intitulat „Problema romilor în România interbelică", se prezintă pe larg geneza și evoluția așa-numitei „probleme a romilor" în România interbelică, capitolul fiind structurat în patru subcapitole. Astfel, în „«Problema evreiască» și «problema țigănească». Cazul european și cazul românesc", autoarea relevă atmosfera existentă în societatea României interbelice, respectiv tratează comparativ maniera în care opinia publică ori clasa politică (partide, guvern etc.) s-au raportat la cele două minorități. Subcapitolul „Romii în viața socială a României interbelice" trasează succint istoria minorității rome din România, plecând de la momentul dezrobirii acestora până la emanciparea și asimilarea lor din perioada interbelică. În acest sens, se remarcă maniera în care percepția asupra romilor se modifică îndeosebi în perioada interbelică, cu identificarea treptată a acestora drept „vagabonzi". Din acest capitol nu puteau lipsi teoriile rasiale referitoare la evrei și la romi, prezente pe o scară destul de largă în România interbelică. Astfel, autoarea prezintă modelele rasiale naziste preluate în România, răspândirea acestora și în ce măsură ele au beneficiat de adeziune ori susținere în cadrul opiniei publice românești, dezbaterile iscate în jurul lor în cadrul mediilor intelectuale, poziția cercurilor decizionale în această privință, precum și „soluțiile" identificate și aplicate în cazul romilor. În ultimul subcapitol, autoarea prezintă succint politica promovată de regimul Antonescu în chestiunea romilor, trecând în revistă și analizând posibilele motivații ale deportării romilor în Transnistria.

Capitolul IV, intitulat „Deportarea romilor în Transnistria", ce reprezintă practic o continuare a ultimului subcapitol din capitolul precedent, fiind în opinia noastră și cel mai reușit din cadrul prezentei teze, este consacrat de autoare deportării romilor în Transnistria ca politică publică. Astfel, în cadrul primelor două subcapitole, „O problemă cantitativă: recenzarea romilor și numărul de deportați" și respectiv „O problemă calitativă: motivarea deportării și categoriile celor deportați", aceasta prezintă și dezbate erorile înregistrate în ce privește raportările întocmite de autorități cu privire la numărul deportaților, precum și în ce privește categoriile de persoane deportate efectiv în Transnistria. De altfel, erorile înregistrate au avut ca rezultat o serie de incidente neplăcute pentru autorități, petrecute îndeosebi la unitățile armatei aflate pe front. Bunăoară, soldații de origine romă, informați pe diferite căi de deportarea familiilor lor în Transnistria, au solicitat permisiunea superiorilor de a pleca în căutarea lor. Pe de altă parte, conducerea armatei, confruntată cu aceste cazuri și în lipsa unor instrucțiuni clare, a solicitat la rândul ei indicații cu privire la procedura ce trebuie urmată, dat fiind faptul că această chestiune putea avea și alte repercusiuni (dezertări, receptarea și tratarea tuturor romilor drept „suspecți" etc.). Pe baza surselor documentare și a bibliografiei utilizate, autoarea prezintă pe larg inclusiv situația gravă a romilor deportați în Transnistria, tratamentul inuman aplicat acestora ce a dus la moartea unui mare număr de deportați, precum și percepțiile diferite ale deportării în vechiul Regat, respectiv Transilvania. Ultimul subcapitol din cadrul capitolului IV are ca obiect implementarea politicii publice, măsurile de ajustare, precum și evaluarea acestora.

În capitolul V, intitulat „Studiu de caz: Romii în Italia fascistă", autoarea verifică anumite ipoteze de lucru, trecând în revistă și analizând succint măsurile adoptate împotriva romilor în Italia fascistă, îndeosebi în perioada în care aceasta a devenit partenerul Germaniei național-socialiste în arena internațională.

În fine, capitolul „Reflectarea deportării romilor în perioada postbelică" este consacrat manierei în care problematica deportării romilor se reflectă în anii postbelici, având ca punct de plecare abordarea deportării romilor în cadrul așa-zisului proces al „Marii trădări naționale". Autoarea prezintă și analizează rechizitoriul privind crimele comise împotriva umanității, constatând faptul că crimele comise împotriva romilor sunt în umbra celor înfăptuite la adresa evreilor, respectiv strategia de apărare și justificare a măsurilor adoptate împotriva romilor, din partea celor acuzați. Totodată, trece în revistă tratamentul romilor la revenirea în țară, mărturiile supraviețuitorilor și eforturile întreprinse la nivel internațional în vederea recunoașterii „Holocaustului romilor", campanie în care au fost angrenați inclusiv activiști romi din România.

Se cuvine a fi apreciat în mod deosebit efortul de documentare consistent întreprins de doamna Florinela Naciu-Rușcea (Giurgea), ce relevă aria de cuprindere informațională, caracterul multidisciplinar al cercetării, precum și orizontul teoretic cuprinzător al tezei, bibliografia de specialitate fiind considerabilă pentru tema abordată – numeroase surse documentare, îndeosebi inedite, dar și edite.

În concluzie, avem în față un demers științific reușit, ce se remarcă prin noutatea cercetării, soliditatea documentării, prin maniera de abordare obiectivă și prin judecățile de valoare expuse, dar și prin modalitatea în care este tratată o temă de cercetare complexă și sensibilă.

Dr. Ottmar Trașcă
Cercetător științific principal I
Academia Română - Institutul de Istorie „George Barițiu"
Cluj-Napoca

I INTRODUCERE

O cultat voit în perioada comunistă de istoriografia oficială, în România, subiectul Holocaustului din cel de-al Doilea Război Mondial a intrat relativ recent în atenția lumii academice. În cadrul lui, deportarea romilor în Transnistria[1], în timpul celui de-al Doilea Război Mondial, în timpul în care România condusă de mareșalul Ion Antonescu era aliată cu Germania nazistă, reprezintă un subiect și mai puțin cunoscut la noi, în cadrul publicului larg. Se știe vag că „Antonescu a trimis țiganii la Bug", măsură despre care unele persoane vorbesc chiar cu o undă de regret în voce, însă majoritatea populației nu cunoaște proporțiile și implicațiile[2], deși

---

[1] Deportarea romilor este recunoscută de legea românească între măsurile care aparțin de Holocaust, în Ordonanța de Urgență a Guvernului 31/2002 privind interzicerea organizațiilor și simbolurilor cu caracter fascist, rasist sau xenofob și a promovării cultului persoanelor vinovate de săvârșirea unor infracțiuni contra păcii și omenirii, art. 2 alin. d) arătând că „prin holocaust se înțelege persecuția sistematică sprijinită de stat și anihilarea evreilor europeni de către Germania nazistă, precum și de aliații și colaboratorii săi din perioada 1933-1945. De asemenea, în perioada celui de-al Doilea Război Mondial, o parte din populația romă a fost supusă deportării și anihilării". Numărul acceptat oficial este de 25.000 de romi deportați în Transnistria. Istoricul Viorel Achim afirmă că numărul de 36.000 de romi deportați, imputat la procesul din 1946 al principalilor exponenți ai regimului autoritar al lui Ion Antonescu, este exagerat, din documente rezultând un număr de 25.000.
[2] Este reprezentativă declarația ex-ministrului Culturii, Daniel Breaz, cu ocazia Zilei internaționale de comemorare a genocidului romilor din perioada Holocaustului, din 2 august 2019, pe care l-a descris ca fiind între acele „momente mai delicate, ca să nu le spunem dificile sau neplăcute" din istoria noastră în care „anumite minorități au avut de suferit", care l-a plasat direct în tabăra celor care minimizează Holocaustul. Protestele venite din partea spectrului politic, academic, al reprezentanților comunităților romă și evreiască au fost însoțite de cereri insistente de demisie. Ulterior, la sfârșitul lunii, ministrul și-a cerut scuze publice la un post de televiziune „față de cei pe care i-am jignit, sau nu știu", arătând că el cunoaște bine problema, însă a folosit un termen „prea fin" pentru „ce au îndurat", subliniind că a fost la eveniment și a depus o coroană de flori „din respect" pentru comunitatea romă, în timp ce „mulți și-au anunțat prezența acolo și nu au venit să depună" și arătând că avea în acea zi o temperatură de 39 de grade. Vezi

acesteia i-au căzut victime mii de oameni care au murit de foame, de frig, de boli ori chiar împușcați – și asta în mai puțin de 2 ani (iunie 1942-martie 1944). Abia după 1990 s-au înregistrat primele analize științifice, ne-propagandistice, ale arhivelor deschise cercetătorilor. Subiectul deportării romilor din România „la Bug" a mai fost explorat în cadrul larg al istoriei Holocaustului ori al acestei minorități din România[3] (în special primul an al deportării), însă documentele de arhivă disponibile, unele publicate recent, altele consultate în premieră, îndreptățesc ideea că se pot realiza și alte studii, centrate pe acest subiect[4], care să ofere o imagine completă a acestei „politici de populație" întreprinse de regimul Ion Antonescu.

---

https://www.mediafax.ro/social/sedinta-foto-de-la-cotroceni-a-lui-iohannis-si-urmarile-ei-deputatul-minoritatii-evreiesti-condamna-declaratiile-lui-breaz-si-colajul-publicat-de-dana-varga-opozitia-cere-o-demitere-18264564, https://www.facebook.com/watch/?v=2400574703529690, accesate la 10.05.2021.

[3] Jean Ancel, *Transnistria,* București, Editura Atlas, 1998, Viorel Achim, *Țiganii în istoria României,* București, Editura Enciclopedică, 1998, Radu Ioanid, *Holocaust in Romania. The destruction of the Jews and the Roma under the Antonescu regime,* Chicago, Ivan R. Dee Publishers, 2000 / *Holocaustul din România. Distrugerea evrelor și țiganilor sub regimul Antonescu, 1940-1944,* București, Editura Hasefer, 2006, Armin Heinen, *România, Holocaustul și logica violenței,* Iași, Editura Universității „Alexandru Ioan Cuza" Iași, 2011, Vladimir Solonari, *Purificarea națiunii, Dislocări forțate de populație și epurări etnice în România lui Ion Antonescu, 1940-1944,* Iași, Editura Polirom, 2015; Lucian Nastasă, Andrea Varga, *Minorități etnoculturale. Mărturii documentare. Țiganii din România (1919-1944),* Cluj Napoca, Centrul de Resurse pentru Diversitate Etnoculturală, 2001, Viorel Achim, *Documente privind deportarea țiganilor în Transnistria,* București: Editura Enciclopedică, 2004, Tuvia Friling, Radu Ioanid, Mihail E. Ionescu (ed.), *Raportul final al Comisiei Internaționale pentru Studierea Holocaustului în România,* Iași, Editura Polirom, 2004.

[4] Materialele referitoare strict la subiectul persecuției romilor în perioada celui de-al Doilea Război Mondial sunt în majoritate covârșitoare editate de activiști romi, care pot fi lesne acuzați de subiectivism în selecția surselor sau al interpretării. În unele cazuri, ele au susținut o agendă politică, cum ar fi Donald Kenrick, Grattan Puxon, *The Destiny of Europa's Gypsies,* New York, Basic Books, Inc. Publishers, 1972, care a constituit un reper important în recunoașterea internațională a persecuției romilor în timpul celui de-al Doilea Război Mondial ca genocid. Vezi și Radu Ioanid, Michelle Kelso, Luminița Cioabă, *Tragedia romilor deportați în Transnistria: 1942-1945: mărturii și documente,* Iași, Editura Polirom, 2009, filmele realizate de liderul rom Florin Cioabă, *Adevărul despre Holocaust* (2012) și organizația Romane Rodimata (Adrian-Nicolae Furtună), *O Samudaripen andar I Romania. Holocaustul romilor din România* (2018).

Abordarea pe care o propun este din perspectiva analizării măsurii deportării romilor în Transnistria ca politică publică, în cadrul „politicilor de populație" ale vremii prognozate și/sau implementate de regimul antonescian în legătură cu minoritățile. Această abordare are și avantajul că permite o urmărire secvențială a subiectului, analiza obiectivă a documentelor, fără a cădea în tentația emoției pe care o transmit, spre exemplu, mărturiile orale ale supraviețuitorilor sau în eventualul subiectivism al activismului rom[5].

Tema este relevantă în contextul în care subiectul deportării romilor are implicații care se răsfrâng inclusiv în zilele noastre. În perioada de după război, dar mai ales începând din anii '70, a existat un adevărat lobby internațional pentru recunoașterea romilor ca victime ale Holocaustului pe motive rasiale, pentru ca, dincolo de satisfacția recunoașterii / a memoriei, aceștia să poată primi compensații pentru suferințele lor de la statul german, care le-a oferit, printr-o lege intrată în vigoare în 1953[6], victimelor persecuțiilor naziste, pe motive politice, rasiale sau de credință. În urma unei adevărate bătălii, purtate inclusiv de Uniunea Internațională a Romilor (IRU) și reprezentanți români ai etniei, între care Ion

---

[5] Vezi în acest sens Petre Matei, „Romi sau țigani? Etnonimele – istoria unei neînțelegeri", în István Horváth, Lucian Nastasă (ed.), *Rom sau țigan. Dilemele unui etnonim în spațiul românesc*, Cluj-Napoca, Editura Institutului pentru Studierea Minorităților Naționale, 2012, pp. 20-25. În esență, Petre Matei susține că activiștii romi încearcă să aducă sub aceeași „umbrelă", a denumirii de romi, în mod artificial, grupuri cu identități diferite, pentru a promova „o unitate dorită de elite" și mobilizarea pentru promovarea unei agende politice a unui naționalism rom: „Astfel, se fac eforturi de scriere a unei istorii unificatoare, dându-se atenție originii indiene a romilor (mit fondator), manifestărilor politice din trecut, dar accentul fiind pus pe victimizare: persecuții, robie, sublinierea similitudinilor cu evreii, apariția unor termeni calchiați după antisemitism (antițigănism, antigypsism/ antizsiganismus), inventarea de către unii intelectuali romi a unor cuvinte precum Samudaripen sau Porajmos, care să echivaleze în limba romani cu Shoah-ul evreiesc etc.". Potrivit aceluiași, Uniunea Europeană folosește această denominație, politically correct, doar din motive pragmatice, birocratice.
[6] Legea adoptată de RFG, intrată în vigoare în 1 octombrie 1953, prevedea explicit că urmau să primească aceste compensații persoanele care fuseseră victime ale persecuțiilor pe motive indicate precis, printre care se numărau și cele rasiale. Textul complet al legii este disponibil la adresa http://www.gesetze-im-internet.de/beg/BJNR013870953.html#BJNR013870953 BJNG003200328, accesat la 10.05.2021.

Cioabă, Nicolae Gheorghe și Petre Rădiță, Germania și-a modificat legislația în materie în anii '80, iar în prezent există posibilitatea ca supraviețuitorii romi ai deportării în Transnistria să primească compensații, așa-zisele „pensii de ghetou"[7]. De-a lungul anilor, au existat mai multe asemenea posibilități, pe plan internațional. Și în România, în prezent, există lege pentru despăgubirea victimelor deportării[8]. Ea este însă extrem de greu de pus în aplicare, din cauza condițiilor, reclamate, de altfel, de mai multe organizații de romi din România[9], care insistă pe ideea de rasism la nivel instituțional.

Pe de altă parte, creșterea xenofobiei și a sentimentelor antirome, în multe părți ale lumii, sunt probleme recunoscute[10], cărora Uniunea Europeană, spre exemplu, încearcă să le găsească o rezolvare, deși este supusă, la rândul său, unor presiuni interne - euroscepticism, tendințe autoritariste, avânt al populismului - și crize

---

[7] Vezi în acest sens https://www.roma-survivors.ro/ro/pensii-germane/informații-si-condiții, accesat la 10.05.2021.

[8] Legea 189/2000 prevede „acordarea unor drepturi persoanelor persecutate de către regimurile instaurate în România cu începere de la 6 septembrie 1940 până la 6 martie 1945 din motive etnice" , beneficiarii expliciți fiind cetățenii români care au fost deportați în ghetouri și lagăre de concentrare din străinătate, au fost privați de libertate în locuri de detenție sau în lagăre de concentrare, au fost strămutați în altă localitate decât cea de domiciliu, au făcut parte din detașamentele de muncă forțată sau sunt supraviețuitori ai trenului morții și respectiv soțul sau soția persoanei asasinate sau executate din motive etnice, dacă ulterior nu s-a recăsătorit.

[9] Vezi spre exemplu petițiile adresate în mod repetat de Centrul de Resurse pentru Comunitate Ministerului Muncii, disponibile la adresa https://www.roma-survivors.ro, accesată la 10.05.2021. Există de asemenea petiții online și alte forme de presiune, printre care happeningul din 12 septembrie 2018, al organizației neguvernamentale Aresel, a activistului rom Ciprian Necula, din fața Ministerului Muncii, intitulat „Batjocură la adresa supraviețuitorilor romi ai Holocaustului!".

[10] Ian Hancock sesizează că romii și Gadje (non-romii) au „o mulțime de probleme unii cu alții", „problema țigănească" incluzând o serie de acuzații din partea majoritarilor, de la lipsa dorinței de integrare până la fenomene ca cerșetoria, furtul, mizeria, traiul din ajutor social, iar în sens invers - rasismul. El afirmă că, pentru a reuși să le rezolve, va trebui să existe eforturi din partea ambelor părți, „ca într-o căsnicie, cuvintele-cheie fiind comunicarea și compromisul" - Ian Hancock, „Antiziganism – What's in a Word?", în (ed.) Jan Selling, Markus End, Hristo Kyuchukov, Pia Laskar and Bill Templer), *Proceedings from the Uppsala International Conference on the Discrimination, Marginalization and Persecution of Roma, 23-25 October 2013*, Cambridge Scholars Publishing, Uppsala, 2013, xxi.

cărora este destul de ușor să li se găsească țapi ispășitori[II].

Antițigănismul – definit drept o formă specifică de rasism, îndreptată împotriva comunității rome și a altora calificați drept „țigani"[12] este, la acest moment, o temă importantă pe agenda Uniunii Europene, care vede în atitudinile antirome înregistrate în mai multe țări[13] aparținând comunității europene o piedică în calea integrării membrilor acestei etnii (integrarea romilor constituie o direcție de acțiune la nivel european), recomandând statelor membre să facă

[II] Romii sunt considerați de mult timp ca fiind printre cei mai vulnerabili cetățeni ai UE (vezi în acest sens Raportul Comunităților Europene, *Situația cetățenilor de etnie romă care circulă sau se stabilesc în alte state membre UE*, 2009, în care se recunoaște faptul că UE întâmpină probleme majore în ce privește integrarea acestor cetățeni, mergând de la expulzările din state membre ca Italia și Franța până la aplicarea modestă a Strategiilor de incluziune). Paul A. Shapiro, director al programului de cercetare aprofundată de la Muzeul Memorial al Holocaustului din Statele Unite, declara, într-o emisiune a TVR Cluj, „Transilvania Policromă", din 2013, dedicată memoriei Holocaustului, că la ora actuală cei mai expuși tendințelor xenofobe sunt romii, dar pot urma și alții. Înregistrarea emisiunii este disponibilă la adresa https://www.youtube.com/watch?v=TO3SPLuJhJo, accesată la 10.05.2021.

[12] Termenul, relativ recent, propus de activiștii romi, pune antițigănismul în legătură nu numai cu incidente violente îndreptate împotriva romilor, ci și cu fenomene de discriminare a persoanei, grupului, sau instituționalizată și hate speech (discursul urii), în creștere, mai ales în preajma alegerilor, ceea ce indică faptul că această etnie este din nou o țintă, inclusiv la nivel politic. A fost recunoscut prima dată de Parlamentul European în 2005 într-un document oficial – European Parliament resolution on the situation of the Roma in the European Union (vezi http://www.europarl.europa.eu/sides/getDoc.do?pubRef=-//EP//TEXT+TA+P6-TA-2005-0151+0+DOC+XML+V0//EN) și ulterior de Consiliul European și Comisia Europeană și a intrat ca atare și în preocupările lumii academice – vezi lucrările conferinței internaționale *Antiziganism – What's in a Word?* - Uppsala, 2013 și respectiv ale școlii de vară organizate în iulie 2019 la Budapesta de Central European University în cooperare cu Consiliul Europei, având ca temă „Romani Identities and Antigypsyism". La acest moment, există o serie de organizații și rețele puternice la nivel internațional dedicate combaterii fenomenului, între care se remarcă ERGO – Alliance Against AntiGypsism, înființată în 2016. De asemenea, grupuri politice precum cel al Verzilor au îmbrățișat această cauză – vezi https://www.greens-efa.eu/en/article/document/countering-antigypsyism-in-europe/. Accesate la 10.05.2021.

[13] O cronologie a celor mai importante incidente antirome de după război până în anii 90, în David Crowe, John Kolsti (ed.), *The Gypsies of Eastern Europe*, M.E. Sharpe Inc, New York, 1991. Un inventar al incidentelor antirome din perioada postdecembristă, în Emmanuele Pons, *Țiganii din România – o minoritate în tranziție*, București, Editura Compania, 1999, rapoarte ale Amnesty International, ale Parlamentului European și în broșura editată de EFA, *Countering Antigypsyism in Europe*.

din combaterea acestora o prioritate[14]. UE se preocupă la un mod mai general de combaterea rasismului și xenofobiei[15], în care vede o subminare a principiilor de toleranță pe care s-a întemeiat Uniunea Europeană, la acest moment îngrijorările principale vizând atitudinile îndreptate împotriva imigranților și respectiv romilor.

Parlamentul European a adoptat mai multe luări de poziție pe acest subiect – politic - în ultimii 15 ani, dacă ar fi să ne referim doar la rezoluția adoptată în 2007 privind libera circulație a cetățenilor europeni, legată de măsurile de expulzare luate de statul italian după cazul cetățeanului român de etnie romă Romulus Mailat, acuzat de tâlhărirea și uciderea Giovannei Reggiani[16] ori Raportul din 2017 al PE referitor la „aspecte ale drepturilor fundamentale în integrarea romilor: lupta împotriva antițigănismului"[17].

Pe de altă parte, periodic, se înregistrează încercări de reabilitare sau cereri de anulare a condamnărilor pentru crime de război pronunțate în 1946 în urma procesului celor mai importanți exponenți ai regimului Antonescu[18], între care mareșalul Ion Antonescu,

---

[14] Vezi agenda EU Roma Week din 2019, eveniment organizat de Comisia Europeană, Parlamentul European, Comitetul Economic și Social European, Consiliul Europei și municipalitatea din Bruxelles, la care au luat parte decidenți și reprezentanți ai societății civile din statele membre, inclusiv România la adresa https://www.ardi-ep.eu/roma-week-2019/. Metodele de combatere a antițigănismului a fost una din temele principale, vezi în acest sens și https://rm.coe.int/roma-week-concept-2018/1680796082. Accesate la 10.05.2021.

[15] Vezi în acest sens Decizia-cadru 2008/913/JAI a Consiliului din 28 noiembrie 2008 privind combaterea anumitor forme și expresii ale rasismului și xenofobiei prin intermediul dreptului penal, disponibilă la adresa https://eur-lex.europa.eu/legal-content/RO/TXT/HTML/?uri=CELEX:32008F0913&from=EN, accesată la 10.05.2021.

[16] Au existat două propuneri de rezoluție, cea adoptată, a grupurilor PSE, Verzi, ALDE și GUE/NGL, la adresa http://www.europarl.europa.eu/sides/getDoc.do?pubRef=-%2f%2fEP%2f%2fNONSGML%2bMOTION%2bP6-RC-2007-0462%2b0%2bDOC%2bPDF%2bV0%2f%2fEN, accesată la 10.05.2021.

[17] Disponibil la adresa http://www.europarl.europa.eu/doceo/document/A-8-2017-0294_EN.html#_part1_def8, accesată la 10.05.2021.

[18] Cazul României nu este singular, dacă ar fi să amintim aici cazurile scriitorilor Wass Albert și Nyirö József. În 2004, s-a încercat revizuirea sentinței de condamnare a lui Wass, in absentia, pronunțată în 1946, pentru implicarea în masacrele de la Sucutard și Mureșenii de Câmpie din 1940, cărora le-au căzut victime români și evrei (acesta se bucură de un adevărat cult în zilele noastre). În cazul celui de-al doilea scriitor - un exponent proeminent al Partidului Crucii cu Săgeți fascist – s-a încercat reînhumarea rămășițelor pământești în cadru festiv, la Odorheiu Secuiesc, în 2012,

vicepreședintele Consiliului de Miniștri al regimului său, Mihai Antonescu, generalul Constantin Z. (Piki) Vasiliu și ex-guvernatorul Transnistriei, Gheorghe Alexianu, cel mai activ în acest sens fiind fiul celui din urmă[19]. Există un adevărat curent, al unei părți a opiniei publice și al unor lideri de opinie, care susțin că mareșalul Antonescu a fost de fapt un erou[20], pe nedrept condamnat de exponenții puterii sovietice nou instalate[21], alături de negări ale existenței Holocaustului în România[22]. Și aceasta în ciuda ironiei faptului că, așa cum remarca

---

în plină campanie electorală, de o formațiune politică maghiară din Transilvania, Partidul Civic Maghiar, sprijinită de președintele Parlamentului de la Budapesta de la acea dată, Kover Laszlo (FIDESz), ceea ce a generat un scandal imens și tensiuni diplomatice între România și Ungaria.

[19] Pentru metodele folosite de negaționiștii români și cultul lui Ion Antonescu, vezi Alexandru Florian, „Memoria publică a Holocaustului în postcomunism", în *Revista Polis*, Volumul IV Nr. 1(11), 2016, https://dilemaveche.ro/sectiune/dileme-on-line/articol/cultul-lui-antonescu-si-reabilitarea-criminalilor-de-razboi și https://www.jewishvirtuallibrary.org/the-banality-of-history-and-memory-romanian-society-and-the-holocaust, accesate la 10.05.2021.

[20] Nici în acest caz fenomenul nu este singular, în 2013, la dezvelirea statuii lui Horthy Miklós din Budapesta, unul dintre vorbitori a afirmat că a fost „ultimul om de stat adevărat al Ungariei" – vezi https://www.jobbik.com/horthys_statue_was_unveiled_budapest_city_center, accesat la 10.05.2021.

[21] O analiză a acestor curente este oferită de lucrarea lui Bogdan Chiriac, coord. Constantin Iordachi, *The „Retrial" of Marshal Ion Antonescu in Post-Communist Romanian Historiography*, Central European University, Budapest, May 2008, în care subiectul este tratat pe larg, inclusiv în legătură cu necesitățile propagandei oficiale din perioada comunistă și de după 1990.

[22] Astfel de opinii se pot constata atât în rândul unei părți a populației, în publicistică – Ion Coja (*Holocaust în România?*, București, Editura Kogaion, 2002), Teșu Solomonovici (*Mareșalul Ion Antonescu. O biografie*, București, Editura Teșu, 2011) media și bloguri, dar și în unele medii politice extremiste – Noua Dreaptă, Partidul România Mare - și chiar academice. Între cei mai cunoscuți istorici negaționiști, care neagă, minimizează, „trivializează prin comparație" Holocaustul în România, după expresia lui Michael Shafir, ori cer și recunoașterea „Holocaustului roșu" (comunismul) se numără istoricii Gheorghe Buzatu (autorul mai multor cărți-fluviu despre mareșalul Ion Antonescu, pe care le promovează agresiv, inclusiv prin punerea la dispoziție gratuit, online, vezi http://www.ziaristinline.ro/2015/06/01/de-ce-maresalul-ion-antonescu-nu-a-fost-criminal-de-razboi-opinia-profesorului-gheorghe-buzatu-si-13-carti-online-gratuit-pe-aceasta-tema/), Iosif Constantin Drăgan (*Antonescu, Mareșalul României și răsboaiele de reîntregire*, Centrul European de Cercetări Istorice, Veneția, Ed. Nagard, 1986) și Larry Watts (*Romanian Cassandra: Ion Antonescu and the Struggle for Reform, 1916–1941*, East European Monographs, Boulder, distributed by Columbia University Press, New York, 1993).

Robert Levy[23], participarea la Holocaust a fost recunoscută oficial de statul român încă din 2004 prin *Raportul final* al Comisiei Internaționale pentru Studierea Holocaustului în România (Comisia „Elie Wiesel"). I se adaugă și alte legi din România – Hotărârea de Guvern 672/2004, de instituire a Zilei comemorării Holocaustului, Hotărârea de Guvern 902/2005 privind înființarea Institutului Național pentru Studierea Holocaustului din România „Elie Wiesel", Ordonanța de Urgență a Guvernului 31/2002 privind interzicerea organizațiilor și simbolurilor cu caracter fascist, rasist sau xenofob și a promovării cultului persoanelor vinovate de săvârșirea unor infracțiuni contra păcii și omenirii, Legea 107/2006 pentru aplicarea OUG 31/2002 etc. Subiectul este relevant cu atât mai mult cu cât în textul Ordonanței de Urgență 31/2002 privind interzicerea organizațiilor și simbolurilor cu caracter fascist, rasist sau xenofob și a promovării cultului persoanelor vinovate de săvârșirea unor infracțiuni contra păcii și omenirii, se recunoaște faptul că în cadrul Holocaustului – definit ca „persecuția sistematică sprijinită de stat și anihilarea evreilor europeni de către Germania nazistă, precum și de aliații și colaboratorii săi din perioada 1933–1945"[24] - intră și persecuțiile

---

Un caz care a făcut vâlvă este cel al profesorului Vladimir Iliescu, concediat în 2013 de Universitatea din Aachen după declarația sa de la Academia Română, potrivit căreia „*În România au fost persecuții împotriva evreilor (....) 20.000 de evrei au murit din cauza autorității românești, dar nu a fost Holocaust, dovadă cei peste 300.000 care au supraviețuit în Regat - și au murit mare parte din prostie. (...) Mi-am dat seama că România este declasată și criticată în mod inutil, pentru un lucru care n-a avut loc. Holocaustul n-a avut loc decât în Ungaria, când Horthy, regentul, a dat ordin și honvezii i-au băgat începând cu Transilvania și i-au trimis direct la Auschwitz. (...) Germania a făcut Holocaust, Ungaria a făcut Holocaust, România numai persecuții. E o mare deosebire și eu ca român trăitor în Germania știu importanța acestui lucru, de aceea de curând eu am fost făcut antisemit, ca și prietenul meu, academicianul Răzvan Theodorescu, și ca să închei într-o notă veselă, i-am propus înființarea unui club al antisemiților filosemiți*". Se remarcă cifra vehiculată, de peste 10 ori mai mică în comparație cu cea acceptată oficial. Declarația înregistrată, la adresa: https://www.youtube.com/watch?v= b26KQRat88Q.Accesate la 10.05.2021.
[23] Robert Levy, „Transnistria 1941-1942: The Romanian Mass Murder Campaigns (review)", în *Jewish Quarterly Review*, University of Pennsylvania Press, volume 98, number 3, summer 2008, p. 424.
[24] Textul original al OUG 31/2002 a suferit mai multe modificări, introduse prin Legea 107/2006, publicată în *Monitorul Oficial* nr. 377 din 3 mai 2006, Legea 187/2012, publicată în *Monitorul Oficial* nr. 757 din 12 noiembrie 2012, Legea 217/2015, publicată

din perioada celui de-al Doilea Război Mondial, când „o parte din populația romă a fost supusă deportării și anihilării"[25].

Provocarea acestei teze este cu atât mai mare cu cât, dacă în România a existat o „problemă evreiască" pe agenda publică timp de zeci de ani, marcată de virulente luări de poziție și chiar isterii legate de „pericolul" evreiesc, până la „rezolvarea" prin deportare și ucidere în timpul regimului Antonescu, o „problema țigănească" pare să nu fi existat cu adevărat. Măsurile luate contra romilor par să fi apărut brusc, mai ales că veneau după o perioadă aboliționistă, care dădea o tușă romantică, și o perioadă interbelică în care s-au petrecut fenomene de emancipare și de asimilare accentuată a lor în rândul populației majoritare. Deși nu se poate nega existența unui rasism latent în societate, raportările la romi erau mai degrabă condescendente. Dacă în ceea ce privește evreii, există referiri explicite ale autorităților române la intenția de lichidare a lor fizică, documentele avute la dispoziție nu fac – cu o singură excepție - vreo astfel de referire în cazul romilor. Chiar dacă se enunță etnia, măsura deportării este prezentată mai degrabă într-o notă pozitivă, legată de perspectiva colonizării și nicăieri ei nu sunt subiectul unor atacuri ideologice; mai mult, la procesul din 1946, mareșalul Antonescu a prezentat deportarea ca fiind justificată de rațiuni de ordine publică și de nevoia de brațe de muncă[26].

Analiza de față ia în considerare un cadru total diferit de cel al omului de astăzi. Deportarea romilor în Transnistria s-a produs în contextul unui război mondial și al unui stat coercitiv, cu tot ce implică aceasta, inclusiv intervenția abruptă în viețile cetățenilor, în numele interesului colectiv, național, de stat. Ca atare, lucrarea prezintă atmosfera, teoriile care au fundamentat „politicile de populație" și teoriile rasiale, pentru ca, pe baza documentelor, să răspundă la câteva întrebări, referitoare la măsură.

în *Monitorul Oficial* nr. 558 din 27 iulie 2015, Legea 157/2018, publicată în *Monitorul Oficial* nr. 561 din 4 iulie 2018. Prin alte legi, o serie de articole au fost abrogate. Definiția Holocaustului citată, în vigoare, a fost introdusă prin Legea 217/2015.
[25] *Ibidem.*
[26] Vezi în acest sens declarațiile de la interogatoriu și memoriul depus ulterior, în Marcel-Dumitru Ciucă, *Procesul mareșalului Antonescu. Documente*, vol. I și II, Editura Saeculum I.O., Editura Europa Nova, București, 1995.

Prima: dacă deportarea romilor în Transnistria a constituit o politică pe bază rasială sau poate fi explicată prin rațiuni care țineau de ordinea publică, așa cum au susținut tot timpul conducătorii statului din acea perioadă. A doua: dacă această politică publică a fost posibilă datorită contextului istoric, atmosferei generale, rasiste, din Europa de la acea vreme, ori oamenilor – conducătorul statului, mareșalul Ion Antonescu, vicepremierul Mihai Antonescu, comandantul Jandarmeriei, generalul Constantin Z. Vasiliu, guvernatorul Transnistriei, Gheorghe Alexianu, cei care au fost acuzați de crime de război, între care s-a regăsit și deportarea romilor, la „Procesul marii trădări naționale" din 1946, condamnați și executați (și) pentru acestea; sau a fost de natură structurală, înțelegându-i prin aceasta pe cei care trebuiau să pună în practică măsurile luate – corpul jandarmeriei, poliției, cel funcționăresc/birocratic. A treia se referă la existența sau inexistența unui substrat rasist în decizie, implementarea sa și după. Pe parcursul lucrării, am urmărit și dacă pentru respectiva politică publică în domeniul minorității rome (deportarea în Transnistria) mareșalul Antonescu a luat în considerare o nevoie, a analizat oportunitatea, a avut vreo proiecție (ceea ce azi numim studiu de impact), a avut consultări în timpul elaborării, a stabilit metodele, mijloacele, actorii implicați, a decis măsuri de ajustare în timpul implementării, respectiv evaluarea. Problema intenției rămâne centrală în analiza deportării romilor de către autoritățile românești – a fost o politică publică eșuată, cu rezultate dezastruoase în plan uman, o măsură de purificare etnică sau genocid?

Ipoteza principală de la care s-a pornit în această cercetare este că a existat un model al politicilor pe baze rasiale și în măsura deportării romilor în Transnistria, ea nefiind cu nimic originală față de ceea ce s-a întâmplat în alte teritorii aflate sub influența Germaniei naziste[27]. Pe parcursul tezei am verificat acuzația acuzatorului-șef public Vasile

---

[27] Am plecat de la precedent – trimiterea a peste 5.000 de romi în ghetoul din Łodz de către Germania nazistă în noiembrie 1941 și mortalitatea mare înregistrată în rândul celor deportați (peste 700, în câteva săptămâni), din cauza condițiilor mizere și a tifosului, până la lichidarea lagărului și transferul supraviețuitorilor la Chelmno, în ianuarie 1942. Vezi în acest sens A. Galinski, „Il campo nazista per Zingari a Łodz", în *Lacio Drom*, n. 2-3, 1984, pp. 21-29.

Stoican din *Procesul marei trădări naționale*, care a imputat guvernului Antonescu „crimele înfiorătoare" făcute „la ordinul lui Hitler, din proprie inițiativă, sau după exemplul și sugestiile barbariei hitleriste"[28], subliniind: „câtă identitate de proceduri, câtă identitate de concepție criminală între acești criminali și stăpânii lor hitleriști"[29]. Următoarele ipoteze care au fost verificate sunt împrumutate din declarațiile mareșalului Ion Antonescu. Astfel, a doua ipoteză de lucru se referă la ce a determinat măsura deportării, premisa de la care am pornit fiind legată de necesitatea asigurării ordinii publice în timp de război, invocată tot timpul de mareșal, dar și structura coercitivă a statului și a *Conducătorului* însuși[30]. În fine, ultima ipoteză vine din rezoluția pusă de Ion Antonescu pe un memoriu al prefectului din Oceacov, Vasile Gorsky, care semnala trimiterea abuzivă a multor romi în Transnistria, referitoare la „opera nefastă a Jandarmeriei, care nu a executat cu bună credință" ordinul său. Ca urmare, am analizat și dacă implementarea acestei decizii de deportare a romilor în Transnistria a fost defectuoasă din motive care țin de un corp de Poliție și Jandarmerie și un aparat birocratic slab pregătit din punct de vedere democratic[31], pe alocuri rasist și chiar rău-voitor și ca atare predispus la abuzuri.

---

[28] *** *Procesul marei trădări naționale. Stenograma desbaterilor dela Tribunalul Poporului asupra Guvernului Antonescu*, Editura Eminescu, 1946, p. 304.

[29] *Ibidem.*

[30] Referindu-se la situația din provincia Transnistria, unde, conform generalului Constantin Z. Vasiliu, „așezarea polițienească nu era terminată", mareșalul Ion Antonescu i-a indicat acestuia, într-o ședință a Consiliului pentru Afaceri Interne din 25 noiembrie 1941, ca acolo să aplice „principiul pumnului" – vezi ed. Marcel-Dumitru Ciucă, Maria Ignat, *Stenogramele ședințelor Consiliului de Miniștri. Guvernarea Ion Antonescu*, vol. V, Arhivele Naționale ale României, București, 2001, p. 201.

[31] Acest aspect este sesizat atât de Francisco Veiga (*Istoria Gărzii de Fier, 1919-1941. Mistica ultranaționalismului*, Editura Humanitas, 1995) cât și de Armin Heinen (*Legiunea „Arhanghelului Mihail". Mișcare socială și organizație politică. O contribuție la problema fascismului internațional*, ed. a II-a, Editura Humanitas, București, 2006). Dacă primul descrie România de la acea dată ca o țară unde forțele polițienești operau arestări abuzive destul de frecvent - „Brutalitatea polițienească, fără nicio deosebire, împotriva oricărui posibil dușman al ordinii publice stabilită era o practică foarte răspândită în statul roman și în altele asemănătoare din toată Europa, în care regimul liberal-burghez nu era sprijinit de un amplu consens social: așa se întâmpla în Spania, în Portugalia sau în Italia, în aceeași perioadă. (...) bătaia, arestările arbitrare, traficul de influență și corupția de tot felul erau probleme de rutină" (p. 78), cel al doilea este și mai explicit când vorbește despre „despoticii

Având în vedere complexitatea temei, abordarea este multidisciplinară. Astfel, am apelat la metode precum care țin de istorie precum cercetarea izvoarelor, prin analiza unor documente de arhivă conținând ordine, dispoziții ale organelor superioare de stat, stenograme ale ședințelor prezidate de Ion Antonescu și Mihai Antonescu, statistici, rapoarte, diverse comunicări birocratice referitoare la deportarea romilor în Transnistria, dar și din domenii ale științelor sociale. Un studiu de caz comparativ, privind tratamentul de care au avut parte romii în Italia fascistă și ulterior intrată sub influența nazistă, se bazează pe analiza „în oglindă" a măsurilor luate împotriva romilor în cele două țări. Ne-au interesat nu atât cantitativ cazurile celor supuși persecuțiilor (nici nu există termen de comparație între Italia fascistă și România lui Antonescu în ce privește numărul de romi existenți - și nici numărul de victime), ci motivația măsurilor luate contra lor, argumentarea teoretică și regimul impus - cum au trăit efectiv aceștia în lagărele italiene și respectiv deportații în Transnistria. Astfel, am comparat ce spuneau teoriile rasiale ale vremii despre romi și motivarea măsurilor luate împotriva acestora, în cele două țări, și nu numai. Totodată, am apelat la o metodă din domeniul comunicării - analiza de discurs a documentelor - comparând suportul teoretic al rasismului cu ceea ce am numi „factorul uman", adică ce apare în documentele birocratice emise de cei care trebuiau să implementeze operațiunea

---

ataşaţi de poliţie" şi de intervenţiile poliţieneşti. Între cazurile concrete se numără bătaia unui cetăţean de către poliţie, la comanda unui general pe care îl deranjase, relatată de un ziarist german (p. 40), un raport din februarie 1933 al ministrului de Interne Armand Călinescu, privind distrugerea unei case, la Iaşi, de către „bandiţi" incitaţi şi conduşi în acţiunea lor de preoţi, „în prezenţa unui prim-procuror, a comandantului poliţiei, a întregului aparat al poliţiei şi a unui căpitan de jandarmerie" (p. 219). Potrivit autorului citat, „o prăpastie adâncă îi despărţea pe deţinătorii puterii sociale de poporul simplu" (p. 40). Depoziţia liderului ţărănist Iuliu Maniu, făcută sub jurământ, în procesul lui Ion Zelea Codreanu din 1938 întăreşte această idee: „Domnilor, în adevăr, partidele politice, în afară de alegerile din 1928 şi 1932, pe care le-a făcut partidul nostru, au stat în faţa tristei situaţiuni de a fi folosit organele de Siguranţă, de Stat, jandarmerie, poliţie, pentru interesele electorale de partid" (Liviu Vălenaş, *Cartea Neagră a României 1940-1948*, Bucureşti, Editura Vestala, 2006, p. 33).

și din declarațiile *Conducătorului*. În analiza de discurs, am recurs în câteva rânduri și la o analiză cantitativă, în care am contorizat frecvența unor cuvinte-cheie.

În demersul nostru, am apelat la *Stenogramele ședințelor Consiliului de Miniștri. Guvernarea Ion Antonescu*, publicate de Arhivele Naționale ale României, ediție de documente întocmită de Marcel-Dumitru Ciucă, și de asemenea la volumele *Procesul mareșalului Antonescu. Documente*, publicate tot de Marcel-Dumitru Ciucă în 1995, textele fiind transcrise direct după înregistrarea „pe plăci" a procesului - demers-replică la scopurile propagandistice ale *Procesului marii trădări naționale. Stenograma dezbaterilor de la Tribunalul Poporului asupra Guvernului Antonescu*, publicat în 1946, care a fost de asemenea consultat - precum și la o serie de surse arhivistice din țară și străinătate. În cel din urmă caz, ne referim la documentele din perioada administrației românești păstrate în arhivele ucrainene - Odesskij Oblastnyij Archiv și Nikolaevskij Oblastnyij Archiv – și la cele existente în Arhivele Militare (AUSSME) din Roma, precum și de la Arhivele de stat din Pescara și de la Fundația ex-Campo Fossoli din Carpi, relevante pentru subiectul persecuției romilor în perioada fascistă, care a făcut obiectul studiului de caz comparativ.

II CADRUL CONCEPTUAL

II.1 Cadrul conceptual. Holocaust, Porajmos, Samudaripen

Denumirea de Holocaust este îndeobște asimilată exterminării evreilor în timpul celui de-al Doilea Război Mondial. Spre exemplu, United States Holocaust Memorial Museum descrie Holocaustul ca fiind „persecuția și omorârea sistematică a 6 milioane de evrei, susținută de stat și aparatul birocratic al regimului nazist și al colaboratorilor"[32]. Aceeași sursă subliniază că ținta politicii „soluției finale" naziste era omorârea evreilor europeni, adăugând în același timp că și alte grupuri au fost vizate - etnici romi sau de origine slavă, persoane de culoare sau cu dizabilități, motivele ținând de presupusa lor inferioritate rasială sau biologică; comuniști, socialiști, Martori ai lui Iehova ori persoane homosexuale, persecuțiile având la bază motive politice, ideologice, comportamentale[33]. Ca urmare, am putea afirma că termenul de Holocaust se aplică exhaustiv victimelor persecuțiilor din Germania nazistă, din statele satelit sau ocupate în timpul celui de-al Doilea Război Mondial. În mod evident, modul în care au fost afectați de politicile rasiale evreii și respectiv romii diferă: și în ce privește numărul, sensibil mai mic în cazul romilor (între 200.000 și circa 500.000 de oameni[34]), dar și gradul în care diferitele țări din sfera de influență național-socialistă au aplicat măsuri împotriva lor.

Evreii și romii desemnează în cuvinte proprii persecuțiile cărora le-au căzut victime în acea perioadă. Astfel, evreii folosesc ca

---

[32] https://encyclopedia.ushmm.org/content/en/article/introduction-to-the-holocaust, accesat în 10.05.2021.

[33] *Ibidem.*

[34] Numărul, indicat de reprezentanții Muzeului Holocaustului din SUA, este disputat de organizațiile internaționale ale romilor, unele vorbind de aproape 1,5 milioane de victime, nedocumentate, în întreaga Europă, vezi http://www.errc.org/news/why-it-is-important-to-remember-the-roma-holocaust, accesat la 10.05.2021.

alternativă denumirea biblică de Shoah, „calamitate", „catastrofă"[35] sau, mai rar, Khurban, „distrugere"[36], cu argumentul că Holocaust - provenind din greacă, cu sensul de „ardere totală" rituală - implică ideea de sacrificiu, care a fost inexistentă în planificarea uciderii lor în masă, în ideologia național-socialistă. În cazul romilor, termenul clasic este Porrajmos (mai nou, folosit și cu varianta Porajmos, însemnând „distrugere", „devorare", în dialectul romilor căldărari), introdus de Ian Hancock, autorul lucrării *Downplaying the Porrajmos: The Trend to Minimize the Romani Holocaust*, în care acesta răspundea unei interpretări a lui Guenter Lewy referitoare la faptul că, în cazul persecuției romilor în perioada nazistă, nu se poate vorbi despre genocid[37]. În perioada mobilizării activiste pentru recunoașterea romilor ca victime ale politicilor rasiale de inspirație nazistă s-a utilizat frecvent și sintagma „Holocaustul uitat"[38], cu referire la persecuția romilor. Motivele acestei „uitări", s-a argumentat, țin de perceperea lor ca ne-europeni, prejudecățile legate de „asocialitatea lor", ca motiv al persecuțiilor[39]. La acest moment, există și un alt trend, al unor organizații rome care militează pentru folosirea denumirii de Samudaripen în loc de Porrajmos, ceea ce încearcă să transpună, în limba romani, conceptul de genocid („sa" - toți; „mudaripen" – „ucidere"). Între aceste organizații se numără Uniunea Internațională a Romilor –

---

[35] http://www.inshr-ew.ro/ro/holocaustul-din-romania/ce-este-genocidul.html, accesat la 10.05.2021.

[36] https://www.yadvashem.org/yv/en/holocaust/resource_center/the_holocaust.asp, accesat în 10.05.2021.

[37] Textul complet, la adresa https://the-holocaust.livejournal.com/34071.html, accesată în 10.05.2021.

[38] Termenul, popularizat în cartea cu același nume, apărută în 1979, a jurnalistului francez Christian Bernadac, cunoscut pentru materialele sale referitoare la persecuțiile naziste în anii '60-'70, a fost folosit inclusiv de liderul rom român Ion Cioabă, în scrisorile adresate cancelarului RFG Helmut Kohl și Tribunalului de la Haga, în demersurile sale de lobby pentru recunoașterea genocidului romilor pe baze rasiale și acordării de despăgubiri.

[39] Spre exemplu, în 1950, ministrul de interne din Würtemberg a declarat că judecătorii cererilor de compensații ar trebui să țină seama de faptul că „romii au fost persecutați sub regimul național-socialist nu din cauze rasiale, ci din cauze care țineau de asocialitate și cazier" – vezi David Crowe, John Kolsti (ed), *The Gypsies of Eastern Europe*, M. E. Sharpe Inc, New York, 1991, p. 20.

International Romani Union (IRU)[40], dar și Centrul Național de Cultură a Romilor, care a publicat în 2017 un volum îngrijit printre alții și de Vasile Ionescu de la organizația Aven Amentza, unul dintre contributorii la *Raportul final* (comisia Elie Wiesel), având acest concept în titlu[41]. Termenul Samudaripen a fost lansat de lingvistul francez Marcel Courthiade, care a argumentat că rădăcina cuvântului Porrajmos (porravel – a deschide larg orificii ale corpului) are în limbaj colocvial o conotație sexuală[42], dar și că Samudaripen ar fi neutru și cu o implicație mai puțin emoțională decât primul[43]. Este discutabil dacă acest termen se poate aplica în vreun caz, din cauza radicalismului – componenta „sa" („toți") anulează relativizarea din definiția genocidului (intenția de distrugere în tot sau în parte): de altfel, în niciun caz, incluzând aici pe cel al romilor deportați din România în Transnistria, nu au murit toate victimele. Pe de altă parte, un susținător român al

---

[40] Organizația, care a susținut intens lupta pentru recunoașterea romilor ca victime ale politicilor rasiale de inspirație nazistă în anii '70 și obținerea de compensații, folosește la acest moment alternativ termenii de „Holocaust al romilor" și „Samudaripen". Agenda sa politică – evidentă de la momentul înființării, prin imnul „Gelem, gelem" care face referire la „legiunile negre" care au omorât o familie mare de romi, steag etc. - subscrie preocupările legate de cercetarea subiectului Holocaustului din al Doilea Război Mondial, căruia i-au căzut victime romii, unei mișcări de empowerment – vezi *Memorandumul* adoptat în 2015 și semnat de delegați din 27 de țări, pe prima pagină a IRU, http://iru2020.org/. Accesat la 10.05.2021.

[41] Vasile Ionescu, Mihai Neacșu, Nora Costache, Adrian-Nicolae Furtună, *O Samudaripen. Holocaustul romilor. România. Deportarea romilor în Transnistria. Mărturii – documente*, Editura Centrul Național de Cultură a Romilor, București, 2017.

[42] Lucrarea lui Adrian-Nicolae Furtună, *Rromii din România și Holocaustul: Istorie, teorie, cultură*, Editura Dykhta! Publishing House, Popești Leordeni, 2018, apărută sub egida Departamentului pentru Relații Interetnice al Guvernului României, sondează (pp. 8-34) receptarea termenului Porrajmos (și a variantei Pharrajmos) în rândul mai multor comunități de romi intervievați, majoritatea acestora indicând din start conotații sexuale („a beli, a întoarce pe dos, a devora, a viola"), în paralel cu cel de Samudaripen („ucidere totală"). Autorul trece în revistă și termenul de Kali Trash („Frica neagră"), folosit mai ales de activiști în spațiul slav, care dă titlul unei piese de teatru a lui Mihai Lukács care a avut premiera în 2018 la Teatrul Evreiesc de stat, dar care nu a fost folosit de istoriografii români până acum. Potrivit European Roma Rights Center, un alt nume este Berša Bibahtale („anii nefericiți").

[43] Karola Fings, *Genocide, Holocaust, Porajmos, Samudaripen*, în https://www.romarchive.eu/en/voices-of-the-victims/genocide-holocaust-porajmos-samudaripen/, accesat la 10.05.2021.

Samudaripenului ca Vasile Ionescu susține că acesta, „în cazul particular al României, trebuie să includă și responsabilitatea statului român față de unicitatea sclaviei rromilor în Țările Române"[44], inducând ideea unei acțiuni programatice a statului în sensul eliminării lor și o vină istorică. Aceasta este evident o exagerare – a fi rob și a fi mort nu e chiar același lucru, iar de la discriminare și exploatare, chiar sistematică, instituționalizată, de-a lungul a cinci secole, la exterminare e cale lungă. În plus, dacă am admite echivalența sclavie–genocid, de-a lungul secolelor, pe care o induce această idee[45], s-ar crea o listă lungă de state care au experimentat, în istorie, acest fenomen. Michael Ignatieff susține chiar că prin această idee se banalizează ideea de genocid, prin a denumi astfel orice fel de victimizare, el arătând că sclavia a fost un sistem de exploatare a muncii, nu de exterminare, iar stăpânii ar fi avut tot interesul de a-și ține sclavii în viață[46]. Pe de altă parte, Mark Levene vorbește de „protogenocidele" statelor civilizate de astăzi, adică recurgerea la războaie, cuceriri și sclavie[47] și despre experiența lor colonială, în care modelele de liberalism universal englez și francez au slăbiciunea majoră ce rezidă în diferența „între ceea ce

---

[44] Vasile Ionescu și alții, *O Samudaripen...*, p. 5.

[45] Vasile Ionescu este destul de explicit în acest sens, vezi și cererea ca „statul să-și recunoască vinovăția istorică a propriilor politici publice, de la Sclavia [sic!] romilor la deportarea în Transnistria și moartea a zeci de mii de romi, în Holocaust", care ar fi „nu doar fundamentele rasismului antirom, ci și dovada că prin represiune și spoliere statul a întreținut constant un decalaj socio-economic între rromi și populația majoritară, ca discriminare și inegalitate între cetățenii săi" (vezi https://adevarul.ro/news/politica/rromii-autoinsclavizare-libertate-160-ani-abolirea-sclaviei-1_56c6e84c5ab6550cb8f96228/index.html). Orientarea este evidentă și în filmul CNCR, „*În numele statului* (s.n.) *Holocaustul romilor*", în care Vasile Ionescu apare de mai multe ori și în care oficial deține calitatea de consultant științific și narator (disponibil la adresa https://www.youtube.com/ watch?v=WuDOkoFPFIs). O altă exagerare evidentă promovată de acesta este legată de mineriada din 13-15 iunie 1990, în care acesta vede un „pogrom asupra cartierelor de romi din București" (vezi https://m.adevarul.ro/news/societate/a-murit-nicolae-gheorghe-reformatorul-miscarii-internationale-rromilor-1_5203f912c7b855ff56bb400d/index.html). Accesate în 10.05.2021.

[46] https://www.bbc.com/news/world-11108059, accesat la 10.05.2021.

[47] Mark Levene, „Why Is The Twentieth Century the Century of Genocide?", în *Journal of World History*, vol. II, no. 2 (Fall 2000), p. 317.

spuneau și ceea ce făceau în practică"[48]. Este discutabil dacă un astfel de argument se poate aduce și în cazul romilor. „Protogenocidele" se susțin prin ideea că persoanele de culoare au fost aduse pentru a fi sclavi din alte părți ale globului, care au suferit în urma fenomenului, extrem de extins, din punct de vedere al numărului populației și al impactului economic. Or, în cazul romilor, aceștia au ajuns în Europa în urma unui fenomen de migrație, iar proporțiile fenomenului în rândul populației originare și impactul economic sunt greu de stabilit.

II.2 Cadrul conceptual. Între genocid și purificare etnică

Abordarea deportării romilor în Transnistria, în timpul regimului Ion Antonescu, ca genocid, deși descrisă în *Raportul final* cu acest termen[49], este extrem de disputată. Măsura a făcut parte din politicile publice „de populație" implementate de regimul Ion Antonescu, într-un moment în care conducerea statului vorbea deschis despre dorința de „omogenizare etnică" a României. Termenul de „purificare" cu conotații etnice apare la vicepreședintele Consiliului de Miniștri, Mihai Antonescu, într-o ședință din 17 iunie 1941, când acesta s-a referit la intenția de „purificare a elementelor" slave din Basarabia, Bucovina și Transnistria și „unificare a rasei" – fără îndoială, românești, metodele fiind și ele menționate: „emigrațiune" și „exod": „Domnilor, cred că trebuie să folosim acest moment... să întindem granița până la Bug și să ne așezăm vechile noastre așezări istorice, să folosim acest moment ca să dăm marea luptă contra slavilor..., prin urmare, în ce privește Basarabia și Bucovina, ca și teritoriile transnistrene, care se vor încorpora în suveranitatea românească, *va trebui să aplicăm o politică de purificare și de unificare a rasei printr-un fenomen de emigrațiune.* (...) Cea dintâi problemă care se pune, din o sută și o mie de motive, este să folosim acest moment istoric și *să*

---

[48] *Ibidem*, p. 320.
[49] „În cazul specific românesc, o altă «populație-țintă» supusă sau destinată genocidului a fost minoritatea romilor" – *Raportul final*, p. 339.

facem o curățenie și o purificare a elementelor de acolo. Să urgentăm un exod, dar nu prea târziu"[50] (s.n.).

Dată fiind această retorică a vremii, „purificarea etnică" ar părea o variantă mai la îndemână, deși este un pic anacronică[51], având în vedere că un astfel de concept a apărut în documente internaționale abia în anii '90, cu referire la războiul din fosta Iugoslavie. Dar și genocidul este un concept cu care s-a operat la câțiva ani distanță de încheierea celui de-al Doilea Război Mondial.

La momentul comiterii faptelor imputate, era în vigoare Convenția de la Haga din 1907 care acoperea domeniul crimelor împotriva populației civile. Un proiect de convenție internațională cu privire la protecția civililor deportați, evacuați sau refugiați, așa-numitul „Tokyo Draft" a fost adoptat în 1934 de Conferința Internațională a Crucii Roșii[52], însă nu a devenit efectiv decât după al Doilea Război Mondial, în 1949, el stând la baza Convenției de la Geneva din același an.

Procesele de la Nürnberg, unde s-au judecat crime împotriva păcii, crime de război și crime împotriva umanității, au la bază Declarația de la Londra din 8 august 1945, semnată de statele învingătoare[53], care a pus baza Statutului Tribunalului Militar Internațional de la Nürnberg, adoptat în 1946. În cadrul acestor procese internaționale, au existat și referiri la „genocid", dar acesta avea să fie codificat juridic abia în 1948. În textul final al proceselor de la Nürnberg, termenul nu a apărut[54].

---

[50] Extras din actul de acuzare citit în ședința publică a Tribunalului Poporului în 6 mai 1946, în ed. Marcel-Dumitru Ciucă, *Procesul mareșalului Antonescu, Documente*, I, p. 121.

[51] Vladimir Solonari face aceeași observație în prefața la cartea pe care a numit-o utilizând acest concept - *Purificarea națiunii. Dislocări forțate de popu lație și epurări etnice în România lui Ion Antonescu, 1940-1944*, Iași, Editura Polirom, 2015.

[52] Cristian Ionescu, *Post-scriptum la Nürnberg*, București, Editura Politică, 1989, p. 40.

[53] Textul complet la adresa https://avalon.law.yale.edu/imt/imtconst.asp, accesat la 10.05.2021.

[54] William A. Schabas, „Convention for the Prevention and Punishment of the Crime of Genocide", în *United Nations Audiovisual Library of International Law*, United Nations, 2008, p. 1.

„Procesul marei trădări naționale"[55] din România a urmat îndeaproape modelul proceselor de la Nürnberg, iar între acuzațiile aduse exponenților regimului autoritar al lui Ion Antonescu s-au numărat și cele referitoare la acte îndreptate împotriva civililor – persecuții în principal asupra evreilor[56], dar și romilor și altor grupuri. Actul de acuzare, din 29 aprilie 1946, avea la bază „dispozițiunile art. 5 și următorii și 15 din Legea 312/1945, Legea nr. 61/1946 și art. 241 din Codul de Procedură Penală" în vigoare la acea dată. Primele două legi erau emise „cu dedicație" de puterea sovietică - acuzații principali au fost deținuți în perioada septembrie 1944-aprilie 1946 în URSS și interogați la închisoarea Lubianka - și procesul a fost evident politizat. Însă, dincolo de aspectele din actul de acuzare care erau destul de transparente în ce privește „vinovăția" alianței cu Germania și nu cu Rusia, o serie de acuzații se referea la tratamentul civililor din perspectiva nerespectării regulilor internaționale, transpuse în legea românească. Legea 312/1945 „pentru urmărirea și sancționarea celor vinovați de dezastrul țării sau de crime de război"[57], prevedea la articolul 2 că între vinovați sunt cei care „e) Au ordonat sau săvârșit represiuni colective sau individuale în scop de persecuție politică sau din motive rasiale asupra populației civile", „f) Au ordonat sau organizat munci excesive sau deplasări și transporturi de persoane în scopul exterminării acestora", „m) Au ordonat sau inițiat înființări de ghetouri, lagăre de internare ori deportări din motive de persecuție politică sau rasială", respectiv „n) Au ordonat edictarea de legiuni sau măsuri nedrepte de concepție

---

[55] Titlul sub care a apărut în 1946 o parte dintre documentele aferente procesului lui Ion Antonescu și al colaboratorilor, după judecata „Tribunalului Poporului", intenția propagandistică fiind evidentă.

[56] În actul de acuzare referitor la Ion Antonescu se face referire la „deportarea populației evreiești din Bucovina și Basarabia, cum și parte din Vechiul Regat, în Transnistria, unde – în cea mai mare parte – a fost exterminată; citám masacrele de la Iași, Golta, Odessa, Mostovoi, Mohilău, Scazineț, Pescioara, Slivina, Râbnița etc." - ed. Marcel-Dumitru Ciucă, *Procesul mareșalului Antonescu. Documente*, vol. II, p. 222.

[57] Legea apare ca în vigoare o dată cu apariția în *Monitorul Oficial* din 24 aprilie 1945. Textul a fost corectat, rectificarea fiind publicată peste numai o zi în *Monitorul Oficial* nr. 95 din 25 aprilie 1945. Vezi https://lege5.ro/ Gratuit/g42dinrq/legea-nr-312-1945-pentru-urmarirea-si-sanctionarea-celor-vinovati-de-dezastrul-tarii-sau-de-crime-de-razboi,accesată la 10.05.2021.

hitleristă, legionară sau rasială, ori au practicat - cu intenție - o execuție excesivă a legilor derivate din starea de război sau a dispozițiunilor cu caracter politic sau rasial". La articolul 3 se prevedea că vinovații de faptele de la art. 2 alin. a)-j) „se vor pedepsi cu moartea sau cu munca silnică pe viață", în timp ce sancțiunea aplicată pentru faptele de la art. 2 alin. m)-o) era „detențiunea grea pe viață, detențiunea grea de la 5 la 20 ani sau detențiune riguroasă de la 3 la 20 ani". „Tribunalul Poporului" i-a găsit vinovați de toate cele patru fapte atât pe fostul Conducător al statului, Ion Antonescu, cât și pe fostul vicepreședinte al Consiliului de Miniștri, Mihail Antonescu, și pe fostul subsecretar de Stat la Ministerul de Interne, generalul Constantin Z. Vasiliu (condamnările au privit, în mod evident, mult mai multe capete de acuzare). Guvernatorul Transnistriei, Gheorghe Alexianu, a fost achitat de acuzația de la art. 2 lit. e) din lipsă de dovezi – acesta a arătat în cursul procesului că nu era pe post când a avut loc masacrul de la Odessa din octombrie 1941, la acea dată el fiind guvernator la Tiraspol, iar Odessa încă sub administrație militară[58] și de asemenea de acuzația privind tratamentul inuman aplicat prizonierilor de război[59].

Genocidul a fost codificat juridic drept crimă internațională pentru prima dată în decembrie 1948, prin Convenția ONU pentru prevenirea și pedepsirea crimei de genocid[60], după o adevărată bătălie pentru ratificare a celui care a inventat și promovat termenul, juristul polonez de origine evreiască Raphael Lemkin. În 1933, acesta a încercat fără succes să obțină, la Madrid[61], adoptarea unei convenții care să declare drept crimă împotriva legilor internaționale exterminarea unor grupuri religioase, etnice sau sociale, propunând incriminarea unor „acte de barbarie", „acte de vandalism" ori „propagarea contaminării umane, animale sau vegetale"[62]. Zece ani mai târziu, în

---

[58] *** *Procesul marei trădări naționale*, p. 143.

[59] ed. Marcel-Dumitru Ciucă, *Procesul mareșalului Antonescu. Documente,* vol. II, București, Editura Saeculum I.O și Editura Europa Nova, 1995, p. 273.

[60] Textul complet la adresa http://www.hrweb.org/legal/genocide.html, accesată la 10.05.2021.

[61] Adam Jones, *Genocide: A Comprehensive Introduction*, Routledge, London and New York, 2006, p. 9.

[62] *Ibidem.*

1943, Lemkin a venit cu o nouă terminologie, cuvântul propus fiind „genocid", rezultat din alăturarea lui „genos" – însemnând în limba greacă „rasă, națiune, popor" și „caedere" sau „cide" – ucidere, în limba latină[63], care apare în cartea pe care a publicat-o un an mai târziu, în noiembrie 1944, *Axis Rule in Occupied Europe. Laws of Occupation Analysis of Government, Proposal for Redress* și în care a propus ca variantă alternativă „etnocidul". Capitolul IX al acesteia l-a dedicat genocidului, concept pe care l-a descris în relație cu următoarele domenii: politic, social, cultural, economic, biologic, fizic (în care a cuprins următoarele: discriminarea rasială în ce privește hrana; punerea în pericol a sănătății și respectiv uciderea în masă), religios și moral[64]. Lemkin a arătat că prin „genocid" înțelege distrugerea unui grup național sau etnic, adăugând că acest nou cuvânt denotă „o practică veche în dezvoltarea sa modernă" și că genocidul „nu înseamnă în mod necesar distrugerea imediată a unei națiuni, cu excepția cazului când e realizată prin uciderea în masă a tuturor membrilor acesteia, ci mai degrabă semnifică un *plan de acțiuni coordonate, cu intenția de a distruge baza existenței acelui grup, cu scopul de a-l anihila*"[65] (s.n.). Ținta unui astfel de plan este grupul ca entitate, acțiunile fiind îndreptate împotriva indivizilor pentru simplul motiv că fac parte din acesta, dar obiectivele erau dezintegrarea instituțiilor politice sau sociale, culturale, legate de limbă, sentiment național, religie sau existența economică, distrugerea siguranței personale, libertății, sănătății, demnității și chiar a vieții indivizilor respectivi[66]. Una dintre observațiile importante făcute de Lemkin este că genocidul vine în contradicție cu doctrina Rousseau-Portalis, care stătea la baza Convenției de la Haga din 1907 și care vedea războiul ca îndreptat împotriva unor armate sau țări, nu contra civililor/indivizilor[67].

---

[63] Aizenstadt Leistenschneider, Naiman Alexander, „Origen y Evolución del Concepto de Genocidio", în *Revista de la Facultad de Derecho*, Universidad Francisco Marroquín, 25, 2007, p. 12.
[64] Raphael Lemkin, *Axis Rule in Occupied Europe: Analysis, Proposals for Redress*, Washington, D.C., Carnegie Endowment for International Peace, 1944, pp. 79-95.
[65] *Ibidem*, p. 79.
[66] *Ibidem*.
[67] *Ibidem*, pp. 80-81.

Național-socialismul, a argumentat el, nu a putut accepta această doctrină și ca urmare Germania a comis genocide pe scară largă în teritoriile ocupate, din cauza ideii de „război total" și concepției sale care punea pe primul loc națiunea și nu statul; această concepție, în care națiunea trebuie să ofere elementul biologic al statului, explică de ce, în „Noua ordine" pe care o pregătea, războiul era purtat împotriva populației și nu contra statului[68]. Lemkin a descris totodată metodele genocidului, în fiecare dintre domeniile enunțate, făcând totodată recomandări pentru viitor, inclusiv interzicerea genocidului în timp de război, ca și de pace[69]. Eșecul Tribunalului de la Nürnberg de a condamna și „genocidul comis pe timp de pace", adică crimele comise dinainte de izbucnirea celui de-al Doilea Război Mondial – considerat ca începând prin invadarea Poloniei de către Germania nazistă, în septembrie 1939 - a evidențiat nevoia de a aduce astfel de reglementări. Națiunile Unite au avut în vedere, în draftul primei rezoluții pe această temă, să declare genocidul drept crimă sub jurisdicția legilor internaționale, care poate fi comisă atât în timp de pace, cât și de război[70]. Rezoluția 96 (I), adoptată în 11 decembrie 1946, afirma despre genocid că este „crimă care cade sub incidența legilor internaționale, pe care lumea civilizată o condamnă", fără a face referire la al doilea aspect[71]. La întocmirea a ceea ce avea să fie „Convenția pentru combaterea și pedepsirea crimei de genocid" au lucrat 3 experți, între care și Lemkin, textul negociat al acesteia, adoptat prin vot de Adunarea Generală ONU în 9 decembrie 1948, declarând genocidul drept „oricare dintre următoarele acte, comise cu intenția de a distruge, în întregime sau în parte, un grup național, etnic, rasial sau religios, precum: uciderea membrilor grupului, cauzarea de serioase vătămări corporale sau psihice membrilor grupului, impunerea deliberată de condiții care urmăresc distrugerea fizică a grupului, integrală sau în parte, impunerea de măsuri cu intenția de prevenire a nașterilor și transferul forțat al

---

[68] *Ibidem.*
[69] *Ibidem*, p. 93.
[70] William A. Schabas, *art. cit.*, p. 1.
[71] *Ibidem.*

copiilor grupului la un alt grup"[72], fiind sancționate genocidul, conspirația de a comite genocidul, incitarea directă și publică la genocid, tentativa și respectiv complicitatea la comiterea faptei[73].

Genocidul (având în rădăcină „genos" - „rasă, trib, popor") și purificarea etnică („ethnos", având în greacă semnificația de „aceeași origine și descendență") împărtășesc o idee comună cu naționalismul (din latină, „nascere", a se naște, care a dus mai târziu la „natio", națiune)[74]. Aceasta ar fi cea de „conducere a unui grup de către conducători din același grup etnic sau național", ceea ce presupune alienarea celorlalți și posibilitatea întreprinderii unor acțiuni îndreptate împotriva lor, precum purificarea etnică, deportarea, uciderea în masă sau genocidul[75]. Naționalismul a fost deseori acompaniat de mijloace de asimilare / eliminare a minorităților, secolul XX fiind recunoscut ca unul al naționalismelor și genocidelor, în care a existat o conexiune între dezvoltarea istorică rapidă – modernizare, „westernizare", război și genocid, dar și legături evidente cu rivalitățile dintre statele europene, expansiunea puterilor guvernelor, imperialism și intruziunea statelor în viața indivizilor, în scopul de a-și consolida puterea[76]. Patriotismul și naționalismul au furnizat „lipiciul" ideologic și bazele emoționale[77] pentru măsurile luate. Este ceea ce spune și ONU, cu referire la Iugoslavia, devenită exemplul clasic când se vorbește de purificarea etnică: această politică este realizată în numele unui naționalism greșit, al nemulțumirilor istorice și al unui puternic sentiment de răzbunare[78].

---

[72] Textul complet la adresa https://treaties.un.org/Pages/ViewDetails.aspx?src=IND&mtdsg_no=IV-1&chapter=4&clang=_en, accesată la 10.05.2021.

[73] *Ibidem*, p. 11.

[74] Daniele Conversi, „Genocide, Ethnic Cleansing and Nationalism" în *The Sage Handbook of Nation and Nationalism*, edited by Gerard Delanty and Krishan Kumar, London, Sage Publications, 2006, p. 320.

[75] *Ibidem.*

[76] *Ibidem*, pp. 321-322.

[77] *Ibidem*, p. 322

[78] https://www.un.org/ga/search/view_doc.asp?symbol=S/1994/674, accesată la 10.05.2021.

Atât genocidul, cât și purificarea etnică au un *caracter sistematic* și au la bază o politică bine definită de a elimina un grup de persoane, pe diverse motive de apartenență, implicând violența.

Diferența între genocid și purificare etnică constă în ceea ce înțelege primul prin eliminare: crime în masă și intenția de a distruge, în întregime sau în parte, un grup indezirabil. Distrugerea, în cazul genocidului, presupune măsuri de exterminare fizică sau identitare, în timp ce o politică de purificare etnică este interesată în primul rând de îndepărtarea elementelor nedorite dintr-un teritoriu, pentru a realiza omogenitatea grupului dominant. Purificarea etnică nu presupune cu necesitate uciderea în masă a membrilor grupului, ea putând fi realizată printr-o variată gamă de alte mijloace. În mod evident, o astfel de politică poate ajunge, în cazuri extreme, să se termine ca genocid.

În prezent, utilizarea ambilor termeni este criticată. Astfel, ca „genocid" au ajuns să fie reclamate abuziv o serie de fapte, ceea ce duce în derizoriu această „crimă a tuturor crimelor" și alimentează conflictul, împiedicând reconcilierea[79]; în același timp, „purificarea etnică" este văzută ca o formă de exprimare eufemistică pentru „genocid", care subminează însăși ideea de prevenire a genocidului[80].

Deportarea romilor în Transnistria. Între genocid și purificare etnică

Atât discursurile oficiale, cât și abordările mai mult sau mai puțin academice referitoare la acest deportarea romilor în Transnistria pendulează între descrierea sa ca politică de purificare etnică, circumscrisă Holocaustului, și genocid[81]. În *Raportul final*, contestat de unii autori ca neavând valoare științifică sau ca nefiind

---

[79] https://carnegieendowment.org/2014/07/28/crying-genocide-use-and-abuse-of-political-rhetoric-in-russia-and-ukraine-pub-56265, accesată la 10.05.2021.
[80] Rony Blum, Gregory H. Stanton, Shira Sagi, Elihu D. Richter, „«Ethnic cleansing» bleaches the atrocities of genocide", în *European Journal of Public Health*, Volume 18, Issue 2, April 2008, pp. 204–209.
[81] Vezi spre exemplu, Robert D. Kaplan, „The Antonescu Paradox", în *Europe's Shadow: Two Cold Wars and a Thirty-Year Journey Through Romania and Beyond Hardcover*, Random House Publishing, New York, 2016.

acceptat oficial de statul român[82], se afirmă că „În cazul specific al României, o altă populație-adițională (pe lângă cea evreiască, n.n.) a fost țintită sau destinată genocidului – minoritatea romă"[83]. Istoricii din România și nu numai sunt prudenți în a califica deportarea romilor în Transnistria ca genocid. Astfel, Viorel Achim admite deportarea romilor, alături de cea a evreilor, în Transnistria, ca o măsură de ordin rasial, nuanțând înscrierea sa în cadrul Holocaustului ca fiind „în logica politicii de holocaust instituită de Germania nazistă și aplicată, într-o formă sau alta, în țările ocupate sau aliate"[84]. În culegerea de documente *Minorități etnoculturale. Mărturii documentare. Țiganii din România (1919-1944)* publicată de Lucian Nastasă și Andrea Varga în 2001, primul afirmă, pe baza documentelor din arhivele românești, că pierderile de vieți omenești s-au datorat proastei organizări și că „în privința țiganilor deportați la est de Nistru nu se cunoaște și nu a fost reclamat până acum nici măcar un singur caz de asasinat comis de autoritățile de ordine sau militare românești și germane, ca să nu mai vorbim de un posibil pogrom sau masacru"[85]. În același timp, al doilea autor spune că punerea în aplicare a planului privitor la romi, prin „evenimentele consemnate, dau impresia, mult vehiculată ulterior, că această operațiune a fost una de exterminare"[86]. Niciunul nu folosește termenul de genocid. Pe de altă parte, Radu Ioanid, în *Holocaustul în România. Distrugerea evreilor și romilor sub regimul Antonescu*, sugerează chiar prin titlu ideea de genocid, el aducând documente de la arhiva din Odessa pentru a susține ideea unor masacre, la Golta, Trei Duble

[82] Un exemplu este Alex Mihai Stoenescu, care în *Armata, mareșalul și evreii* (Editura Rao, București, 2010, p. 688) afirmă că, deși inițiativa elaborării lui a aparținut statului român, *Raportul final* nu este și asumat de vreo instituție a acestuia – Guvern sau Președinție, apărând la o editură privată, fără însemne oficiale. Autorul citat reproșează subiectivismul documentului, folosirea selectivă a unor surse și excluderea unor surse relevante.
[83] *Raportul final*, p. 333.
[84] Viorel Achim, *Țiganii în istoria României*, Editura Enciclopedică, București, 1998, p. 152.
[85] Lucian Nastasă, Andrea Varga, *Minorități etnoculturale. Mărturii documentare. Țiganii din România (1919-1944)*, Cluj-Napoca, Fundația Centrul de Resurse pentru Diversitate Etnoculturală, 2001, p. 9.
[86] *Ibidem*, p. 638.

sau Trihati[87], iar Jean Ancel vorbește în *Transnistria* despre condițiile
în care au trăit romii deportați ca metode de exterminare, iar în ce îi
privește pe evrei amintește și masacrele însoțite de jefuire a celor
deportați în Golta, fapte care au ajuns în fața Curții Marțiale de la
Tiraspol[88]. Istoricul moldovean Vladimir Solonari vede deportarea
romilor din România în Transnistria în cadrul „politicilor de epurare
etnică" ale regimului, conform viziunii mareșalului Antonescu, de
creare a unei țări pure din punct de vedere etnic, care a implicat nu
numai deportarea romilor și respectiv evreilor din Basarabia și
Bucovina în Transnistria, ci și schimburi de populație, cum ar fi spre
exemplu cel cu Bulgaria[89]. La o concluzie similară ajunge și
cercetătorul ucrainean Mikhail Tyaglyy, care apreciază că „în calitate
de aliați ai statului german, România și Ungaria nu au intenționat
distrugerea totală a romilor de sub controlul lor prin aceste politici,
oricât de brutale; deportarea romilor din România în noul teritoriu
cucerit a avut ca scop să scape de elementele considerate străine de
nația pură de român"[90]. El adaugă că rămâne deschisă dezbaterea dacă
germanii au avut un program de ucidere în masă a romilor, pentru că,
în ciuda numeroaselor mărturii, referitoare la comiterea de crime în
masă, nu există suficiente date care să dovedească și că autoritățile

---

[87] Radu Ioanid, *Holocaustul în România. Distrugerea evreilor și romilor sub regimul Antonescu, 1940-1944,* București, Editura Hasefer, 2006, p. 336 și 343. Referiri la împușcarea romilor, dar de către jandarmi, la Trihati, unde aceștia mergeau să-și caute de lucru, cu toate riscurile, constrânși fiind de foame, apar în volumele de documente de la USHMMA publicate de Viorel Achim, dar numărul e vag - „au fost împușcați o mulțime de țigani până în prezent" scrie într-un raport al postului de jandarmi Covaleovca pentru Legiunea de Jandarmi Berezovca din mai 1943 (USHMMA, RG-31.008M, microfiche 1594/3/10; NA, fond 1549, opis 3, delo 10, f. 47 copie, ms, în Viorel Achim, *Documente privind deportarea țiganilor în Transnistria,* vol. II, Editura Enciclopedică, București, 2004, p. 197). O altă mențiune apare și în mărturia lui Ion Cioabă („Il genocidio in Romania: una testimonianza", în *Lacio Drom,* n. 2-3, 1984, pp. 54-56: 55) referitoare la împușcarea „fără milă" de către germani a romilor nomazi care protestau față de confiscarea căruțelor, „lângă orașul Trei Duble".

[88] Jean Ancel, *Transnistria,* vol. I, pp. 251-264.

[89] Vladimir Solonari, *Purificarea națiunii. Dislocări forțate de populație și epurări etnice în România lui Ion Antonescu, 1940-1944,* Iași, Editura Polirom, 2015, p. 101-118.

[90] Mikhail Tyaglyy, „Nazi Occupation Policies and the Mass Murder of the Roma in Ukraine", în *The Nazi Genocide of the Roma. Reassessment and Commemoration,* ed. Anton Weiss-Wendt, Berghahn, New York – Oxford, 2013, p. 145.

germane au acționat într-un mod unitar[91]. Pe de altă parte, Tyaglyy subliniază că a fost vorba de politici criminale, care au avut impact atât asupra celor deportați în „groapa etnică" ce a fost Transnistria[92], cât și asupra localnicilor[93], arătând că „ocazional, romii au murit de mâinile jandarmilor români, SS-iștilor și Volksdeutsche local"[94]. Alături de cei 6.000 de romi care ar fi fost uciși la ordinul prefectului de Golta, Modest Isopescu, care apar în actul de acuzare din procesul Antonescu, Tyaglyy contabilizează și „un număr nedefinit de romi" uciși de unitățile de poliție[95], dar și masacre. Tyaglyy face referire la un episod în care circa 20 de romi ar fi fost executați în satul Velyka Mechetnia în noiembrie 1943, potrivit declarațiilor făcute în fața Comisiei Extraordinare Sovietice (ChGK), care a investigat crimele din timpul celui de-al Doilea Război Mondial din provincia Odessa – Krivoozerskii și Oktiabrskii[96].

În ce privește legislația românească, aceasta a evoluat în ultimii ani de la o anumită reținere spre declararea deschisă a genocidului. Astfel, Legea 107/2006, pentru aplicarea Ordonanței de Urgență a Guvernului 31/2002 privind interzicerea organizațiilor și simbolurilor cu caracter fascist, rasist sau xenofob și a promovării cultului persoanelor vinovate de săvârșirea unor infracțiuni contra păcii și omenirii[97] prevede la articolul 2, aliniatul d) că „prin holocaust se înțelege persecuția sistematică sprijinită de stat și anihilarea evreilor

---

[91] *Ibidem*, pp. 145-146.

[92] Sintagma „groapă etnică", cu referire la Transnistria și politica de „purificare" de „elementele străine" – evrei și romi - a fost folosită prima dată de Alexander Dallin, în 1957, în *Odessa, 1941-1944. A Case Study of Soviet Territory under Foreign Rule*, care a denumit astfel un subcapitol (în ediția Iași-Oxford-Portland: Center for Romanian Studies, 1998, pp. 204-213). De asemenea, este folosită de Vladimir Solonari, „A conspiracy to murder: explaining the dynamics of Romanian «policy» towards Jews in Transnistria", în *Journal of Genocide Research*, 2017, 19:1, p. 5.

[93] Mikhail Tyaglyy, *art. cit.*, pp. 132-134.

[94] *Ibidem*, p. 133.

[95] Un episod, petrecut la Schenfeld, apare în Radu Ioanid, *op.cit.*, pp. 234-235.

[96] ChGK, GARF, R-7021/69/80, în Mikhail Tyaglyy, „Nazi Occupation Policies and the Mass Murder of the Roma in Ukraine", în *The Nazi Genocide of the Roma. Reassessment and Commemoration*, ed. Anton Weiss-Wendt, Berghahn, New York – Oxford, 2013, p. 133.

[97] Apărută în *Monitorul Oficial* nr. 377 din 3 mai 2006.

europeni de către Germania nazistă, precum și de aliații și colaboratorii săi din perioada 1933-1945. De asemenea, în perioada celui de-al Doilea Război Mondial, o parte din populația romă a fost supusă deportării și anihilării". Definiția, inclusiv în cazul deportării romilor, merge în direcția descrierii unui genocid, fără a-l numi direct. După adoptarea rezoluției Parlamentului European privind antițigănismul în Europa și recunoașterea zilei genocidului romilor în timpul celui de-al Doilea Război Mondial, în 2015[98], legea românească privind aplicarea OUG 31/2002 a fost completată prin Legea 217/2015. Aceasta prevede inclusiv modificarea titlului Ordonanței, astfel că în noua versiune a acesteia apare termenul de genocid – ca, de altfel, de nu mai puțin de alte 9 ori, în multe paragrafe din lege. Astfel, OUG 31/2002 este redenumită „privind interzicerea organizațiilor, simbolurilor și faptelor cu caracter fascist, legionar, rasist sau xenofob și a promovării cultului persoanelor vinovate de săvârșirea unor infracțiuni de genocid contra umanității și de crime de război", iar la articolul 2 se introduc două noi litere, dintre care litera e) are următorul cuprins: „prin holocaust pe teritoriul României se înțelege persecuția sistematică și anihilarea evreilor și a rromilor, sprijinită de autoritățile și instituțiile statului român în teritoriile administrate de acestea în perioada 1940-1944", litera f) nominalizând numele sub care a activat în România Mișcarea Legionară, descrisă ca organizație de tip fascist. Accentul cade, de această dată, pe responsabilitatea statului român, în perioada în care a fost condus de Ion Antonescu.

Discursurile oficiale referitoare la acest subiect au cunoscut și ele o evoluție interesantă. La început, referirile au fost doar la evrei. Fostul președinte Emil Constantinescu a afirmat în 1997 că „planificatorii acestui genocid de neiertat nu au fost români", dar că autoritățile române au fost cele responsabile de deportări, lagăre și promovarea legislației rasiale[99].

---

[98] http://www.europarl.europa.eu/doceo/document/TA-8-2015-0095_EN.html, accesată la 10.05.2021.
[99] Consemnate în *Raportul final*, p. 379. Textul complet al discursului fostului președinte Emil Constantinescu, în (coord.) Liviu Rotman, *Demnitate în vremuri de restriște*, București, Editura Hasefer, 2008, pp. 17-18.

După scandalul minimalizării Holocaustului de către fostul președinte Ion Iliescu, într-un interviu acordat cotidianului israelian Ha'aretz în iulie 2003, s-a decis înființarea Comisiei internaționale pentru studierea Holocaustului în România, care a emis *Raportul final*, în care se referă atât la evrei, cât și la romi. În ce privește romii, în ultimii ani, discursurile pendulează între descrierea deportării acestora în Transnistria ca purificare etnică, circumscrisă Holocaustului, și genocid. În 2007, în alocuțiunea ex-președintelui României, Traian Băsescu, la „ceremonia de decorare a etnicilor romi supraviețuitori ai Holocaustului" din 22 octombrie 2007[100], acesta vorbea despre onorarea, de către statul român, a memoriei a mii de romi „semeni ai noștri, deportați în anii 1942-1943 în Transnistria", în termeni de „purificare etnică": „Incluși, alături de evrei, în politica de purificare etnică a regimului vremii, romii au fost trimiși în Transnistria în valuri: mai întâi, romii nomazi, apoi cei sedentari, considerați de către autorități «periculoși și indezirabili». Autoritățile au fost nemiloase: i-au luat pe romi din case, i-au luat pe romi din armată, i-au luat pe romi din orașe sau de la marginea acestora și i-au trimis departe, pentru a obține o națiune pură"[101]. În 2 august 2019, discursul președintelui Klaus Iohannis este adresat „cu ocazia Zilei internaționale de comemorare a genocidului romilor"[102], iar comunicatul Guvernului, cu prilejul „Zilei Europene de Comemorare a Victimelor Holocaustului Împotriva Romilor", vorbește de asemenea despre „genocidul săvârșit de regimul nazist asupra omenirii, inclusiv asupra cetățenilor de etnie romă". Discursul prezidențial face referire la „aproape jumătate de milion de copii, femei și bărbați romi, care, în timpul celui de-al Doilea Război Mondial, au căzut victime genocidului" și include cei 25.000 de romi „evacuați" în Transnistria: „Deși mai puțin discutat și documentat,

---

[100] Este vorba de Dumitru Trancă, Traian Grancea și Ion Miuțescu, care au primit atunci Ordinul Național „Serviciul Credincios" în grad de cavaler. Alocuțiunea este reprodusă integral în Radu Ioanid, Michelle Kelso, Luminița Cioabă, *Tragedia romilor deportați în Transnistria: 1942-1945: mărturii și documente,* Iași, Editura Polirom, 2009, pp. 9-10.
[101] *Ibidem.*
[102] https://www.presidency.ro/ro/media/mesaje/mesajul-presedintelui-romaniei-domnul-klaus-iohannis-transmis-cu-prilejul-zilei-internationale-de-comemorare-a-genocidului-romilor, accesat la 10.05.2021.

genocidul romilor este, fără îndoială, un episod de un tragism tulburător, nu doar în istoria acestei comunități, dar și în istoria noastră națională"[103].

II.3 Cadrul conceptual. „Politicile de populație" ale lui Sabin Mănuilă

Omul și viziunea

„Politicile de populație" au constituit politici publice, așa cum le înțelegem noi astăzi și cum le înțelegeau și cei care le-au elaborat și respectiv implementat în anii '40[104], ca „un curs al acțiunii urmat de un actor sau mai mulți actori politici, cu un scop, în încercarea de a rezolva o problemă", „tot ceea ce un guvern decide să facă sau să nu facă", „un set de decizii interrelaționate, luate de un actor politic sau de un grup de actori, privind o serie de scopuri și mijloacele necesare pentru a le atinge într-o situație dată"[105]. „Problema" erau minoritățile, iar „politicile de populație" implementate în timpul regimului Antonescu se leagă de o epocă și de o persoană, Sabin Mănuilă, directorul Institutului Central de Statistică între 1937-1947, cel care a coordonat în 1930 primul recensământ general al populației după Marea Unire. Acesta își și definea, de altfel, viziunea în domeniul „politicilor de populație", într-un interviu acordat în iulie 1934, răspunzând întrebărilor revistei *Realitatea ilustrată*, astfel: „Sunt un om de stat. Mă interesează în mod special să știu de care colectivitate omenească este legat un anume locuitor al acestei țări. Câți sunt aceia cari - într-un caz de plebiscit, răsboiu etc. vor fi de partea mea?"[106].

---

[103] *Ibidem.*
[104] Prima acțiune a fost schimbul de populație făcut cu Bulgaria – vezi în acest sens Vladimir Solonari, *op. cit.*, pp. 101-117.
[105] Definițiile date de Anderson, James E., *„Public Policy Making: An Introduction"*, Dye, Thomas R., *„Understanding Public Policy"* și respectiv Jenkins, William, *„Policy Analysis: A Political and Organizational Perspective"*, apud ANFP, *Manual curs Politici Publice*, elaborat în cadrul proiectului „Creșterea capacității funcționarilor publici din Ministerul Apărării Naționale și Agenției Naționale a Funcționarilor Publici de a gestiona procesele de management strategic instituțional și de proiect, în contextul dezvoltării și întăririi rolului funcției publice", cod SMIS nr. 22857, 2011-2012.
[106] Arhivele Naționale Istorice Centrale (ANIC), *Fond Sabin Mănuilă*, dosar XII 94/1934, Părerile dr. Mănuilă, cerute de revista „Realitatea ilustrată" la întrebarea „dacă există azi tipul rasei pure?", f. 5.

manifestările rasiale dela mai... nu se sprijină pe... superiorității rasiale...

Dealtfel, sociologii recunosc astăzi importanța... față de...

tății sentimentale. Sub imperiul acestei concepții, în recunoașterea...

general, alături de cercetarea apariției individului... în...

la un grup de limbă vorbită s'a înregistrat și... la un grup religios și...

sentimentul pe care îl are fiecare și a se după criteriul rasial...

Așa se face să avem astfel în țară cetățeni de religie...

când la neamurile : Arrai, români, unguri, germani, ruși, etc.

În felul acesta noi vom putea construi o hartă a neamurilor pe baza de

definiție sentimentală și nu obiectivă.

Cred că nimeni nu va contesta că este extrem de interesant de a se

cunoaște harta de conștiință etnică a populației acestei țări, - valoarea ei

practică fiind mai mare decât aceea a hărții etnografice rasiale. Aceasta din

urmă ar avea totuși o valoare din punct de vedere teoretic și științific.

Sunt un om de stat. Mă interesează în mod special să știu de care

tivitate omenească este legat un locuitor al acestei țări. Câți sunt aceia

cari - într'un caz de plebiscit, război, etc. vor fi de partea mea ?

Să presupunem că am dat într'o comună oarecare de un individ numit

Bukur, însurat cu o unguroaică, având 4 copii, și care se declară ungur. L'am

înregistrat, în tablourile respective, la rubrica ungurilor.

Dar îmi va spune cineva : nu vezi d-ta că acest Bukur, cu k, este în

litate românul Bucur, care și-a ungurit numele. În realitate eu trebue să ad

că el s'a înstrăinat cu totul de noi, după cum singur declară. De asemeni m

mă voiu apuca să contest calitatea unui cetățean, care s'ar declara aparțin

neamului românesc, chiar dacă ar constata că are sânge tătăresc, etc.

Este totuși de observat că un asemenea individ nu intră în colectiv

sentimenetală românească, deși nu face parte din colectivitatea rasială ro

mânească.

Viziunea naționalistă a statului echivala minoritarii din România
cu potențiali trădători.
Sursa: Arhivele Naționale ale României, Fond Sabin Mănuilă.

La fel ca majoritatea contemporanilor săi, Sabin Mănuilă avea o viziune naționalistă asupra statului[107], care s-a accentuat după cedările teritoriale din anul 1940. Dacă e să-l credem pe șeful Centralei evreilor din România, Radu Lecca (condamnat în „lotul Antonescu", dar grațiat în ultima clipă), într-o întâlnire pe care a avut-o în 1933 cu contele Schulenburg, atașat la Legația Germană, acesta i-ar fi spus că după 1918 țara a fost lărgită, dar și-a făcut dușmani la toate granițele: „România – spunea el – a ieșit din război (se referă evident la Primul Război Mondial, n.n.) cu toate că fusese învinsă, grație Franței, cu un teritoriu aproape triplat, având însă toți vecinii dușmani: Rusia revendică Basarabia, Polonia are pretenții în Bucovina de Nord, ungurii cer Ardealul, Iugoslavia râvnește Banatul, iar bulgarii nu pot uita pierderea Cadrilaterului. Numai două mari puteri, Franța și Germania, nu au pretenții teritoriale de la România. Chiar și Italia susține revendicările maghiare"[108].

Conform recensământului din 1930, România avea un procent de populație minoritară de 28,1% din total, care, însă, potrivit planurilor lui Mănuilă, ar fi putut fi redus semnificativ, pentru a nu pune probleme – adică a fundamenta cererile într-un eventual diferend teritorial cu țările vecine, așa cum se întâmplase în cazul ultimatumului sovietic privind Basarabia și Bucovina de Nord din 1940. Potrivit unui studiu semnalat de istoricul Viorel Achim[109], Mănuilă s-a concentrat cu precădere pe schimbul de populație, idee pe care o promovase și înainte insistent. Principalul său punct de interes era schimbul de populație cu Ungaria, mai ales că avusese o tentativă, nereușită, de a obține astfel un arbitraj cu concesii minime de populație la negocierile de la Turnu Severin, unde a participat, înainte de Diktatul / Arbitrajul de la Viena din același fatidic an 1940. Mai mult decât oricare dintre teritoriile cedate în 1940,

---

[107] *Ibidem.* Echivalența pe care Mănuilă o face între minoritar și străin, potențial trădător apare ca evidentă în interviu, în care acesta susținea că un individ care s-ar numi Bukur, ar fi însurat cu o unguroaică, ar avea 4 copii și s-ar declara maghiar, chiar dacă ar fi la origine român și și-ar fi „ungurit numele", „s-a înstrăinat cu totul de noi".

[108] Radu Lecca, *Eu i-am salvat pe evreii din România*, București, Editura Roza vânturilor, 1994, p. 84.

[109] Viorel Achim, „Schimbul de populație în viziunea lui Sabin Manuilă", în *Revista istorică* editată de Academia Română, Institutul de Istorie „Nicolae Iorga", serie nouă, tomul XIII, 2002, nr. 5-6, septembrie-decembrie 2002, p. 138.

Ardealul de Nord a stat în centrul preocupărilor tuturor oamenilor politici de prim-rang ai țării, iar Mănuilă, arădean la origine, născut în 1894 în Imperiul Austro-Ungar, cu studii la Budapesta, nu făcea excepție. În ce privește minoritățile „problemă", adică evreii și romii, Mănuilă nota că un plan referitor la „transferurile unilaterale" ale acestora urma să fie dezvoltat într-un memoriu special - studiul amintit a apărut la o dată la care deportările evreilor în Transnistria erau deja în curs: „Problema evreiască și cea țigănească nu intră în cadrul soluțiunilor de schimb de populație, ci de transfer unilateral și va fi expusă într-un memoriu special"[110].

Ca exponent al curentului eugenist, Sabin Mănuilă era preocupat de intervenția socială, sens în care era la curent cu discuțiile la nivel european legate de rasă și minoritățile „problemă". Despre evrei, Mănuilă declara în clar că „problema" lor nu este una de „rassă" (scrierea, diferită de grafia română, sugerează inspirația germană), deși descrierea acesteia putea fi catalogată lejer drept rasism economic[111], dar în cazul romilor ea se schimba semnificativ. În interviul amintit, acordat *Realității ilustrate* în 1934, Mănuilă își exprima părerile cu privire la subiectul „tipul rasei pure", statuând că „există caractere de rasă bine definite" care nu se pot ignora: „a contesta orice determinism rasial înseamnă a ignora elemente științifice vădite"[112]. El dădea în continuare exemplul romilor, ca păstrând „structura biologică acestui

---

[110] *Ibidem*, p. 145. Achim afirmă că memoriul respectiv nu a fost identificat.

[111] Într-un referat scris pentru o conferință din 14 decembrie 1938, Mănuilă susținea că „suprapopularea calitativă a făcut ca țara să simtă presiunea economică a populației evreiești", deși aceasta este redusă numeric – 756.930 (notă de mână) de persoane. „Dacă s-ar dubla, situația ar fi mult mai gravă decât este astăzi", afirma Mănuilă. Inițial, acesta a dactilografiat „Dacă ar exista un număr dublu de evrei, situația ar lua o turnură gravă și imediată". Între „dezideratele" pe care le-a notat în această problemă, el a enumerat „necesitatea formării cât mai grabnice a elementelor românești pregătite pentru toate ramurile de producție", dar mai ales pentru industrie, comerț, profesiuni libere, restabilirea echilibrului național în diferitele ramuri de profesiuni și, concomitent, o raționalizare cât mai eficientă în munca și producția națională, în toate ramurile de activitate. Toate acestea aveau să fie transpuse în scurt timp, în cadrul operațiunii de „românizare". - ANIC, *Fond Sabin Mănuilă*, dosar XII 151/1938, ff. 9-11.

[112] ANIC, *Fond Sabin Mănuilă*, dosar XII 94/1934, Părerile dr. Mănuilă, cerute de revista „Realitatea ilustrată" la întrebarea „dacă există azi tipul rasei pure?", f. 2. Același material și în dosar 263/1939, f. 1.

popor" - caracterele de rasă erau determinate având la îndemână un instrument foarte nou, și anume grupele de sânge. În acest context, al „caracterului de rasă", Mănuilă făcea și o apreciere cu privire la „promiscuitatea" romilor și – o problemă asupra căreia a revenit de-a lungul anilor în studiile sale - „amestecul" lor cu alții: „Cercetările făcute la Țiganii din România și Ungaria au putut verifica structura biologică a acestui popor. Tipul este identic cu cel al locuitorilor din India, din meleagurile de unde se crede că acest popor a venit la noi. În Europa, țiganii trăiesc de opt secole. Deși rupți de veacuri din tulpina populației indice, deși și-au schimbat atitudinea [sic!] geografică, deși s-au dezrădăcinat depărtându-se complet de ramura de origină, ei își mențin totuși structura bio-chimică a sângelui, ca și frații lor de pe malul Gangelui. Dacă există un popor cu viață într-adevăr aventuroasă, care a imigrat și s-a amestecat cu alte popoare, trăind în promiscuitate, apoi aceștia sunt țiganii. Același lucru se constată și la Unguri, al căror sânge este chimicește identic cu al popoarelor ce trăiesc astăzi pe platoul mongolic, de unde ei au venit acum 1000 de ani"[113]. La acel moment, Mănuilă aprecia că politicile sociale și economice nu trebuie să se bazeze exclusiv pe aceste „considerații rasiale științifice"[114].

Rolul Institutului Central de Statistică în cadrul „politicii de populație"

Sabin Mănuilă avea planuri mari pentru implementarea „politicii de populație" preconizate. Încă din 1934 îi dedicase un studiu, în care vorbea despre „Rolul Statisticei în reorganizarea Statului. Constatări asupra situației țării noastre"[115]. Într-un alt studiu, înaintat Președinției Consiliului de Miniștri în aprilie 1941, despre „Politica de Populație", directorul Institutului Central de Statistică făcea următoarea afirmație, referindu-se la „politica realităților și recensământul general": în timp ce statistica este o înregistrare și prelucrare statistică a datelor referitoare la popu-

---

[113] *Ibidem.*
[114] *Ibidem.*
[115] ANIC, *Fond Sabin Mănuilă*, dosar XII 97/1934.

lație, „politica realităților" presupunea „rezolvarea tuturor problemelor pe cari ni le arată statistica"[116], întrucât „orice măsură de guvernământ are la baza ei o constatare statistică"[117]. De altfel, într-o comunicare la Academia Română 1939 arătase că „în toate țările există o preocupare deosebit de intensă cu caracter rasial", pentru readucerea în țară a conaționalilor emigrați sau pentru asigurarea menținerii etnicității lor, notând că „la noi, această problemă nu a ajuns încă în fază acută, dar se poate prevedea în scurt timp" și că statul trebuia să intervină în virtutea „prerogativelor guvernamentale" pe care le are[118].

Institutul Central de Statistică avea însă o misiune grea, dat fiind că, potrivit aceleiași comunicări, în care a prezentat, pe baza datelor recensământului din 1930, o analiză a structurii etnice a populației României, directorul său a constatat că „nu există nici măcar un singur element somatic sau psihologic care să aparțină exclusiv grupului etnic românesc"[119], astfel că, arăta el, a renunțat pe moment la analiză. Mănuilă mai nota că în mod „neîndoios" elementele rasiale sunt ereditare, „deci se transmit automat și în afară de voința noastră, de la o generație la alta", prevăzând că vor apărea probleme, în principal din cauza limbii – „care nu este un element ereditar, cum sunt elementele somatice, cum sunt înălțimea corpului, pigmentația sau constituția psihologică a individului".

---

[116] ANIC, *Fond Sabin Mănuilă*, dosar XII 212/1941, Articolul dr. Mănuilă despre Politica realităților și recensământului general comparată cu politica presupunerilor, f. 9.

[117] *Ibidem*, f. 5.

[118] ANIC, *Fond Sabin Mănuilă*, dosar XII 153/1939, f. 13.

[119] *Ibidem*, f. 1.

ACADEMIA ROMÂNĂ
Secțiunea Istorică

Dr. SABIN MĂNUILĂ
Membru Corespondent

Arh. Ist. Centr
Nr. /5?

DOMNULE PREȘEDINTE, DOMNILOR COLEGI,

Subiectul comunicării mele va fi strict delimitat la o analiză scurtă a structurii etnice a populației României, așa după cum aceasta apare din rezultatele recensământului general al populației din 1930. Toate celelalte elemente, cari, aproape nextricabil, sunt legate de problema structurii etnice a populației țării noastre, vor fi considerate numai în treacăt. Cu deosebire, voi evita să examinez cele trei capitole cari sunt de mare actualitate, atât din punct de vedere științific, cât și din punct de vedere politic, și anume : aspectul istoric, aspectul rasial și în fine, aspectul de politică demografică al problemei.

Prima dificultate, pe care o întâlnim în domeniul studiilor etnice, este lipsa unor criterii obiective și sigure de definire a caracterului etnic al unei populații. Desigur, că adeseori întâlnim într'o populație grupuri omogene cari, în mod vădit, aparțin aceleiași seminții. În cele mai multe cazuri, însă, trebuiesc identificate colectivități cari nu pot fi clasate în așa fel încât grupurile rasiale să corespundă atât criteriului etnic cât și celui psihologic, istoric, cultural, religios, și, în fine, de conștiință etnică sau politică a membrilor grupului.

Am renunțat să analizez problema structurii etnice a populației României sub aspectul ei antropologic, rasial, în primul loc pentrucă existã nici măcar un singur element somatic sau psihologic care să parțină exclusiv grupului etnic românesc. Simu existã nici o grupare d uă sau mai multe elemente antropologice, cari, concertate în mod caracte

Sabin Mănuilă recunoştea în 1939 că nu există nici măcar un element somatic sau psihologic exclusiv românesc.
Sursa: Arhivele Naţionale ale României, Fond Sabin Mănuilă.

El arăta că există o mulțime de limbi vorbite de minoritarii din România, nu neapărat cea a etniei (între exemple se numărau romii: „Țiganii din România au ca limbă maternă română, maghiară, turcă etc."[120]), dar promitea însă să facă toate eforturile pentru identificarea „metodei științifice sigure" care „să răspundă intereselor superioare ale neamului": „Astăzi nu cunoaștem o metodă științifică sigură, care, pe lângă adevărul strict științific, să redea în modul cel mai explicit situația etnografică a unei țări. Hărțile etnografice exacte păcătuiesc prin monotonie și lipsa de plasticitate, iar cele plastice păcătuiesc prin lipsa de exactitate. Hărțile noastre, construite în mare parte după concepții originale, sufăr de aceleași defecte, pe care nu am reușit până acum să le eliminăm. Totuși, nu vom ezita să depunem toate stăruințele pentru găsirea unei metode bune, care să împace exigențele științifice, cele estetice și (completat de mână, peste cuvântul „practice") să răspundă intereselor superioare ale neamului, pe cari datori suntem să le apărăm cu tot devotamentul în toate împrejurările și cu toate mijloacele"[121].

„Politicile de populație" în contextul teoriilor rasiale

Preocupările lui Sabin Mănuilă în domeniul „politicilor de populație" pot părea tipice anilor '40 și teoriilor naziste promovate agresiv în epocă, însă ele erau de fapt mult mai vechi și constante. Fondul existent la Arhivele Naționale pe numele său constă în numeroase însemnări de la conferințe pe această temă, tăieturi din ziare ori articole ca „Puncte periculoase pe harta populației europene" (1931), respectiv „Evenimentele istorice vor fi dirijate de evoluția numerică a populației" și conferința „Problema populației în România" (1933), „Părerile lui Sabin Mănuilă despre rasa pură" (1934), „Noțiunea de suprapopulație" și „Procedeul schimburilor pașnice" (1937), „Părerile lui Sabin Mănuilă despre tipul rasei pure, caracteristicile de rasă, problema grupelor de sânge, problema rasială în România" și „Politica de populație" (1939), „Politica de populație a României - studiu bazat pe politica Axei, a spațiilor

---

[120] *Ibidem*, f. 2.
[121] *Ibidem*, f. 14.

vitale; structura și evoluția populației" (1940) ori „Politica realităților și a recensământului general comparată cu politica propunerilor" și „Politica de populație, problema românilor din Iugoslavia, a țiganilor, evreilor etc." (1941).

Într-o conferință susținută în 7 septembrie 1933, cu titlul „Populația României", Mănuilă a prezentat pe larg politicile din domeniul demografic din „țări cu forme de guvernământ extremiste de dreapta și de stânga", descriind dictaturile din Italia fascistă și Germania nazistă ca „angajate în marea bătălie economică", în centrul căreia „rămâne totuși omul, colectivitatea omenească"[122]. Accentele critice nu lipsesc, dar, pe de altă parte, e evidentă în descrieri preocuparea pentru subiect, în sens naționalist. Astfel, în Italia fascistă, „Mussolini face propagandă pentru înmulțirea numărului italienilor, combate mortalitatea, emigrările. Protejează tinerimea, pe care o organizează și o inspiră în sens rasist", în Germania nazistă „Hitler face legi pentru protecția căsătoriilor, a femeii familiste, a sterilizării eugenice, stabilește tipul antropologic ideal al femeii germane, un tip neartistic, contrară tipului consacrat în anii din urmă de arta nudistă germană, un tip de femeie sănătoasă, capabilă să nască și să crească copii sănătoși"[123], iar „Sovietele creează imense crescătorii de copii și cultivă spiritul de expansiune a rassei rusești ca în zilele de glorie a dictaturii țariste"[124].

Mănuilă era critic cu aceste evoluții nu neapărat din cauza scopului (în citatul de mai sus, el pare să vadă în rasism o „idee mare"), ci din cauza lipsei de fundamentare științifică, teoretică - economică și demografică - suficientă a deciziilor politice luate. Iată un citat dintr-o conferință pe care a susținut-o în 14 decembrie 1938, referitoare la „Problema populației în cadrul planului economic": „În această epocă de efervescență a științelor economice, teoria economică a cedat comanda practicei economice impuse de politică. Și același lucru s-a petrecut și în demografie, unde înainte de a se fi lămurit toate datele problemei demografice, țările au început să aplice o politică

---

[122] ANIC, *Fond Sabin Mănuilă*, dosar XII 83/1933, f. 12.
[123] *Ibidem*, f. 13.
[124] *Ibidem*, f. 14.

demografică, care în majoritatea cazurilor este afirmată ca o consecință a comandamentelor de ordin economic. Astăzi, în cele mai multe țări din lume, se practică o politică economică și o politică demografică autoritară, elementul politic adică acțiunea, eclipsând elementul teoretic"[125]. În orice caz, în ce privește demografia, Mănuilă nu avea a-și face probleme, el consemnând cu mândrie că în urma Primului Război Mondial, toate țările din Europa suferiseră „cea mai grea lovitură" prin criza de natalitate, dar România face excepție, printr-o „fecunditate de viitor superioară celorlalte țări"[126].

De altfel, referindu-se la problema existenței și superiorității „rasei pure" promovate de cancelarul Germaniei, Adolf Hitler, la întrebarea directă „Are Hitler dreptate?", Mănuilă o calificase în 1934, în *Realitatea ilustrată*, din același motiv – al lipsei de metodă – ca o politică „pur sentimentală și nu științifică", afirmând chiar că „primitivismul științific al problemei, așa cum se pune azi, poate compromite ideea": „Toate ideile mari pot fi compromise de oameni, cari se apucă să le pună în practică, fără să le înțeleagă. (...) Eu socotesc politica rassială actuală ca o politică sentimentală, nu o politică de biologie rasială. Este o chestiune pur sentimentală și nu una științifică"[127]. El adăuga chiar că „manifestările rasiale de la noi - cum este de pildă antisemitismul – nu se sprijină pe dogma superiorității rasiale a Românilor față de Evrei"[128].

---

[125] ANIC, *Fond Sabin Mănuilă*, dosar XII 151/1938, f. 3.
[126] *Ibidem*, f. 5.
[127] ANIC, *Fond Sabin Mănuilă*, dosar XII 94/1934, f. 4.
[128] *Ibidem*, f. 5.

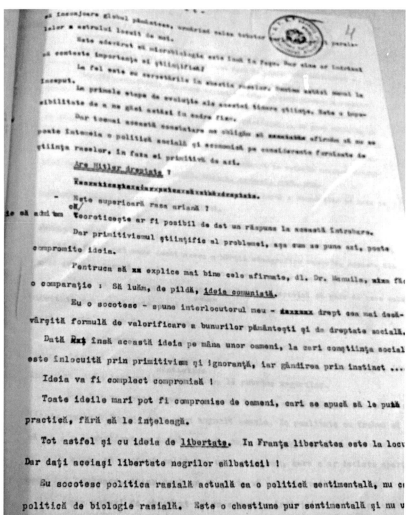

În interviul acordat revistei „Realitatea ilustrată" în 1934, Sabin Mănuilă
critica politicile rasiale aplicate fără metodă și avertiza asupra
„primitivismului" prin care oamenii politici precum
Hitler puteau compromite ideile „mari".
Sursa: Arhivele Naționale ale României, Fond Sabin Mănuilă.

Declicul s-a produs după momentul când România a intrat sub influența nazistă (deja, în textul Diktatului de la Viena din 30 august 1940 se vorbește de două „rase", cea română și cea maghiară). Noua turnură apare ca evidentă într-un studiu înaintat în 19 decembrie 1940 Ministerului Coordonării – Statul Major Economic, care a cerut „punerea problemei populației în România"[129]. În acesta, Sabin Mănuilă a făcut referire la „măsuri prin care statul va putea întreprinde opera de consolidare a elementului etnic românesc pe toată suprafața țării"[130], „fortificarea numerică și calitativă a elementului etnic românesc"[131], „măsuri de eugenie și biopolitică" și „controlul legislației generale cu scopul armonizării tuturor punctelor de vedere cu idealul politic"[132]. El a susținut că pe baza datelor recensământului se poate emite o legislație viitoare a țării „sub imperiul principiilor moderne de bio-politică, visul oricărei țări dinamice care manifestă tendințe de expansiune iar nu de deflație politică și de populație"[133].

Cu sau fără suport teoretic suficient, noua abordare, în sens rasial, a „politicilor de populație" avea să fie susținută public de Mănuilă într-un text din 1940, apărut în *România Nouă*, sub titlul „Problema rassială a României", ale cărui idei au fost reluate într-un articol care a apărut după un an și în limba germană, în periodicul *Deutches Archiv für Landesund Volksforschung* sub titlul „Das Judenproblem in Rumänien zahlenmässig gesehen" („Problema evreilor din România în ce privește numărul")[134]. De această dată, abordarea lui Sabin Mănuilă era clar din perspectivă rasială, ținta nefiind însă evreii, ci romii, pe care, așa cum am văzut și anterior, în interviul acordat în 1934, îi identificase ca având

---

[129] ANIC, *Fond Sabin Mănuilă*, dosar XII 204/1940, „Politica de populație a României", studiul dr. Mănuilă - bazat pe politica dusă de Axă a spațiilor vitale și cu imperativele politicei de populației.

[130] *Ibidem*, p. 23.

[131] *Ibidem*, p. 18.

[132] *Ibidem*, p. 19.

[133] *Ibidem*, p. 18.

[134] Sabin Mănuilă, „Problema rassială a României", în *România Nouă* 7, 41 (1940), p. 5, Sabin Mănuilă, „Das Judenproblem in Rumänien zahlenmässig gesehen" („Problema evreilor din România în ce privește numărul), în *Deutches Archiv für Landesund Volksforschung* 5 (1941), pp. 603-613, apud Marius Turda, *Eugenism și antropologie rasială în România 1874-1944*, București: Cuvântul; Editura Muzeului Literaturii Române, 2008, pp. 128-129.

o structură diferită de a popoarelor în mijlocul cărora trăiau (inclusiv în România), chiar dacă promiscui, adică „amestecați" cu românii. În 1940, directorul Institutului Central de Statistică își exprima opinia că evreii constituiau „cea mai importantă problemă socială, cea mai acută problemă politică și cea mai gravă problemă economică a României"[135], dar că ei nu reprezentau o problemă rasială, „pentru că amestecul de rasă între Români și Evrei este foarte rar"[136]. În cazul romilor, se schimba problema, iar formulările sale arată că Mănuilă împrumutase limbajul nazist, văzând în ei principalul factor de „disgenie" al națiunii române, care, potrivit unor studii de specialitate ar fi ca grup etnic cel mai inferior ca valoare socială și mai ales morală"[137], fără valoare socială. „Problema țigănească este cea mai importantă, acută și gravă problemă rasială din România"[138], susținea acesta, arătând că romii au afectat „rasa" românilor prin influența - disgenică - a „sângelui țigănesc" și crearea unui „nou hibrid rasial" atât la sate, cât și la orașe, în mahalale: „Amestecarea sângelui românesc cu cel țigănesc este cea mai disgenică influență care afectează rasa noastră"[139]. Această idee, a amestecării sângelui cu cel „țigănesc", este semnalată și de Maria Bucur, care este de părere că exprimarea acestuia „în termeni pur rasiști" constituie „un aspect al ideilor lui Sabin Mănuilă care nu a fost explorat deloc până acum"[140]. În articolul citat, apărut în *România Nouă*, el vorbea despre „tipul antropologic al Țiganului" – care, în termeni rasiști, era unul indezirabil - arătând că romii care au ajuns în funcții de conducere, „au săvârșit crime politice cu totul străine de structura mentală și morală a sufletului românesc": „Tipul antropologic al Țiganului trebuie definit ca un tip indezirabil, care nu trebuie să influențeze constituția noastră rasială... Tipurile cari au ajuns în locuri de conducere și au săvârșit crime politice, cu totul străine de structura mentală și morală a

[135] Sabin Mănuilă, „Problema rassială a României", în *România Nouă* 7, 41 (1940), p. 5, apud Marius Turda, *Eugenism și antropologie rasială în România 1874-1944*, București: Cuvântul; Editura Muzeului Literaturii Române, 2008, p. 72.

[136] *Ibidem.*

[137] *Ibidem.*

[138] *Ibidem.*

[139] *Ibidem*, p. 73.

[140] Maria Bucur, *Eugenie și modernizare în România interbelică*, Iași, Editura Polirom, 2005, p. 203.

sufletului românesc, sunt de vădită origine țigănească"[141]. În opinia cercetătoarei amintite, Mănuilă, dar și alți promotori ai eugeniei și-au transformat discursul, care a devenit rasist în timpul războiului, dar aceasta nu poate fi decât o explicație parțială: „În locul preocupărilor anterioare pentru creșterea potențialului biologic pozitiv al societății românești, eugeniștii s-au deplasat către o retorică a pericolului iminent, care punea accentul pe nevoia de a apăra sănătatea comunității, prin purificarea corpului național de grupurile «nedorite»"[142].

Astfel de opinii radicale – la adresa romilor – sunt reluate în 1941, când Mănuilă consemna cu satisfacție că „epoca istorică pe care o străbatem ne oferă pas cu pas momente pentru rezolvarea câte unui aspect al problemelor noastre de populație"[143]. Într-un studiu datat aprilie 1941, Mănuilă afirma din nou că romii constituiau „marea problemă rassială a României", referindu-se la ei ca la „elementul de promiscuitate și disgenie din țara noastră" și ca la o „problemă" ce ar fi trebuit rezolvată: „Marea problemă rassială a României este problema Țiganilor. Ei constituesc cel mai numeros grup etnic, după Români[144]. Și în același timp ei sunt elementul de promiscuitate și disgenie din țara noastră. Nu s-a făcut nimic pentru rezolvarea problemei țigănești"[145]. În versiunea inițială, ultima frază, peste care apar corecturi, descria într-un stil foarte caracteristic teoriilor naziste romii ca „pericol" rasial și arăta în felul următor: „Ce-am făcut pentru a ne apăra de pericolul țigănesc?"[146].

---

[141] *Ibidem.*
[142] *Ibidem*, p. 204.
[143] Viorel Achim, *art. cit*, p. 141.
[144] Conform recensământului din 1930, ei erau abia a opta minoritate ca număr de persoane declarate. Sabin Mănuilă împărtășește aici ideea că de fapt romii sunt mult mai mulți, probabil populară în epocă.
[145] ANIC, *Fond Sabin Mănuilă*, dosar XII 213/1941, Studiul Dr. S. Mănuilă, dir. Instit. Statistică despre „Politica de Populație", f. 4.
[146] *Ibidem.*

Aprilie 1941.

4

POLITICA DE POPULAȚIE

Problema populației poate găsi fie o soluție empirică, adică întâmplătoare, norocul sau nenorocul având cuvântul cel mai important de spus, fie o soluție programatică, în care prevederea este factorul cel mai important.

O politică de populație sistematică se caracterizează prin realizarea unor puncte precise de program la termene optime, dacă nu chiar la termene fixe. Cele mai multe acțiuni din acest domeniu au o scadență fatală. Dacă s'a pierdut această scadență, problema nu mai poate fi reluată decât poate în altă generație, poate niciodată. Exemplu: Noi avem minorități aparținând ambelor forțe externe, între cari ne-a așezat destinul. Fiind încadrați în politica uneia, vom putea face totul pentru a vida problema minoritară privind cealaltă putere.

În momentul de față, problema cea mai acută este cea a Românilor din Jugoslavia. Nu indic soluția, dar este cert, că aceasta este problema.

Până eri, problema momentului a fost cea a Bulgarilor. Tratatul dela Craiova ne-ar fi dat putința de a expedia la minimum pe toți Bulgarii din România și de a aduce în țară pe toți Românii din Bulgaria. Nu am făcut-o. Am pierdut momentul istoric.

Un alt moment este cel al Evreilor. Nu măsuri interne, ci emigrarea lor era problema principală. Și nu emigrarea Evreilor bătrâni și nici a celor bogați, cari totuși au plecat, ci a tineretului și a săracilor, cari au rămas în țară, rămânând cu ei problema. Problema aceasta, ca toate celelalte are momentul ei, care nu trebue pierdut sub nici un motiv.

Marea problemă rassială a României este problema Țiganilor. Ei constituesc cel mai numeros grup etnic, după Români. Și în același timp ei sunt elementul de promiscuitate și disgenie din țara noastră. Cum am făcut pentru a ne apăra de pericolul țigănesc.

În fine marea problemă a migrațiunilor externe, a fost complect lipsită de ghid rassial. Dacă într'o ramură de muncă, au fost puțini lucrători, solicitantul era admis în țară, chiar dacă ar fi fost Ungur. Imi amintesc - eram membru în Comisiunea Migrațiunilor - cum Guvernul încheiase o convenție cu o țară balcanică, convenind, ca în schimbul exportului de lemne, ce ni

În 1941, Sabin Mănuilă declara deschis că „marea problemă rassială a României este problema Țiganilor", descriindu-i ca „elementul de disgenie și promiscuitate al României" și „pericol".
Sursa: Arhivele Naționale ale României, Fond Sabin Mănuilă.

În același studiu, Mănuilă propunea, la „Capitolul de acțiune", care „este veșnic de actualitate, dar fără studii poate duce la consecințe grave", ca pentru acțiunea în domeniul „politicii de populație" să existe în Cabinet un Ministru, care să păstreze zilnic contactul cu Academia de Biopolitică. El arăta că înființarea unei astfel de minister structuri trebuie să aștepte un „timp oportun", „când se va impune singur, prin amploarea problemelor de guvernământ puse în discuție"[147]. În continuare, Sabin Mănuilă a notat mai multe observații, de mână, între acestea numărându-se ideea – naționalistă - că persoana care va fi numită în fruntea Cabinetului preconizat ar trebui să fie una proeminentă, neapărat român (e posibil să se fi gândit chiar la sine n.n.), pentru că o alta nu ar putea „întruchipa idealul rassist al românismului, fiind însuși minoritar"[148], iar „politica de populație are nenumărate aspecte, cari comportă discuțiuni și acțiuni, cari nici măcar nu pot fi tratate în prezența unui minoritar", fiind una care își propunea „rezolvarea *cât mai radicală* (s.n.) a însăși problemei minoritare"[149].

Într-un alt studiu, din 15 octombrie 1941, realizat pentru Conducătorul statului, mareșalul Ion Antonescu, Mănuilă își expunea viziunea legată de „omogenizarea etnică" a țării - schimburi de populație cu țările vecine, pentru eliminarea treptată a minorităților cu „tendințe centrifugale" și respectiv „transferul unilateral" în ce privește minoritățile evreiască și romă, ceea ce ar fi făcut ca procentul să se reducă la 9,1% sau chiar mai puțin (romii, nerecunoscuți ca minoritate, apăreau la capitolul „alții")[150]. Tot în octombrie 1941, când evreii erau în curs de deportare, într-un nou studiu, acesta afirma că guvernul trebuie să urmărească nu numai refacerea granițelor, ci și „o Românie etnicește omogenă, cuprinzându-i pe toți românii"[151].

---

[147] *Ibidem*, f. 6.
[148] *Ibidem.*
[149] *Ibidem.*
[150] Viorel Achim, *art. cit.*, pp. 144-145.
[151] *Ibidem*, p. 142.

Politica de populație preconizată de Sabin Mănuilă nu putea fi aplicată decât de un român pur, nicidecum de un minoritar.
Sursa: Arhivele Naționale ale României, Fond Sabin Mănuilă.

El vorbea deja despre oportunități pentru această „Românie românească", în care „granițele politice să se suprapună exact cu granițele etnice": „Politicește, momentul este sosit, sau foarte apropiat"[152]. Spectrul nazist[153], răsfrânt inclusiv asupra noii „politici de populație" este evident în programul expus de Sabin Mănuilă într-un articol publicat la sfârșitul anului 1941 în *Buletinul eugenic și politic*, în care acesta enumeră o serie de „comandamente rasiale"[154]. Între acestea figurau „rezolvarea programatică a problemei evreiești", respectiv „combaterea *pericolului influenței rasiale* (s.n.) a țiganilor"[155], alături de alte măsuri eugenice, pe care le-a prezentat ca fiind în interesul „neamului", în scopul îmbunătățirii calității populației: „Măsurile luate trebuie să fie energice și fulgerătoare. *Stânjenirea disgenicilor, a indizerabililor trebuie să meargă până la completa lor sterilizare. (...)* Politica rasistă nu este o politică secretă, care să poată fi pusă în practică în cancelariile guvernului. Politica rasistă este politica maselor, care trebuie să fie convinse de *comandamentele rasiale ale neamului și care să aibă idealul sfânt al propășirii biologice a populației*"[156] (s.n.).

Tot la o dată când deportările – de această dată, ale romilor nomazi în Transnistria – erau deja o realitate, motivul invocat de *Conducătorul* statului fiind acela de „eliminare a elementelor eterogene și parazitare"[157], Ion Antonescu i-a solicitat lui Sabin

---

[152] *Ibidem.*
[153] La doar o zi de la preluarea puterii, în 6 septembrie 1940, Ion Antonescu i-a scris cancelarului german Adolf Hitler, exprimând „cel dintâi gând al neamului românesc în această zi istorică (...) de a vă exprima mărturia lui credincioasă în marele popor german și marele său Führer" - Arimia, Vasile, Ardeleanu, Ion, Lache, Ștefan (ed.), *Antonescu - Hitler. Corespondență și întâlniri inedite (1940-1944)*, vol. I, București, Editura Cozia, 1991, p. 23. De altfel, și denumirea de „Conducător" al statului a fost preluată de Ion Antonescu după cea de „Führer" – Armin Heinen, *România, Holocaustul și logica violenței*, Iași, Editura Universității „Alexandru Ioan Cuza" Iași, 2011, p. 53.
[154] Sabin Mănuilă, „Acțiunea eugenică ca factor de politică de populație", în *Buletin eugenic și biopolitic 12*, 1 (1941), pp. 2-4.
[155] *Ibidem.*
[156] *Ibidem.*
[157] ANIC, *Fond Inspectorate Regionale de Jandarmi*, dosar 258/1942, ff. 2-3.

Mănuilă, în 27 iunie 1942, o analiză statistică a romilor[158]. Inițial, acesta a răspuns, printr-o adresă purtând data de 7 iulie 1942, că datele din recensământul din 1941 nu sunt încă prelucrate în totalitate, propunând să facă o analiză pe baza celui din 1930. Din referat rezultă câteva aspecte care indică fondul rasial în care s-a pus problema. Primul, data la care Conducătorul statului a dat ordinul, 27 iunie 1942, adică mult după ce ordonase recenzarea romilor vizați de deportări – cei nomazi și respectiv stabili, dar care aveau condamnări, nu aveau ocupație, se putea presupune că își câștigă existența într-un mod ilicit etc. – și la o dată la care îi deportase deja în Transnistria pe nomazi. Al doilea, că, potrivit lui Mănuilă, înregistrarea lor la recensământ nu a fost completă, din mai multe motive, printre care nedeclararea, dat fiind că termenul „țigan" era considerat peiorativ atât de ei, cât și de autorități, dar și pentru că „în multe cazuri – în special în cele de *amestec rasial* (s.n.) – caracterul etnic țigănesc nu se putea stabili cu certitudine. Adeseori cei declarați țigani protestează energic și se socotesc insultați. În aceste condițiuni este firesc că numai o parte a țiganilor a fost înregistrată, urmând ca în lucrările ulterioare această înregistrare să se completeze"[159]. Mănuilă propunea ca studiul referitor la romi să se limiteze la datele care pot fi extrase din rezultatele recensământului general din 1930 „și care sunt suficiente pentru o orientare generală cu privire la *o populație care prezintă o importanță capitală din punct de vedere biologic și rasial*, dar care nu prezintă decât un interes minim din punct de vedere economic"[160]. Din document rezultă că mareșalul ceruse situația romilor implicați în agricultură, industrie și comerț, date care puteau fi prezentate în termen de 3 luni, dar și liste nominale, pe care Mănuilă prognoza că le poate prezenta în 4 luni[161]. Documentul făcea referire și la situația evreilor „veniți în țară după

---

[158] ANIC, *Fond Președinția Consiliului de Miniștri – Cabinet*, dosar 560/1942, ff. 17-19.
[159] *Ibidem*, f. 18.
[160] *Ibidem*, f. 19.
[161] *Ibidem*.

1941", adică refugiați, pe care acesta estima că o poate prezenta în termen de o lună.

În studiul înaintat Președinției Consiliului de Miniștri la 7 septembrie 1942[162], discursul lui Sabin Mănuilă era deja profund ancorat în temele ideologiei naziste. Potrivit acestuia, în 1930 s-au înregistrat la recensământ pe suprafața României Mari 262.501 de romi, însă după pierderile teritoriale, scăzându-i pe cei din județele cedate, rezulta că au rămas 208.700, din care 84,5% la sate. Provincia cu cel mai mare număr de romi era Muntenia, însă ca proporție ea era abia pe locul 3, cu 1,8%, după Transilvania (cu 2,3%) și Banat (1,9%). Oltenia constituia o excepție, în sensul că dădea atât cea mai mare proporție din mediul urban (2,3%) dintre provincii, iar procentul romilor în sânul populației orășenești era mult mai ridicat decât în mediul rural. „Foarte probabil că proporția celor înregistrați în provinciile de peste munți se datorează într-o foarte mare măsură unui fenomen de segregare, de identificare și de izolare mai riguroasă a țiganilor în sânul populației acestor provincii"[163], susținea Mănuilă, potrivit căruia, în cel din urmă caz, ar fi vorba de o cauzalitate - condiția lor socială inferioară. În Vechiul Regat, situația era oarecum diferită, potrivit analizei lui Mănuilă, realizată în termeni rasiali: acolo, din cauza îndelungatei conviețuiri cu românii iobagi pe moșii și ulterior, după dezrobire, în sate, unde prestau „meserii primitive, dar indispensabile activității agricole", standardului de viață redus al ambelor categorii și împroprietăririi lor simultane a rezultat „o atenuare a repulsiunii românilor pentru această *populație străină de neamul lor*, au dus în unele locuri la *un amestec de populație*, au permis o camuflare sau pierdere a țiganilor în masa populației majoritare, care i-a acceptat, prin acea excepțională omenie, caracteristică poporului nostru, care îl face ca și termenul peiorativ de țigan să-l acorde cu rezerve și ezitare, mai curând la mânie, spre a sancționa o comportare, decât spre a caracteriza *o condițiune bio-etnică reală*, adică de a indica pe adevăratul țigan. Este sigur că cifra lor e mult mai mare, iar împreună cu cea a locuitorilor

[162] ANIC, *Fond Președinția Consiliului de Miniștri*, dosar 42/1942, ff. 1-17.
[163] *Ibidem*, f. 5.

cu *amestec de sânge țigănesc* încă mult mai ridicată"[164] (s.n.). Pentru stabilirea „intensității sângelui țigănesc" ar fi fost nevoie de cercetări laborioase de teren, „antropologice și serologice"[165], mai spunea Mănuilă, precizând că se referă la romii stabili – sedentari, fixați locului – care nu erau valabile și pentru cei nomazi, al căror număr era oricum necunoscut.

În ce privește răspândirea romilor la sate, nota Mănuilă, pentru politicile prognozate, „în afară de stabilirea cifrei exacte a romilor, problema cea mai dificilă, în cadrul unei politici de populație, este extrema lor dispersiune în mediul rural"[166]. Potrivit datelor prezentate, romii erau înregistrați în 5.015 sate din totalul de 13.051 și existau la acea dată 39 de sate, din care 22 în Moldova, în care romii dețineau majoritatea absolută sau relativă, mergând de la 49,1% la 100% din totalul populației. În mediul urban, romii declarați reprezentau doar 1% din total, însă „proporția poate să fie mai ridicată, ținând cont de *amestecul* acestora cu populația țării noastre, orașele oferind condițiile cele mai prielnice de camuflare sau topire, voite sau de fapt, în sânul populației românești majoritare"[167], mai afirma el. Astfel, potrivit lui Mănuilă, 15 orașe aveau peste 500 de locuitori de etnie romă declarați la recensământul din 1930 – București, 6.797 (ca proporție, doar 1,1%). Craiova 1.782, Urziceni 1.153, Ploiești 1.072, urmate de Alexandria, Călărași, Giurgiu, Orșova, Oltenița, Roman, Târgu Jiu, Brăila, Caracal, Mizil și Turnu Măgurele. În topul centrelor urbane după proporția romilor, erau 39 cu peste 2%, concluzia fiind că „cele mai țigănești orașe" din țară erau Urziceni, Orșova, Târgu Frumos și Mizil, primul detașându-se net cu „proporția impresionantă de 13,4% țigani"[168]. În ce privește declararea limbii materne, Mănuilă preciza că la recensământul din 1930 ceva mai mult de o treime din totalul celor declarați de etnie romă – 77.714, adică doar 37,2%, „au declarat drept limbă maternă limba țigănească"[169]: „Ne găsim deci în fața unui

---

[164] *Ibidem*, f. 6.
[165] *Ibidem*.
[166] *Ibidem*, f. 8.
[167] *Ibidem*, f. 10.
[168] *Ibidem*, f. 11.
[169] *Ibidem*, f. 12.

fenomen de asimilare de lungă durată și foarte înaintat, de vreme ce restul de două treimi au adoptat altă limbă maternă – românească acolo unde conviețuiau cu românii, în special în Vechiul Regat, și maghiară în localitățile de peste munți cu majorități ungare. (...) Proporția populației țigănești cu limbă maternă țigănească este mai ridicată în mediul urban, 42,1%, decât în cel rural, 36,3%"[170], mai afirma acesta, arătând că observația era general valabilă, cu excepția Dobrogei și Crișanei, unde numărul romilor era nesemnificativ în mediul urban[171]. „Ar părea deci că populația relativ mai evoluată a orașelor *izolează* cu mai multă strictețe pe țigani, cel puțin în primele generații, când această populație abordează orașele, înainte de a apărea fenomenul de *camuflare și dizolvare* despre care s-a vorbit"[172] (s.n.), arăta el. Documentul identifica o serie de județe cu mase importante de romi care aproape că și-au pierdut complet limba, proporția celor care au declarat „limba maternă țigănească" fiind extrem de redusă – Sibiu (10,3%), Făgăraș (10,7%), Brașov (11,5%), Gorj (13%), Prahova (16%), Vâlcea (17,7%). Alte județe, unde procentele erau chiar mai mici, nu prezentau un număr semnificativ de romi, iar în ansamblul țării, existau doar 17 județe unde mai mult de jumătate dintre romi își păstraseră limba maternă.

Mănuilă dedica un întreg capitol privind evoluția romilor în Transilvania, Crișana, Maramureș și Banat între 1893-1930, pornind de la datele recensământului din ianuarie 1893 din Ungaria, de care aparțineau la vremea aceea provinciile amintite. El remarca o reducere semnificativă a numărului acestora, pe care a pus-o pe seama unui „proces fatal de asimilare"[173]. „Fatal" nu din considerente legate de prezervarea identității, ci din cauza „alterării" rasei, în condițiile în care, potrivit lui Mănuilă, pe de o parte romii încercau să „dispară în masa înconjurătoare", iar pe de alta majoritarii se opuneau. „Se poate ca explicația să rezide în anumite deplasări de populație, însă cel mai probabil e vorba de un *proces fatal de asimilare.*

---

[170] *Ibidem.*
[171] *Ibidem.*
[172] *Ibidem.*
[173] *Ibidem*, f. 15.

Sunt câteva unde se constată o creștere simțitoare - Sălaj (cu 44,4%), Năsăud (cu 23%), Târnava Mică (cu 11,1%) și Mureș (cu 8,8%), faptul trebuie să se datoreze unor deplasări de populație prin cauze de ordin economic-social locale, care rămân de stabilit, având în vedere că județul învecinat Târnava Mare, care în 1893 avea cea mai mare cifră de țigani, 13.483, a înregistrat o scădere semnificativă, de 71,% – număra în 1930 numai 3.804 suflete. În sfârșit, s-ar putea susține că între 1893 și 1930 s-au desfășurat două procese paralele și contrarii, și anume: pe de o parte țiganii care se străduiesc să dispară în masa înconjurătoare, iar pe de altă parte populațiile majoritare, care încearcă să-i izoleze, să stăvilească această contopire"[174], mai afirma Sabin Mănuilă, adăugând că scăderea numărului romilor putea fi considerat un fenomen general în provincii.

Concluziile prezentate de directorul Institutului Central de Statistică reluau temele principale, formulându-le tot în termeni rasiali: „1. Nu se poate cunoaște numărul exact al țiganilor din țara noastră, pentru că în trecut nu a existat o asemenea preocupare și nu s-au făcut înregistrări periodice sistematice. 2. Singura cifră existentă și cea mai apropiată de realitate, cel puțin ca punct de plecare numeric, este cea dată de recensământul general al populației din 1930. 3. Există o tendință accentuată de *contopire* a acestui grup etnic țigănesc în masa populației românești; procesul este vechi ca durată și continuă și în prezent. 4. În afară de recensământ și alte înregistrări numerice, pentru a identifica marea majoritate a țiganilor, se impune cu necesitate completarea acestor date prin cercetări prealabile de ordin istoric, pentru identificarea vechilor așezări de țigani, în special a celor mânăstirești sau boierești, urmate de atente, îndelungate și laborioase *cercetări bio-antropologice și serologice*. 5. Problema identificării *țiganilor jumătate sânge sau cu mai puțin*, adică a celor probabil foarte numeroși amestecați cu românii sau alte neamuri în proporții variabile, constituie o dificultate în plus și practic vorbind aproape de nerezolvat"[175] (s.n.). Finalul studiului face referire la „interesele

---

[174] *Ibidem*, ff. 14-15.
[175] *Ibidem*, f. 16.

superioare ale neamului", definite ca „o substanță biologică mai pură". Însă idealul eugenismului - rasa biologic superioară de români – avea însă în față un impediment major, tendința grupului etnic al romilor de „a se dispersa și topi în masa populației majoritare", o adevărată „primejdie rasială": „Deși păstrători prin împrumut a unora din vechile tradiții și anumitor elemente de folclor românesc, mai mult sau mai puțin curate, pe lângă posesiunea câtorva meșteșuguri primitive, țiganii rămân totuși *non-valori* sociale și naționale și *o primejdie rasială*, în măsura în care, în *viitor, neamul nostru își caută și își păzește o substanță biologică mai pură* și tinde conștient la un mai înalt ideal românesc de umanitate"[176] (s.n.), conchidea studiul lui Mănuilă. Proiecția de viitor și „mai înaltul ideal românesc de umanitate" fac, cel mai probabil, referire la idealul eugenismului, adică rasa biologic superioară de români, pentru care impedimentul major era, potrivit lui Mănuilă, tendința romilor de „a se dispersa și topi în masa populației majoritare". Discursul directorului Institutului Central de Statistică, care vorbea de aceastâ datâ despre romi explicit în termeni de „primejdie rasială" pentru viitorul biologic al neamului, sugerează că scăparea de aceștia era calea pentru „atingerea unui mai înalt ideal românesc de umanitate".

---

[176] *Ibidem*, f. 17.

- 75 -

Deși păstrători prin împrumut a unora din vechile tradiții și' anumitor elemente de folklor românesc, mai mult sau mai puțin curate, pe lângă posesiunea câtorva meșteșuguri primitive, - ți- ganii rămân totuși non valori sociale și naționale și o primejdie rassială, în măsura în care, în viitor, neamul nostru își caută și își păzește o substanță biologică mai pură și tinde conștient la un mai înalt ideal românesc de umanitate.

Primiți, Vă rugăm, Domnule Mareșal, mărturia celui mai desă- vârșit și adânc devotament.

DIRECTOR GENERAL

Dr.DG/IC
7.IX.1942

Referatul înaintat de Sabin Mănuilă în 1942 către Președinția Consiliului de Miniștri, referitor la populația romă din România, era formulat în termeni rasiali.
Sursa: Arhivele Naționale ale României,
Fond Președinția Consiliului de Miniștri.

„Politici de populație" vs. Generalplan Ost

Viorel Achim susține că proiectul lui Sabin Mănuilă – care a fost în concordanță cu politicile promovate de regimul Antonescu[177] și circumscris ideii de purificare etnică a țării, pe care o promova alături de Nichifor Crainic încă de dinainte de război, la un moment în care „la nivelul factorilor politici nu a existat o preocupare de acest fel"[178] - nu era rasist cum era Generalplan Ost (planul german pentru Europa de Est)[179]. În studiul dedicat viziunii lui Sabin Mănuilă în ce privește „politica de populație", istoricul amintit susține și că nu are motive să afirme că „transferurile de populație" preconizate trebuiau să însemne distrugerea fizică a evreilor și romilor deportați în Transnistria[180], întrucât acestea se circumscriau ideii de „emigrare forțată", larg răspândită în cercurile politice românești în epoca respectivă[181] și au fost „componente ale politicii de omogenizare etnică"[182], care era la rândul său o componentă de bază a „politicii de populație"[183]. El admite totuși că România intrase în sfera politică a Germaniei naziste, în care „conceptul de nouă ordine includea și ideea statelor omogene"[184].

Pe de altă parte, în rechizitoriul din „Procesul marei trădări naționale", acuzatorul-șef public Vasile Stoican le-a imputat acuzaților – membri proeminenți ai guvernării Ion Antonescu - politica față de minorități (despre care vicepreședintele Consiliului de Miniștri, Mihai Antonescu, afirmase că era a unei „migrațiuni forțate"), caracterizând-o drept „o politică criminală făcută de Ion Antonescu față de naționalitățile conlocuitoare"[185]: „politica urii, politica barbară a șovinismului și a purității și superiorității unei rase asupra alteia, izvorâte din falsa teorie hitleristă, lansată pentru a

---

[177] Viorel Achim, *art. cit.*, p. 146.
[178] *Ibidem*, p. 137
[179] *Ibidem*, p. 146.
[180] *Ibidem*.
[181] *Ibidem*, p. 145.
[182] *Ibidem*, p. 148.
[183] *Ibidem*, p. 140.
[184] *Ibidem*, p. 142.
[185] *** *Procesul marei trădări*, p. 41.

dezbina popoarele și a le putea astfel mai ușor cuceri, stăpâni și exploata"[186].

Și în perioada efectivă a deportărilor au existat astfel de interpretări. Unul dintre comentariile consemnate de un informator din Sighișoara în legătură cu deportarea romilor era că măsura „ar putea fi considerată și ca un început de împingere a unor naționalități mai spre răsărit, pentru a proteja un spațiu mai mare pentru poporul din apus"[187]. Acesta nota și că în rândul românilor „circulă svonul și se remarcă temeri că după evacuarea eventuală a tuturor țiganilor și evreilor, ar putea fi evacuați în Transnistria și românii. În locul acestor naționalități ar urma să fie aduși germani. Aceste concepții de migrațiune forțată a unor naționalități ar fi inspirate tot de către germani"[188]. Același document face referiri la percepția măsurii în rândul romilor, care apreciau că regimul Antonescu vrea să îi „stârpească": „Măsura luată recent în legătură cu evacuarea unor țigani în Transnistria a provocat o vie nemulțumire în rândul celor rămași, plângându-se că această măsură a fost luată numai pentru stârpirea lor, căci altfel nu s-ar fi dat aceste dispozițiuni așa brusc și în pragul iernii, deși au fost loiali întotdeauna față de Statul și poporul român"[189].

În 2006, cercetătorul Jean Ancel a publicat în *Revista* 22 un articol intitulat „Anatomia unei repetate falsificări", în care s-a referit la Mănuilă ca la un intim al lui Ion Antonescu, care i-a satisfăcut acestuia „apetitul pentru grafice și statistică" și care, nefăcând inițial parte din cercurile antisemite „la fel ca alți români, a reușit în scurt timp să se adapteze la spiritul care a pus stăpânire pe România"[190]. Ancel reacționa la apariția în România a unei broșuri care în opinia sa, încerca să exonereze statul român și pe Ion Antonescu de „crimele împotriva evreilor", pe baza republicării unui studiu din 1957, apărut la Roma și semnat de Sabin Mănuilă și

---

[186] *Ibidem.*
[187] ANIC, F*ond Direcția Generală a Poliției (DGP)*, dosar 189/1942, f. 87.
[188] *Ibidem.*
[189] *Ibidem.*
[190] https://revista22.ro/istorie/anatomia-unei-repetate-falsificari, accesat în 10.05.2021.

fostul șef al Comunității evreiești din România, Wilhelm Filderman, „Regional Development of the Jewish Population in Romania" - pe care Ancel l-a denunțat ca escrocherie. Potrivit lui Ancel, în studiu, care poartă în mod surprinzător și semnătura celui care în 11 octombrie 1941 îi scria lui Antonescu că deportarea evreilor în Transnistria înseamnă „moartea, moartea fără vină, fără altă vină, decât aceea de a fi evrei", Mănuilă ar fi diminuat drastic numărul evreilor morți în Transnistria, colportând zvonuri despre 100.000 de evrei care ar fi reușit să fugă în Uniunea Sovietică cu date de la Filderman. Ancel a dat cu acest prilej câteva exemple legate de activitatea lui Sabin Mănuilă, arătând că la recensământul general din 1941 l-a invitat între „observatorii străini imparțiali" și pe președintele Oficiului de Statistică al Bavariei, Friedrich Burgdörfer, care arăta în *Dare de seamă. Recensământul General al României, 1941*, Analele Institutului Statistic al României (director dr. S. Mănuila, vol. I, București, 1942, pp. 323-333) că Mănuilă i-a declarat că „chestiunea evreiască în România este de dureroasă importanță" și că „guvernarea se străduiește să soluționeze grabnic această problemă"[191]. Mai mult, Ancel amintește faptul că, în iarna lui 1941/1942, Mănuilă a dispus efectuarea unui recensământ și în Transnistria, unde recenzorii puteau să vadă deja morții evrei, iar apoi Secția de biopolitică a ICS, condusă de cunoscutul eugenist Iordache Făcăoaru, a efectuat la finele anului 1942 un studiu în Transnistria (informație care apare și în articolul citat din Viorel Achim, n. n.) în rândul localnicilor, care trebuia să stabilească dacă în ultimele 3 generații au fost cazuri de căsătorii cu „jidani" și să facă diverse măsurători antropometrice. „Studiul s-a desfășurat după toate regulile de clasificare nazistă a caracteristicilor fizice ale unui popor, care includeau măsurări ale craniului, nasului, urechilor, culoarea ochilor etc.", afirmă Ancel[192].

Darea de seamă a lui Friedrich Burgdörfer conține și un pasaj, citat de Radu Ioanid, referitor la „problema țiganilor", descrisă în termeni rasiali, naziști, precum „corcituri de țigani", considerată de

---

[191] *Ibidem.*
[192] *Ibidem.*

președintele Oficiului de Statistică al Bavariei ca fiind „de importanță capitală": „Mai este o problemă de importanță capitală pentru România: aceea a țiganilor. Până în prezent nu a fost posibilă stabilirea exactă a numărului țiganilor existenți aici, însă se speră totuși ca, printr-un control sever al țiganilor nomazi și alte măsuri luate, să se obțină la recensământul actual o evaluare aproximativă reală a țiganilor din țară. Pe de altă parte, se arată foarte anevoioasă, ba poate chiar imposibilă într-o oarecare măsură, evaluarea statistică exactă a corciturilor de țigani, care din punctul de vedere al psihologiei rasiale, reprezintă o problemă serioasă. Numărul total al țiganilor (în afară de corciturile de țigani) era estimat la aproximativ 300.000"[193].

Este de remarcat că deportările au început imediat după cucerirea unor teritorii din Uniunea Sovietică, de către armata germană și cele aliate – iulie 1941 - ceea ce ar corespunde ideii naziste a „deplasării spre Est" (Drang nach Osten), la un moment situat între cel al definitivării primului plan al Generalplan Ost (mijlocul lui 1940; au urmat încă 3 planuri, în aprilie, iunie și octombrie 1942) și abandonarea lui (după înfrângerea de la Stalingrad, februarie 1943). „Transferul unilateral" a țintit exact aceleași minorități vizate de exterminare, ca inferioare, de politicile rasiale ale Partidului Național Socialist – evrei, romi, dar și slavi - care, potrivit rechizitoriului publicat în *Procesul marei trădări naționale*, au fost deportați și ei (polonezi, ucraineni[194]). Generalplan Ost presupunea munca forțată, moartea prin înfometare sau din cauza frigului a populației ce urma să fie deportată în regiunile din URSS cucerite, exact cum s-a întâmplat și cu evreii și romii deportați în Transnistria. Și, exact ca în Generalplan Ost, era vizată colonizarea, în altă fază, la un moment oportun, cu etnici din „rasă superioară", care să înlocuiască populația autohtonă slavă[195]. Un

---

[193] Radu Ioanid, „Studiu introductiv. Tragedia deportării romilor în Transnistria. Precedente", în Radu Ioanid, Michelle Kelso, Luminița Cioabă, *Tragedia romilor deportați în Transnistria: 1942-1945: mărturii și documente,* Iași, Editura Polirom, 2009, pp. 33-34.

[194] *** *Procesul marei trădări,* p. 41.

[195] Într-o ședință a Consiliului de Miniștri cu guvernatorii provinciilor Basarabia, Bucovina și Transnistria, din 16 decembrie 1941, Ion Antonescu afirma că este

astfel de plan, privind colonizarea cu români a Transnistriei, a fost discutat în cadrul Consiliului de Miniștri cu guvernatorii Basarabiei, Bucovinei și Transnistriei din 13 noiembrie 1941, din stenograma căruia reiese că datele lui Mănuilă erau esențiale[196]. Din documente rezultă că această colonizare cu români a Transnistriei era demarată în primăvara anului 1943. În februarie 1943, Marele Stat Major Secția a II-a Biroul Contrainformații informa Secția a 7-a că „Domnul Mareșal Conducător" a decis repatrierea românilor stabiliți la est de Bug, a basarabenilor și a bucovinenilor deportați de soviete în timpul ocupației, prin Subsecretariatul de Stat al Românizării, Colonizării și Inventarului, precum și normele de triere a acestora[197]. Astfel, în „ținuturile desrobite" urmau a fi repatriați „români etnici, necompromiși de

---

preocupat ca, atunci când se va pune problema „curățirii" acestora, să nu plece odată cu ucrainenii și români slavizați. (ed. Marcel-Dumitru Ciucă, Maria Ignat, *Stenogramele ședințelor Consiliului de Miniștri. Guvernarea Ion Antonescu*, București, Arhivele Naționale ale României, vol. V, 2001, pp. 464-465). În Consiliul de Miniștri din 3 martie 1942, un punct discutat de pe ordinea de zi l-a constituit „problema evacuării din Basarabia a polonezilor și ucrainenilor", fiindu-i raportat că un număr de 1.400 au trecut la germani, dar restul „au rămas gaj la domnul Alexianu", deci în Transnistria, Ion Antonescu dispunând plasarea lor temporară în colhozuri. În acest context, el a arătat că vrea să „reconstituie masa curată a Neamului Românesc și să scoată cu pieptenele des pe toți străinii din Țara Românească" - discurs în care apar teme legate de puritatea rasei și respectiv parazitism, pieptenele des fiind un instrument folosit pentru îndepărtarea păduchilor (ed. Marcel-Dumitru Ciucă, Maria Ignat, *Stenogramele ședințelor Consiliului de Miniștri. Guvernarea Ion Antonescu*, București, Arhivele Naționale ale României, Editura Mica Valahie, vol. VI, p. 198). Într-adevăr, cum remarca și Radu Ioanid, proiectul îndepărtării slavilor „n-a fost realizat cu amploarea cerută", chiar dacă Hitler i-a dat dreptate mareșalului, care urmărea „migrațiunea forțată a întregului element ucrainean", în disputa cu elemente ale armatei germane din Bucovina care „voiau să utilizeze elementele naționaliste ucrainene în propriile scopuri". Cheia rasială în care vedea problema Ion Antonescu reiese din relatarea acestuia, existentă în fondul DCFRJDH (Documents Concerning the Fate of Romania Jewry during the Holocaust, vol. 9, pp. 279-280): „Numeroasă și primitivă, masa slavă constituie pentru Europa nu o problemă politică sau spirituală, ci o gravă problemă biologică față de natalitatea europeană" – apud Radu Ioanid, *Evreii sub regimul Antonescu*, București, Editura Hasefer, 1997, pp. 322-323.

[196] ed. Marcel-Dumitru Ciucă, Maria Ignat, *Stenogramele ședințelor Consiliului de Miniștri. Guvernarea Ion Antonescu*, București, Arhivele Naționale ale României, vol. V, 2001, pp. 130-131.

[197] Arhivele Militare Pitești, *Fond Marele Stat Major, secția 7 teritoriu*, dosar F.N. 1943-1944, inventariat sub nr. 297, f. 165.

acțiunea comunistă", care să fie colonizați și să constituie sate românești împreună cu cei deportați din timpuri mai îndepărtate, dar doar în Transnistria - în Basarabia sau Bucovina urmau să fie aduși „luptătorii și muncitorii basarabeni dar fără pământ"[198]. În 16 aprilie 1943, aceleași entități comunicau un ordin secret și urgent al mareșalului Antonescu în privința repatrierii și colonizării în Transnistria a 3.300 de români din satul Moldanovcka (Cuban), cărora li se permitea să vină cu mare parte din avutul lor[199].

---

[198] *Ibidem.*
[199] *Ibidem*, f. 148.

III PROBLEMA ROMILOR ÎN ROMÂNIA INTERBELICĂ

III.1 „Problema evreiască" și „problema țigănească". Cazul european și cazul românesc

„Problema evreiască"

Perioada interbelică se remarcă prin creșterea ideologiilor de extremă dreaptă în Europa, precum fascismul în Italia și național-socialismul în Germania, dar și curente de aceeași factură în alte țări europene, de obicei însoțite de revizionism și violență și în subsidiar de teorii rasiale[200]. Toate au idealizat trecutul glorios și națiunea, combinându-l cu xenofobie extremistă, misticism și violență. Cu mici variațiuni, imaginea promovată era una a măreției trecute: „Imperiul Roman renăscut (pentru fasciști); sau literalmente Împărăția Regelui Hristos (pentru Falanga Spaniolă); sau al Treilea Reich, adică Imperiul Roman renăscut, în versiune ariană blondă (pentru naziști)"[201]. Pe fondul crizei economice și al înfrângerii din Primul Război Mondial, care a însemnat atât o umilire, cât și stabilirea de despăgubiri enorme, ca țară învinsă, Germania lui Adolf Hitler avea să promoveze un model de cucerire înspre Est[202] care, așa cum este descris în *Mein Kampf* (*Lupta mea*, 1925) în esență însemna o luptă pentru resurse[203] și supraviețuire,

---

[200] În România, acestea au luat forma cea mai violentă prin Mișcarea Legionară / Legiunea Arhanghelului Mihail / Garda de Fier și cultul unor personalități legionare.

[201] Paul Berman, *Teroare și liberalism*, Curtea Veche Publishing, București, 2005, p. 70.

[202] „... trebuie să urmărim cu neclintire obiectivul politicii noastre externe: acela de a oferi poporului german teritoriul care i se cuvine în această lume. Și această acțiune este singura care, înaintea lui Dumnezeu și a urmașilor noștri germani, justifică vărsarea de sânge" – apud Claude Quétel, *Totul despre Mein Kampf*, București, Editura Niculescu, 2018, p. 95. Potrivit autorului citat, „Drang nach Osten" (Marșul spre Est) sau „Ostkolonization" este un concept prezent în ideologia germană din secolul XII, din timpul împăratului Frederich al II-lea de Hohenstaufen – *ibidem*, p. 85.

[203] Timothy Snyder, „The Next Genocide", în *The New York Times*, 12 septembrie 2015, https://www.nytimes.com/2015/09/13/opinion/sunday/the-next-genocide.html, accesat la 10.05.2021.

prin folosirea violenței pentru a restabili drepturile „rasei superioare", ordinea naturală pervertită de ideile evreiești[204]. Pentru aceasta, calea era exterminarea „popoarelor inferioare". Hitler le reproșa evreilor declanșarea războiului, în timp ce slavii trebuiau eliminați în vederea cuceririi „spațiului vital", *Lebensraum*, în Est, pentru a face loc „rasei ariene" germane[205]. Obsesia lui antisemită, la adresa „antirasei" evreiești, este evidentă, în *Mein Kampf*, cuvântul „evreu" apărând de 466 de ori, iar „rasa" de nu mai puțin de 322 de ori[206].

Și „problema evreiască" din România și rezolvarea ei, în perioada regimului Antonescu, au avut la bază în principal motivații economice, deși în unele locuri se resimt teme ale ideologiei național-socialiste[207]. Luările de poziție publice ale unor oameni de cultură, din presă, Parlament, consemnate în *Raportul final*, reflectă, pe câteva zeci de pagini[208], această abordare tradițională a antisemitismului românesc, încă de la începuturile erei moderne a statului român. Aceasta avea să fie agravată de temele „șantajului" evreiesc pentru recunoașterea independenței de stat și a Marii Uniri[209], „pericolului iudeo-bolșevic" și planului de dominație a lumii din *Protocoalele înțelepților Sionului*[210]. Nu în ultimul rând, „problema evreiască" din România avea ca fundal

---

[204] Idem, *Pământul negru. Holocaustul ca istorie și avertisment*, București, Editura Humanitas, 2018, p. 22.

[205] *Ibidem.*

[206] Claude Quétel, *op. cit.*, p. 69

[207] Spre exemplu, în ședința Consiliului de Miniștri cu guvernatorii provinciilor Basarabia, Bucovina și Transnistria, din 26 februarie 1942, mareșalul Ion Antonescu a vorbit despre necesitatea de a „deschide spațiul" pentru români, în Est. Pasajul pare inspirat din teoria spațiului vital: „Noi trebuie să deschidem spațiul pentru români, pentru că românii nu se mai pot hrăni. De aceea avem tuberculoză la sate, pentru că poporul nu are posibilități de câștig. Pe acest popor îl voi lua, îl voi duce în Transnistria, unde îi voi da pământul de care are nevoie, chiar 100 de pogoane, dacă le poate munci" - ed. Marcel-Dumitru Ciucă, Maria Ignat, *Stenogramele ședințelor Consiliului de Miniștri. Guvernarea Ion Antonescu*, București, Arhivele Naționale ale României, vol. VI, București, Arhivele Naționale ale României, Editura Mica Valahie, 2002, p. 205.

[208] *Raportul final*, pp. 21-54.

[209] Vezi în acest sens Leon Volovici, *Ideologia naționalistă și „problema evreiască" în România anilor '30*, Editura Humanitas, București, 1995.

[210] În ediția în limba română, traducătorul, liderul legionar Ion Moța, a „îmbunătățit" textul original cu propriile comentarii, cu referiri la diverse probleme ale României din acea epocă.

probleme sociale grave care au dus la izbucnirea răscoalei de la 1907 (mai ales în Moldova au fost vizați arendașii evrei), numărul mare de evrei intrați în România la începutul secolului XX, concurența pe care le-o făceau majoritarilor în facultăți[211], preeminența lor în multe domenii economice, scandalurile de corupție Skoda (care a atins un punct sensibil, ca Armata) și Marmorosch-Blank, respectiv „oculta" – camarila din jurul Elenei Lupescu, evreică, amanta regelui Carol al II-lea.

Am văzut anterior concepția lui Sabin Mănuilă în ce îi privește pe evrei, centrată pe latura economică. Motivele antisemitismului românesc din perioada Antonescu, în primul rând economice, sunt evidente și din afirmațiile liderilor. Devenit *Conducător* al statului, Ion Antonescu și-a declarat, la puțin timp după preluarea puterii absolute, în februarie 1941, intenția de a-i scoate pe evrei din economia națională și să-i înlocuiască cu români gradual, pentru a nu o pune în pericol[212]: „Eu voi rezolva problema evreiască în cursul reorganizării Statului, substituind încetul cu încetul pe evrei cu români, și în primul rând cu legionari care între timp se vor pregăti. Bunurile evreilor vor fi în mare parte expropriate în schimbul unor indemnizații. Evreii care au venit în țară după 1913, cu alte cuvinte după a doua parte a războiului balcanic, vor fi înlăturați de îndată ce aceasta va fi cu putință, chiar dacă au devenit cetățeni români, în vreme ce ceilalți, o repet, vor fi substituiți încetul cu încetul. Evreii vor putea trăi, dar nu vor putea fi beneficiarii resurselor și bogățiilor acestei țări. *În România trebuie să trăiască și să fie puși în valoare mai întâi românii. Ceilalți, dacă rămân locuri libere vin după ei*"[213]. Această idee, a clasificării oamenilor după etnie, cu prioritatea dată majoritarilor (români) și evident germanilor, pe care mareșalul o împărtășea cu naziștii, făcea ca la pragul cel mai de jos să se afle evreii; romii erau totuși un pic mai sus pe această „scară", posibil din cauza familiarității acestora cu mulți dintre români[214] și

---

[211] Vezi în acest sens Irina Livezeanu, *Cultură și naționalism în România Mare 1918-1930*, Editura Humanitas, București, 1998.

[212] În *Timpul* din 20 februarie 1941, apud *Raportul final*, p. 115.

[213] *Ibidem*.

[214] O înștiințare din 28 noiembrie 1942 semnată de primarul orașului Roman, N.C. Pipa, și șeful Serviciului Aprovizionării, Traian Constantiniu, arată faptul că evreii erau cei

perceperii multora dintre ei (din rândul celor sedentarizați) ca asimilați în „corpul" națiunii.

La puțin timp după înăbușirea rebeliunii legionare de la începutul anului 1941, aliat cu Hitler, concentrând practic toată puterea în mâinile sale, Ion Antonescu anunța continuarea măsurilor antisemite din perioada precedentă. El afirma că statul va avea ca bază „primatul românesc în toate domeniile", în detrimentul „străinilor", adică al minoritarilor, mai ales al celor evrei, care erau de fapt miza economică. Această viziune este confirmată și de afirmațiile vicepreședintelui Consiliului de Miniștri, Mihai Antonescu, din ședința din 13 octombrie 1942 când a anunțat suspendarea deportărilor – acesta afirma că unicul motiv al măsurilor antisemite a fost cel economic, naționalist, și nu teoriile rasiale de proveniență nazistă ori „primejdia europeană" a iudeo-bolșevismului. „Pe mine mă interesează realitatea și viața sinceră; nu mă interesează nici măsurile de fațadă, nici demagogia. Nu fac reformă antisemită pentru germani și pentru doctrina doctorului Rosenberg[215], orișicât este de puternică, de sănătoasă, și orișicâtă primejdie europeană ar putea să reprezinte încă comunismul evreiesc sau simpla ideologie iudaică. Pe mine, ceea ce mă interesează este să fac naționalism românesc și să iau din reforma doctorului Rosenberg și din experiența germană hotărârile înțelepte și nu orișice măsură care nu se potrivește țării noastre"[216], afirma Mihai Antonescu. Acesta descria în continuare un tablou sumbru, în care atât economia, cât și viața politică

---

mai persecutați, inclusiv în privința alimentării. Astfel, zahărul, raționalizat, urma să fie distribuit în funcție de etnie/religie, contra cost, pe bază de bonuri, din 30 noiembrie 1942 pentru luna octombrie, evreii având cea mai mică rație – de 100 de grame, în timp ce romii - „țiganii" în text - aveau dreptul la 200 de grame, iar „creștinii" la 500 de grame. Pentru romi și evrei erau nominalizate magazine speciale. Vezi foto anunț în Vasile Ionescu, Mihai Neacșu, Nora Costache, Adrian-Nicolae Furtună, *O Samudaripen. Holocaustul romilor România. Deportarea romilor în Transnistria. Mărturii – documente*, Centrul Național de Cultură a Romilor, București, 2017, p. 25.

[215] Alfred Rosenberg, ideologul teoriilor rasiale naziste și ministru al Reichului pentru teritoriile ocupate din Est. A fost judecat pentru inițierea războiului de agresiune, crime împotriva păcii, crime de război și crime împotriva umanității, condamnat la moarte de Tribunalul de la Nürnberg, apoi executat prin spânzurare în octombrie 1946.

[216] ed. Marcel-Dumitru Ciucă, Maria Ignat, *Stenogramele ședințelor Consiliului de Miniștri. Guvernarea Ion Antonescu*, București, Arhivele Naționale ale României, vol. VIII, pp. 381-382.

românească „erau invadate de evrei, datorită banilor lor". El explica astfel prin realitatea economică diferența între abordarea nazistă rasială a „problemei evreiești" și cea românească: „Economia germană avea câteva sute de mii de evrei, iar economia românească este toată pe baze evreiești; în comerțul german erau câteva zeci de mii de evrei, iar comerțul românesc era tot evreiesc; în Germania erau unii evrei care pătrunseseră în Partidul Social Democrat, dar niciodată acolo evrei n-au pătruns în politică, pe când la noi partidele politice erau alimentate de evrei, băncile erau instrumente de realizare a politicii prin aceste partide și numai Armata, curată și sănătoasă, Justiția și Învățământul n-au primit pe evrei decât prin întâmplare și cu totul excepțional"[217].

Legislația antievreiască promovată de guverne românești succesive, încă dinainte de război, dar și favorizarea emigrării evreilor și în ultimă instanță Centrala Evreilor a lui Radu Lecca și Consiliul de Patronaj al soției mareșalului, Maria Antonescu, toate erau centrate pe spolierea evreilor[218]. Documentele conferinței de la Wannsee din 20 ianuarie 1942, în care s-a adoptat ideea „soluției finale" semnalau dificultăți în ce privește rezolvarea „problemei evreiești" în România și Ungaria, făcând observația că „Spre exemplu, chiar și astăzi evreii din România pot cumpăra documente care le atestă cetățenia străină"[219].

Antisemitismul românesc s-a pliat pe un fond naționalist, „românismul" fiind un curent foarte răspândit în toate zonele politice după Primul Război Mondial, cu excepția Partidului Comunist din România, considerat reprezentant al intereselor străine (ale URSS), care la acel moment nici nu avea o însemnătate deosebită în viața politică. Perioada e marcată de o fixație pentru o Românie exclusivă, a românilor, având în centru concepte ca „națiune", „neam", „naționalism", „conștiință națională", „ideal național", „românism" și „ortodoxie". Cel mai important promotor politic al antisemitismului,

---

[217] Retorica pare inspirată de *Protocoalele înțelepților Sionului*. Reține atenția descrierea ca „invazie", care sugerează și pericolul.
[218] Vezi în acest sens Radu Lecca, *Eu i-am salvat pe evreii din România*, București, Editura Roza vânturilor, 1994.
[219] Textul complet adoptat la Conferința de la Wansee, în care se face referire la situația din toate țările aflate sub spectrul nazist, la adresa http://www.holocaustresearchproject.org/holoprelude/Wannsee/wanseeminutes.html, accesată la 10.05.2021.

Garda de Fier, sprijinită de Germania, a folosit acest naționalism, dar și propaganda, în care a exploatat fondul românesc ortodox, reușind în fine să capete importanță politică odată cu succesele militare naziste. O democratizare slabă a favorizat ideile naționaliste în dauna minorităților[220], iar subminarea parlamentarismului de către regele Carol al II-lea a dus la resimțirea de către societate a necesității unor regimuri de mână forte[221]. Potrivit lui Francisco Veiga, în anul preluării puterii de către naziști (1933), figura lui Adolf Hitler devenise extrem de populară în România, producându-se ceea ce el a denumit o „epidemie filonazistă"[222] și „fascizarea, parțială sau totală, a evoluției partidelor care până atunci se situau pe pozițiile cele mai clasice"[223]. Din același an datează manifestul electoral al liderului legionar Corneliu Zelea Codreanu, în 12 puncte, din care, în aprecierea lui Veiga, „șapte ar fi putut fi semnate de oricare mișcare fascistă europeană"[224]. Eliminarea organizației teroriste conduse de acesta și apoi de Horia Sima, având ca principiu asasinatul politic, un factor de instabilitate din ce în ce mai grav și reprezentant al unei puteri străine, a venit într-un moment în care răul era deja făcut. Un punct de cotitură, anul 1940, al marilor cedări teritoriale, a determinat România să intre în alianță cu naziștii. Curentul antisemit s-a amplificat, odată cu informațiile că evreii au jubilat la retragerea Armatei române din Basarabia și Bucovina, uneori prin gesturi care aduceau atingere onoarei naționale. „Statul național-legionar", în care Antonescu a împărțit puterea cu legionarii, s-a remarcat prin măsuri antisemite dure, prin care s-au expropriat forțat capitalul și bunurile evreiești sub motivul „românizării" și care au continuat și după ce *Conducătorul* i-a

---

[220] Demeter M. Attila face observația, în *Naționalism, multiculturalism, minorități naționale*, Editura Institutului pentru Studierea Problemelor Minorităților Naționale, Cluj-Napoca, 2012, p. 31, că, deși este adevărat că națiunea este un concept abstract, o „comunitate imaginară", ea presupune și „mecanisme de efect politice", care consolidează conștiința apartenenței și coeziunii naționale, „idealul" sacrificând drepturi ale minorităților.
[221] Vezi în acest sens Francisco Veiga, *Istoria Gărzii de Fier, 1919-1941. Mistica ultranaționalismului*, București, Editura Humanitas, 1995.
[222] *Ibidem*, p. 133.
[223] *Ibidem*.
[224] *Ibidem*, p. 195.

scos de la putere. Și Ion Antonescu era un naționalist, care își declara deschis în ședința Consiliului de Miniștri din 8 aprilie 1941 ura împotriva „turcilor, jidovilor și ungurilor", pe care îi descria drept „dușmanii patriei"[225]. El vedea o oportunitate pentru a lua măsuri contra „străinilor" – referirea este la minoritari, îndeosebi evrei – în Consiliul de Cabinet din 7 februarie 1941, în faptul că nu mai existau „presiune britanică și nici alt fel de presiuni", oferind și o explicație: „În principiu, profităm de această ocazie, ca să *curățăm* țara de tot ce este străin. Nu mai avem presiunea britanică și nici alte presiuni. Vom *curăți* țara de străini, pentru că elementele acestea ne sabotează și provoacă și demoralizarea populației, prin lansare a tot felul de zvonuri"[226]. În 5 septembrie 1941 era și mai explicit, promițând să facă „o operă de *curățire* totală și de evrei, și de toți cei care s-au strecurat la noi: fac aluzie la ucraineni, greci, găgăuzi, evrei, care toți, încetul cu încetul, rând cu rând, trebuie să fie evacuați"[227] (s.n.). Referirea obsesivă la curățenie se îmbina cu descrierea evreilor – principala țintă – uzând de terminologia nazistă, ca „paraziți" pentru viața economică românească. Antonescu se imagina într-o luptă pe viață și pe moarte cu aceștia, motivele naționaliste îmbinându-se cu cele de natură economică: „Să nu credeți că sunt un inconștient. Să nu credeți că atunci când am hotărât să deparazitez viața Neamului Românesc de toți evreii nu mi-am dat seama că produc o mare criză economică. Dar mi-am spus că este un război pe care îl duc. Și atunci, ca la război, sunt pagube pentru naţie. Dar dacă îl câștig acest război, națiunea obține compensațiile. *Trecem printr-o criză, pentru că scoatem pe evrei, dar Neamul Românesc trebuie să se pregătească să suporte această criză, pentru ca să scape de parazitul acesta. Dacă scăpăm momentul istoric acesta de*

---

[225] ed. Marcel-Dumitru Ciucă, Aurelian Teodorescu, Maria Ignat, *Stenogramele ședințelor Consiliului de Miniștri. Guvernarea Ion Antonescu*, București, Arhivele Naționale ale României, vol. III, 1998, p. 105.

[226] ed. Marcel-Dumitru Ciucă, Aurelian Teodorescu, Maria Ignat, *Stenogramele ședințelor Consiliului de Miniștri. Guvernarea Ion Antonescu*, București, Arhivele Naționale ale României, vol. II, 1998, p. 176.

[227] ed. Marcel-Dumitru Ciucă, Maria Ignat, *Stenogramele ședințelor Consiliului de Miniștri. Guvernarea Ion Antonescu*, București, Arhivele Naționale ale României, vol. IV, 2000, p. 554.

acum, l-am scăpat pentru totdeauna. Și dacă câștigă evreii războiul, noi nu mai existăm. Suntem complect condamnați pieirii" (s.n.)[228].

Un al treilea element – fondul creștin antisemit[229] – frecvent în propagandă, apare și în concluziile cele mai neașteptate ale lui Ion Antonescu. Astfel, într-o scrisoare pe care i-a trimis-o lui Mihai Antonescu, publicată de Jean Ancel, pe fondul frustrării acumulate, generate de întârzierea cuceririi orașului Odessa, mareșalul afirma, printre altele, că fără „comisarii evrei" aceasta era demult cucerită și că „Satana este evreul". În discurs, el se vede în antagonism cu evreul diabolic – idee care apare în 3 locuri. Tema naționalistă, a luptei pentru „viața națiunii", este invocată de nu mai puțin de 6 ori și din nou apare ideea obsesivă legată de curățenie, „purificare", de această dată chiar a lumii. Din expunere – în care dispune ca pedeapsă reacucerea evreilor în lagăre – răzbat idei din *Protocoalelor înțelepților Sionului*: „Comunică Ministerului Interne că a fost o mare greșeală eliberarea evreilor din tabere. (...) Soldații după front au mari riscuri, de a fi răniți sau omorâți din cauza comisarilor evrei, care cu o perseverență diabolică împing pe ruși din spate cu revolverul și îi țin să moară până la unul pe poziție. (...) Toți evreii să fie readuși în lagăre, preferabil în cele din Basarabia, pentru că de acolo îi voiu împinge în Transnistria, imediat ce mă voiu degaja de actualele griji. Trebuie să se înțeleagă de toți, că nu este luptă cu slavii și evreii. Este o luptă pe viață și pe moarte. Ori învingem noi și lumea se va *purifica*, ori înving ei și devenim sclavii lor. (...) Asta trebuie să știe toți. Nu economicul

---

[228] *Ibidem*, p. 562.

[229] Temele preferate ale acestuia, poporul deicid, omorul ritual etc. au fost lansate în primele secole de Sfinți Părinți ai Bisericii creștine, constituind o adevărată „învățătură a disprețului" față de evrei și iudaism, „cu care mentalitatea creștină a fost impregnată până în profunzimile inconștientului" (Jules Isaac), și au continuat cu diatribele violente ale lui Martin Luther. O serie de limitări ale accesului lor în viața publică, precum principiul „limpieza de sangre" („puritatea sângelui"), un precursor al teoriilor rasiale, din Spania secolului XV, persecuții și expulzări, de foarte multe ori sub pretext religios, au marcat parcursul evreilor timp de mai multe secole în Europa. Vezi în acest sens Jules Isaac, *Geneza antisemitismului*, București, Editura Hasefer, 2014, Robert Aleksander Maryks, capitolul „The Historical Context of Purity-of-Blood Discrimination (1391-1547), în *The Jesuit Order as a Synagogue of Jews: Jesuits of Jewish Ancestry and Purity-of-Blood Laws in the Early Society of Jesus*, Brill, 2010. De asemenea, Andrei Oișteanu, *Imaginea evreului în cultura română*, Iași, Editura Polirom, 2012, pp. 433-489.

primează în aceste momente ci viața națiunea însăși. Și răsboiul în general și luptele de la Odessa în special dovedesc cu prisosință că Satana este evreul. El și numai el duce slavi ca pe o turmă de boi și îi face să moară trăgând ultimul glonț. De aci enormele noastre pierderi. Fără comisarii evrei eram demult la Odessa"[230] (s.n.).

„Problema țigănească": fondul preexistent european

Ca și în cazul evreilor, măsurile care au vizat romii au venit pe un fond preexistent în Europa, deși motivele au fost diferite. Semnalați pe continent încă din secolul al XIV-lea, romii au avut parte, la rândul lor, de persecuții, care au început la scurt timp după ce și-au făcut apariția, în mai multe state europene. Potrivit observației istoricului israelian Shulamith Shahar, antisemitismul și antițigănismul au tradiție în acest areal, existând și în privința romilor un câmp ideatic format. Însă, dacă în cazul persecuțiilor îndreptate contra evreilor – și nu numai – era vorba de un grup etnic diferit, străin, recunoscut ca atare[231], nu acesta era cazul la romi, numele etniei („țigani") desemnând mai degrabă un stil de viață „vagabond" al componenților grupului, care ridica probleme autorităților, fiindu-le negat practic aspectul de grup etnic[232]. Suspectați de cele mai mari rele – de la vrăjitorie până la spionaj - romii au fost asociați cu vagabondajul și furturile, cerșetoria și prostituția, iar autoritățile au luat măsuri contra celor „vinovați" de aceste fenomene, deveniți rapid indezirabili. Aceasta cu atât mai mult cu cât culoarea pielii – neagră – a fost văzută nu numai ca urâtă, ci și ca

---

[230] Jean Ancel, *Transnistria*, vol. I, pp. 317-318. Aceeași idee privind lupta „înverșunată", „pe viață și pe moarte" dintre germani și români, pe de o parte, și „comisarii evrei" care ar fi stat în spatele rușilor a fost exprimată de mareșal și în ședința Consiliului de Miniștri din 5 septembrie 1941, în care a susținut că „dacă câștigă evreii războiul, noi nu mai existăm" și că e un moment istoric în care nu trebuie să se piardă ocazia de a scăpa de „parazitul" economic care e evreul – în ed. Marcel-Dumitru Ciucă, Maria Ignat, *Stenogramele ședințelor Consiliului de Miniștri. Guvernarea Ion Antonescu,* București, Arhivele Naționale ale României, vol. IV, 2000, p. 546 și 562.
[231] Shulamith Shahar, „Religious, Minorities, Vagabonds, and Gypsies in Early Modern Europe", în Roni Stauber, Raphael Vago (ed.), *The Roma: A Minority in Europe: Historical, Political and Social Perspectives*, Central European University Press, Budapest, 2007, pp. 2-5.
[232] *Ibidem*, pp. 5-8.

aparținând unor forțe malefice[233], făcându-se distincția între „albii" frumoși, buni și creștini și „negrii" urâți, răi și păgâni[234]. Imaginarul european medieval le-a fost de asemenea defavorabil, apărând credința că sunt păgâni, care fură, inclusiv copii; urmașii lui Cain, sau, în unele legende din spațiul german, din neamul celor care ar fi refuzat adăpostirea Fecioarei Maria, ai celor care ar fi rupt hainele de pe trupul lui Iisus Hristos ori al fierarului care a fabricat cuiele cu care a fost răstignit Mântuitorul[235]. Ca atare, în Europa au fost, de asemenea, țintă a persecuțiilor – de cele mai multe ori, interdicții de a intra în țară sau în regiune; dar și expulzări, trimiteri în colonii, deportări, înrolări forțate, trimitere la muncă forțată, înrobiri, maltratări sau chiar omoruri, peste tot apărând reglementări explicite, fie împotriva lor ca etnie, fie împotriva nomadismului caracteristic, pus deseori în relație cu criminalitatea. Angus Fraser, autorul impresionantei lucrări intitulate *Țiganii. Originile, migrația și prezența lor în Europa*, apărută în 1992, face o incursiune în tot ce a însemnat persecuția romilor în Europa, începând din a doua jumătate a secolului XV[236] și justificarea măsurilor. Astfel, în *Cronica Bavareză* din 1522, Aventinus motivează măsurile luate de împărații „Maximilian Caesar Augustus și Albert, părintele principilor noștri" împotriva romilor prin necesitatea de a pedepsi această „rasă de oameni necinstiți", „drojdia și scursura diferitelor popoare", trădători și spioni, care „pribegesc" și creează probleme: „La această dată (e vorba despre anul 1439, n. n.), acea rasă de oameni necinstiți, drojdia și scursura diferitelor popoare, care trăiește la hotarele imperiului turcesc și ale Ungariei (îi numim Zigeni) a început să pribegească prin ținuturile

---

[233] Donald Kenrick, Grattan Puxon, *The Destiny of Europa's Gypsies*, New York, Basic Books, Inc. Publishers, 1972, pp. 18-19. Autorii citați vorbesc despre un „proces de dezumanizare", prin reducerea romilor la condiția de „oameni de categoria a doua" în Europa încă din perioada medievală.
[234] Shulamith Shahar, *art. cit.*, p. 7.
[235] Marian Zăloagă, *Romii în cultura săsească în secolele al XVIII-lea și al XIX-lea*, Institutul pentru Studierea Problemelor Minorităților Naționale, Cluj-Napoca, 2015, pp. 136-138.
[236] Când se înregistrează primele edicte contra lor, succesive, în 1497, 1498, 1500, emise de Dieta Sfântului Imperiu Roman, și expulzarea romilor, apăruți de doar câteva zeci de ani în spațiul german, pe motiv de spionaj.

noastre sub conducerea regelui lor Zindelo și prin hoție, jaf și ghicit caută să se întrețină, nepedepsiți fiind. Mint atunci când spun că vin din Egipt și că zeii i-au constrâns la exil și, fără de rușine, prin surghiunul lor de șapte ani, simulează ispășirea păcatelor strămoșilor lor care s-au îndepărtat de Fecioara cu pruncul Isus. Din practică știm că folosesc limba vendă și sunt trădători și spioni"[237]. Fraser face un inventar al răspândirii romilor în Europa, în paralel cu primirea care li se face. Inițial, în multe cazuri ea este favorabilă (Franța, Spania ori Milano), pentru ca apoi, ca urmare a plângerilor cetățenilor, legate de tulburările produse de romi, să li se dea bani pentru a pleca (Frankfurt, Bamberg, acesta devenind un adevărat obicei în regiunea Ronului[238]) și, în fine, să fie alungați sau izgoniți din fața porților cetăților (Țările de Jos). La Geneva, în 1532 se înregistrează unul dintre primele episoade violente, în care o ceată de romi care încearcă să pătrundă în oraș intră în conflict cu forțele de ordine și cu localnicii, care sunt pe punctul de a-i linșa[239]. La numai un secol de când au început să colinde Europa, peste tot apar reglementări explicite, fie împotriva lor ca etnie, fie împotriva nomadismului caracteristic, pus deseori în relație cu criminalitatea. „Dieta de la Augsburg din 1500 dădea dreptul oricărui creștin să-i alunge ca pe o molimă"[240], însă aceasta nu era nici pe departe cea mai dură dintre măsuri. Numai în spațiul german, între 1551 și 1777, au fost emise, potrivit lui Fraser, nu mai puțin de 133 de reglementări contra romilor, ele îndesindu-se după Războiul de 30 de ani, în care ținuturile erau frecvent devastate, iar populația - prădată. Acestea au sporit în severitate cu timpul. În 1710, principele Adolf Frederick de Mecklenburg-Strelitz a ordonat o serie de măsuri, printre care și executarea, împotriva romilor care s-ar întoarce în ținuturile sale; copiii sub 10 ani le erau luați, spre a fi încredințați adopției în familii creștine. În 1711, principele elector Frederick Augustus al Saxoniei a dispus împușcarea romilor care s-ar fi opus expulzării. În 1725, Frederick Wilhelm I a dispus prin decret ca

---

[237] Angus Fraser, *Țiganii*, Editura Humanitas, București, 2008, pp. 99-100.
[238] *Ibidem*, p. 111.
[239] *Ibidem*, p. 107.
[240] Marian Zăloagă, *op. cit.*, p. 138.

orice rom peste 18 ani prins pe domeniile sale să fie spânzurat, fără proces, iar în 1734 landgraful de Hessen-Darmstadt le dădea o lună romilor peste 14 ani să plece din ținuturile sale, dând recompense bănești pentru cei care îi împușcau pe cei care nu se conformau. În 1766, contele palatin de Rin lua și el măsuri contra romilor, tâlharilor și vagabonzilor care se strângeau pe domeniul său, alungați din alte state învecinate, permițând alungarea, arestarea, torturarea lor; dacă erau pentru a doua oară arestați, se ajungea la spânzurare[241]. Potrivit lui Fraser, în Anglia, în timpul dinastiei Tudorilor, au fost emise 13 decrete referitoare la vagabondaj, cerșetorie și răufăcători, cele mai dure permițând ca romii nomazi să fie spânzurați, ceea ce s-a și întâmplat, până pe la mijlocul secolului XVI[242]. În Spania, romii erau de asemenea alungați și amenințați cu moartea dacă se întorceau, cu excepția cazului când s-ar fi asimilat și sedentarizat, renunțând la obiceiurile „țigănești". Din 1607, „obișnuita" expulzare a ajuns să fie înlocuită de trimiterea tuturor romilor la galere[243]. În Țările de Jos și statele germane de graniță au fost organizate violente vânători de țigani (Heidenjachten); ultima pare să fi avut loc în 1728[244]. Coloniile, unde era nevoie de mână de lucru, au fost utilizate ca „veritabilă groapă de gunoi pentru cei indezirabili", după expresia lui Fraser, între care și romii, exemplul portughez (comutarea pedepsei unui rom la galere în trimiterea lui cu familia în Brazilia, în 1574) răspândindu-se. În 1597, era emis în Anglia *The Vagabond Act*, care îi trimitea „în ținuturile de peste mări"; cei mai mulți dintre romii surghiuniți au ajuns în coloniile americane, fiind uneori transformați în sclavi, până ce înfloritorul comerț cu sclavi din Africa a dus la înlocuirea lor, ca mai puțin rentabili economic[245]. În spațiul dominat de otomani, mai tolerant, preocupat mai degrabă de biruri decât de intervenția în guvernarea locală, se adăpostesc aproape jumătate din totalul romilor europeni, până spre începutul secolului XIX[246], întrucât, cu rare

---

[241] Angus Fraser, *op. cit.*, pp. 166-171.
[242] *Ibidem*, pp. 148-155.
[243] *Ibidem*, pp. 177-185.
[244] *Ibidem*, pp. 165-166.
[245] *Ibidem*, pp. 185-187.
[246] *Ibidem*, p. 190.

excepții și sporadice, „nu erau prea hărțuiți după normele vest-europene"[247]. Încercarea de asimilare forțată constituie ultima dintre măsurile care preced persecuțiile romilor din timpul celui de-al Doilea Război Mondial.

Romii și asocialitatea

Modul de viață nomad și stilul în care își câștigau existența romii – din cântat, mic comerț ambulant sau ghicit – era considerat de germani incompatibil, chiar un afront la adresa stilului lor de viață, centrat pe ordine socială și muncă din răsputeri. Este explicația pe care o dă Guenter Lewy în *The Nazi Persecution of the Gypsies* și *Himler and The Racially Pure Gypsies* persecuției romilor, acesta văzând în politicile naziste o agravare a celor luate în statele germane în perioada modernă și un răspuns la cererile tot mai insistente din partea societății, de a da o soluție „problemei țigănești"[248].

Persecuțiile împotriva romilor au început cu destul de mult timp înainte de preluarea puterii de către naziști, când măsurile luate față de aceștia cunosc o radicalizare[249]. În Bavaria, grupurile de etnici romi și sinti au fost obligate să se înregistreze încă din 1889, când se vorbea de „plaga țigănească" într-un act oficial, fiind înființată o poliție care să ia măsuri împotriva celor având un stil de viață „țigănesc"[250]. Deși Constituția Republicii de la Weimar susținea egalitatea tuturor cetățenilor germani, romii au fost subiectul unei legislații discriminatorii în Bremen în 1926, pe motivul stilului lor de viață „asocial", preluată la nivel național în 1929. Ideea legii era de control al „plăgii țigănești", aceasta prevăzând măsuri de „combatere a țiganilor, vagabonzilor și leneșilor" și impunând înregistrarea tuturor celor de origine romă sau sinti; toți cei care nu puteau dovedi că au un loc de muncă stabil se expuneau trimiterii în lagăre de muncă, timp de până la 2 ani. Myriam Novitch face o împărțire a măsurilor luate de statele germane

---

[247] *Ibidem*, p. 193.

[248] Guenter Lewy, „Gypsies and Jews under the Nazis", în *Holocaust and Genocide Studies*, VI3 N3, Winter 1999, p. 392.

[249] *Ibidem*, p. 395.

[250] Annamaria Masserini, *Storia dei Nomadi: La persecuzione degli zingari nel 20. Secolo*, Edizione GB, 1990, p. 23.

împotriva romilor, în patru perioade: 1889-1933 – măsuri administrative în vigoare înainte de venirea lui Hitler la putere; 1933-1936 – agravarea măsurilor existente, începutul deportărilor în lagăre de concentrare pentru „infracțiuni contra ordinii" și „asocialitate"; 1936-1939 – apariția motivației rasiale și a „problemei țigănești" și în fine 1939-1945 – decizia unei „soluții finale" a „problemei țigănești" și diverse modalități de punere în practică[251].

În Germania național-socialistă, interesul pentru „puritatea rasei" a deplasat accentul de la asocial la rasă, astfel că, după un timp de la emiterea deciziilor împotriva evreilor, și romii au fost vizați de politicile rasiale.

III.2 Romii în viața socială a României interbelice

De la rom la vagabond

Fondul preexistent al condiției romilor din România interbelică este cel de „emancipați" din condiția de robi – ai statului, mănăstirești sau boierești – timp de aproape 500 de ani în Țările Române[252], până spre mijlocul secolului XIX, respectiv supuși unei politici de asimilare și sedentarizare în spațiul dominat de Habsburgi, interesat (și) de taxare[253].

Reformele succesive ale împăraților Maria Tereza și Iosif al II-lea emise în intervalul 1758-1783 au presupus, pentru romii din Transilvania, dar și din alte provincii ale Imperiului Habsburgic, măsuri de integrare forțată, ca „maghiari noi" („ujmagyar") și respectiv „cetățeni noi" („ujpolgar") în sistemul administrativ imperial[254], care îi vedea drept „o

---

[251] Myriam Novitch, *Le genocides des Tziganes soul le regime Nazi*, Imprimerie Montbrun, Paris, 1968, p. 7.

[252] Martin Olivera afirmă că nu e vorba de sclavie, așa cum a fost ea înțeleasă în societățile industriale din Occident, ci de „persistența unui model feudal, profund rural", în care prin „țiganii robi" se înțelegea aservirea – Martin Olivera, *Romanes. Tradiția integrării la romii gabori din Transilvania*, Cluj-Napoca, Institutul pentru Studierea Problemelor Minorităților Naționale, 2012, p. 91.

[253] Vezi în acest sens Viorel Achim, *Țiganii în istoria României*, București, Editura Enciclopedică, 1998, Martin Olivera, *Romanes. Tradiția integrării la romii gabori din Transilvania*, Cluj-Napoca, Institutul pentru Studierea Problemelor Minorităților Naționale, 2012, Gabriel Sala, *Romii în vâltoarea istoriei*, 2015.

[254] Mirella Karpati, „Una storia di diritti negate", în *Lacio Drom*, n. 3, 1996, p. 47.

anomalie care trebuia asimilată"[255]. Extrem de dure, ele priveau combaterea nomadismului, sedentarizarea și ocuparea romilor în agricultură, interzicerea limbii romani, a portului tradițional și chiar a meseriilor tradiționale, darea copiilor romi mai mari de 5 ani către familii nerome, subvenționate cu 12-18 florini anual pentru a-i educa în religia catolică și a-i învăța o meserie. Legea interzicea căsătoriile între romi, cele mixte fiind încurajate prin subvenții, în cel din urmă caz trebuind să dovedească apoi „un mod de viață decent și cunoașterea doctrinei religioase catolice"[256]. Pe de altă parte, se impuneau școlarizarea copiilor romi, participarea romilor la servicii religioase și se încuraja intrarea lor în corpul Armatei, autoritățile trebuind să dea rapoarte lunare privind procesul de integrare a lor. Măsurile au determinat în unele cazuri sedentarizarea, dar în multe altele fuga. O parte dintre romii care a emigrat, refuzând practic asimilarea, s-a regăsit apoi în Țările Române, sub numele de netoți.

Recensământul din 1893, cu privire la romii de pe teritoriul părții „maghiare" a Imperiului, arăta că 90% dintre ei sunt stabili, din totalul de 274.940 recenzați, un număr de aproximativ 105.000 de romi fiind pe teritoriul Transilvaniei, adică undeva la 5% din întreaga populație a provinciei[257]. Potrivit lui Marian Zăloagă, moștenirea habsburgică în Transilvania a presupus o viziune în care nomadismul romilor a fost văzut ca o dovadă a inferiorității acestora, iar imaginea lor - „ca elemente străine și periculoase, fie parte a unor grupuri nomade, ori simpli vagabonzi"[258] mergea în direcția unui „factor de risc din punct de vedere social"[259]. În ultimă instanță, pe fondul „discursului antropologic care distingea, încă din secolul al XVI-lea, între civilizați și sălbatici" și al dezvoltării teoriilor criminalistice, aceasta a condus la ideea de „infractori asociali"[260].

---

[255] Martin Olivera, *op.cit.*, p. 105.
[256] Gabriel Sala, *op.cit.*, p. 129.
[257] Angus Fraser, *op. cit.*, p. 230.
[258] Marian Zăloagă, *Romii în cultura săsească în secolele al XVIII-lea și al XIX-lea*, Cluj-Napoca, Institutul pentru Studierea Problemelor Minorităților Naționale, 2015, p. 214.
[259] *Ibidem*.
[260] *Ibidem*, p. 239.

În teritoriul Moldovei și cel al Țării Românești, înainte de emancipare existau mai multe categorii de romi / robi, codurile juridice după care erau „ținuți în frâu" fiind similare celor de la începutul acestui sistem[261]. O mare parte era sedentarizată în secolele XVIII-XIX, ca urmare a unui proces natural, la curțile domnești (unde, potrivit aprecierii lui Viorel Achim, nu făceau mare lucru, constituind mai mult un indicator al poziției sociale[262]) sau erau așezați la marginea localităților; erau meșteșugari ai satelor, ori, dimpotrivă, nomazi. Se distingeau între ei: aurari sau rudari, cărămidari, ursari, zavragii, salahori - ai statului, stabili; țiganii „de laie", care străbăteau țara în căruțe cu coviltir, lingurarii (ai statului sau în proprietate particulară); țiganii „de vatră" sau „vătrașii" - adevărații robi, în sensul real al cuvântului", în aprecierea lui Fraser[263], robi boierești sau mănăstirești, stabilizați la sate sau orașe; în sfârșit, netoții, veniți la sfârșitul secolului XVIII din Imperiul Habsburgic.

Cei din urmă nu aveau stăpân; nu aveau niciun fel de locuință, dormeau pe jos, rătăceau prin țară în grupuri de 20-30 de persoane și provocau cele mai multe probleme, prin infracțiunile pe care le comiteau (jafuri, furturi, chiar crime)[264]. Alessandro Pistecchia face presupunerea, în lucrarea *I Rom di Romania*, că netoții - grup nomad considerat sălbatic și neasimilabil – ar constitui modelul categoriei de romi vizați de politica de deportare în teritoriul transnistrean, dictată de guvernul Antonescu în vara anului 1942 și care venea după o serie de încercări ale puterii centrale de a limita fenomenul nomadismului, stilul lor de viață pe care îl considera deviant și asocial[265].

[261] Angus Fraser, *op. cit.*, p. 239.
[262] Achim, Viorel, *Țiganii în istoria României*, Editura Enciclopedică, București, 1998, p. 81.
[263] Angus Fraser, *op. cit.*, p. 240.
[264] Viorel Achim, *op. cit.*, p. 78.
[265] „În panorama etnică a romilor români se înscrie categoria netoților, robi ai domniei, grup nomad descris ca extrem de sălbatic și neasimilabil, din cauza fugilor repetate și stilului lor de viață. Dorința constantă a puterii centrale de a limita mișcările imprevizibile ale netoților poate fi justificată prin percepția autorităților vizavi de viața nomadă, considerată deviantă și asocială. Măsurile guvernului Antonescu din iunie 1942, de strângere și deportare a nomazilor în teritoriul transnistrean ocupat, așa cum se poate constata și din declarația Conducătorului în timpul procesului de după război, vizau restrângerea acțiunilor nedorite a unei

Numărul total al romilor s-ar fi ridicat, în Țara Românească și Moldova, la circa 200.000[266].

Mișcarea aboliționistă a dat prilejul unor descrieri uneori patetice ale condiției robilor – romi - din Țările Române, creând o imagine mai degrabă romantică a lor, dar aceasta nu corespundea întotdeauna realității sociale, a relațiilor lor cu majoritarii, care, mai ales după emancipare, deveneau și mai complexe. Dezrobirea s-a rezumat la latura juridică, fără a se preocupa de aspectele economice și sociale[267], starea materială a romilor rămânând în continuare precară și după dezrobire, iar ei într-o situație marginală, dacă nu chiar de dependență. În piesa din 1880 a lui Vasile Alecsandri, *Vasile Porojan*, acesta își amintește de prietenul rom cu acest nume din copilărie, evocând în paralel peripețiile romilor, după ce i-a eliberat. Alecsandri relatează că, după ce au terminat banii pe care li-i dăruise, peste doar câteva luni aceștia s-au întors într-o stare de plâns, cerându-i în genunchi să-i reprimească la moșie, „robi, ca-n vremurile cele bune", ceea ce l-a făcut să reflecteze asupra condiției oamenilor nepregătiți pentru libertate[268]. Petre Petcuț dă un alt exemplu, al romilor eliberați de la mănăstirea Snagov, care s-au plâns egumenului că, „deși dezrobiți de câțiva ani" și „clăcași români", sunt „năpăstuiți" de un dorobanț și vătaful satului, care i-au adunat „prin silință și cu bătăi" să lucreze timp de câteva săptămâni la construcția unor binale, sub pază, în final fiind plătiți cu mult mai puțin decât s-au înțeles[269]: „Câțiva ani de la momentul eliberării (...), rromii continuau să

---

astfel de categorii de romi." - Alessandro Pistecchia, *I Rom di Romania*, Edizioni Nouva Cultura, Roma, 2010, p. 13.

[266] Mihail Kogălniceanu, *Esquisse*, pp. 16-17, *Desrobirea țiganilor*, București, 1891, p. 14, apud Angus Fraser, *op. cit.*, p. 240.

[267] Viorel Achim, *op.cit.*, p. 12, Giuseppe Motta, *Robie. La Schiavitù dei Rom in Vallachia e Moldavia*, Aracne Editrice, Roma, 2013, p. 93.

[268] Vasile Alecsandri, „Vasile Porojan", în *Dridri*, București, Editura Minerva, 1987, pp. 284-285.

[269] Petre Petcuț, *Rromii. Sclavie și libertate. Constituirea și emanciparea unei noi categorii etnice și sociale la nord de Dunăre 1370-1914*, București, Centrul Național de Cultură a Romilor, 2016, p. 195.

formeze un grup de contribuabili expus bunului plac al fermierilor
și autorităților locale"[270].

După eliberare, în a doua jumătate a secolului al XIX-lea, se
înregistrează al doilea mare val de emigrare a romilor, inclusiv al celor
din România, spre Europa de Vest și în Statele Unite[271] (primul i-a adus,
în Evul Mediu, din Asia în Europa), dar și intrări masive în România,
dinspre Imperiul Otoman, și în fine o migrare în interior - ceea ce a pus
problema supravegherii de către organele de ordine. Angus Fraser vede
în „acutizarea atitudinilor guvernelor vest-europene" cu privire la romi
un efect al acestei migrații masive[272]. Și în Vechiul Regat, Ministerul de
Interne s-a declarat preocupat de intrarea masivă în țară a unor străini,
între care s-ar fi putut infiltra elemente periculoase pentru ordinea
internă, fenomen pe care a încercat să-l restricționeze printr-o serie de
circulare. Erau vizați în special evreii, însă și romii au avut de suferit,
aceștia constituind cele două categorii cărora li s-a refuzat, în
majoritatea cazurilor, permisiunea de ședere[273]. Circularele emise de
miniștrii de Interne către prefecți, în scopul restricționării intrării
străinilor în țară, le îngreunau mobilitatea și implicit posibilitățile de a-și
câștiga traiul și romilor (practicarea unor meserii tradiționale și
comerțul presupuneau libertatea de mișcare), cu atât mai mult cu cât
trebuiau să demonstreze că dețin sume considerabile, care le-ar fi dat
posibilitatea de a se întreține timp de 6 luni. În ce privește romii
indigeni, toate măsurile de dezrobire a lor din Țările Române[274] au fost
urmate la scurt timp de obligația de a se sedentariza, de a avea locuințe

---

[270] *Ibidem.*
[271] Gabriel Sala, *op. cit.*, p. 191.
[272] Angus Fraser, *op. cit.*, p. 261.
[273] Petre Petcuț, *op. cit.*, p. 184.
[274] În 14 februarie 1844, în Moldova, s-a votat eliberarea romilor, care au primit aceleași
drepturi cu ceilalți locuitori ai țării; în 23 februarie 1847, în Țara Românească,
Adunarea Obștească a acceptat propunerea domnitorului Gheorghe Bibescu,
eliberând toți romii aparținând mitropoliei, episcopiei, mânăstirilor și metocurilor,
bisericilor și oricărui alt așezământ public, fără niciun fel de despăgubire; după o
scurtă perioadă de revenire asupra măsurii, ca urmare a înfrângerii Revoluției de la
1848, când toate biletele de eliberare au fost revocate, în 22 decembrie 1855, în Moldova,
domnitorul Grigore Alexandru Ghica a emis „Legiuirea pentru desființarea sclaviei,
regularea despăgubirei și trecerea emancipaților la dare"; în 20 februarie 1856, în Țara
Românească, a fost votată „Legiuirea pentru emanciparea tuturor țiganilor".

și gospodării proprii. În Moldova, se puteau muta de pe o moșie pe alta, însă în Țara Românească erau obligați să nu-și părăsească locuințele minim 10 ani. În ciuda acestor reglementări, unii dintre ei au revenit la nomadism sau au migrat spre orașe[275], unde au intrat destul de des în atenția organelor polițienești, ca exponenți ai unui stil de viață din ce mai greu tolerat de către autorități. Astfel, în contextul Codului penal în vigoare de la 1864, nomadismul specific i-a expus acuzației de vagabondaj pe o parte dintre cei eliberați – vagabonzii fiind definiți ca „oameni fără căpătâi, care n-au nici domiciliu statornic, nici mijloc de hrană, nici exersează obișnuit vreo profesiune sau meșteșug" - și măsurilor represive din partea statului. Ministerul de Interne atrăgea atenția prefecților, în 1870, printr-o circulară, că a primit numeroase plângeri privind grupuri de lăieți, ursari și căldărari ce „umblă din loc în loc" și „pricinuiesc pagubă pe unde trec cu devastarea livezilor și a holdelor de către vitele lor și ațin calea trecătorilor"[276]. Pe de altă parte, Legea Poliției Rurale, promulgată în 1868, „dădea posibilitatea comunelor să accepte sau nu stabilirea romilor pe teritoriul lor"[277]. Chiar dacă li se permitea să se așeze în comune, locul era marginal. În zorii secolului XX, o parte dintre romi migraseră la periferia orașelor, în mahalale, unde modul lor de viață mizer ridica numeroase probleme - sociale, dar și de ordine publică.

Agenda publică interbelică. Nomadismul și împroprietărirea

Cu toate acestea, avansa procesul de asimilare a romilor în rândul majoritarilor. Perioada de la începutul secolului al XX-lea este una caracterizată de două curente: pe de o parte, asimilarea și sedentarizarea romilor, ca proces natural, în rândul populației majoritare; pe de alta, „emanciparea" lor[278].

Asimilarea, cât și dorința lor de a fi recunoscuți drept cetățeni cu drepturi depline ai țării transpar atât din participarea la războaiele României, cât și din manifestările din viața publică. *Memoriul Adunării*

---

[275] Gabriel Sala, *op. cit.*, p. 191.
[276] Petre Petcuț, *op .cit.*, p. 184.
[277] *Ibidem*, pp. 166-173.
[278] Viorel Achim, *op. cit*, pp. 120-132.

Naționale a Țiganilor din Transilvania[279] din 1919 constituie o remarcabilă declarație de fidelitate și de adeziune a romilor transilvăneni la „noua patrie", ei afirmându-și dragostea atât față de aceasta, cât și față de „neamul românesc" și cerând să fie considerați „ca cei mai supuși și credincioși fii și cetățeni ai României Mari".

Memoriul nu era lipsit de scopuri politice, dat fiind că romii cereau reprezentare în „Marele Sfat Românesc", propunând și 3 reprezentanți, „egalitate în drepturi și îndatoriri cu ceilalți români din România Mare", instruirea, administrarea și judecare „în limba și după legile românești", egalitatea în drepturi, împroprietărirea și renunțarea la termenul „de batjocură" de „țigan"[280]. Dincolo de rivalitatea dintre lideri, cele două mari organizații ale romilor înființate în 1933 - „Asociația Generală a Țiganilor din România", din inițiativa arhimandritului Calinic I Popp Șerboianu și respectiv „Uniunea Generală a Romilor", condusă de G.A. Lăzurică, declarată drept apolitică, cu scop cultural, social și spiritual, urmăresc complementar liniile principale din *Memoriu*. Astfel, dacă prima propunea un program social, cu un accent pus pe „ridicarea" romilor, prin „colonizare" sau împroprietărire[281], dar și înființarea de gazete, biblioteci, atenee, muzee, spitale, cantine, cămine, grădinițe, chiar și a unei „universități țigănești" etc., a doua mergea într-o direcție integratoare. Declarată apolitică, Uniunea lui Lăzurică avea o agendă „națională", evidentă și în simboluri - insignă și drapel în culorile naționale cu pajura țării, purtând în fiecare colț câte un semn distinct - o vioară, o nicovală, un compas și o mistrie cu ciocan, simboluri ale artei și meseriilor romilor din România. Aceasta a dat și 10 „porunci" pentru romi, care vădesc atât scopuri „civilizatoare" – „să nu furi, să nu blestemi, să nu juri fals, să nu trăiești necununat" – cât și integratoare, care priveau direct relația lor cu statul și biserica – „să aperi biserica

---

[279] Disponibil la adresa http://www.romanicriss.org/index.php?option=com_content&view=article&id=51:rom-vs-tigan&catid=308:advocacy. accesat în 10.05.2021.
[280] *Ibidem.*
[281] Cităm din program: „stăruința de a coloniza toți țiganii nomazi, dându-li-se pământul necesar în diferitele părți ale țării, Asociația luându-și întreaga răspundere pentru statornicirea și buna lor îndreptare, stârpind furtul și cerșetoria", apud Viorel Achim, *op.cit.*, p. 129.

ortodoxă, să fii devotat țării și regelui, să nu asculți șoaptele dușmanilor țării și bisericii". Ea a obținut de la autorități împroprietărirea unora dintre romii nomazi și chiar autorizații pentru ca aceștia să circule liber, ca să-și poată practica meseria[282]. O altă asociație, denumită „Redeșteptarea Romilor și Romițelor din România", înființată în 1936 la București, relua obiectivele principale - acordarea de terenuri pentru romii nomazi și egalitatea de tratament – adăugând și alte cereri, între care trimiterea copiilor în stațiuni balneoclimaterice, pentru a reduce tuberculoza și alte boli și ca meșteșugarii romi să fie preferați celor străini[283].

Această agendă a leadership-ului rom din perioada interbelică arată de fapt principalele probleme sociale (dincolo de sărăcie) și ținte ale etniei. Nomadismul și împroprietărirea, cel mai adesea în legătură cu soluția colonizării, sunt două teme care apar frecvent nu doar pe agenda liderilor romi din perioada interbelică, ci chiar pe agenda publică românească. Dacă romii „de sat" primiseră mici loturi de teren în urma reformei agrare, ca recunoaștere a participării lor la războaie etc., în 1918-1920, ceea ce i-a integrat și mai mult în viața localităților, aducându-i aproape ca stare de români[284], problema nomazilor era în continuare nerezolvată. Împroprietărirea cu teren agricol a „lăieților" sau măcar punerea la dispoziția lor a unui loc în care să-și construiască o casă, cerută cu insistență de liderii romi, era văzută ca o formă de rezolvare a problemei nomadismului - care preocupa în continuare autoritățile - prin stabilizarea lor. (Asociația lui Șerboianu promitea în schimb și eradicarea fenomenelor de cerșetorie și furt, pe care le punea astfel în relație directă cu nomadismul[285].) Chiar dacă au existat comune care au procedat astfel, măsurile au fost punctuale, nu cu caracter general și au existat cazuri de romi care în scurt timp au vândut pământurile. O altă idee, de colonizare a nomazilor în localități cu teren disponibil, a fost propusă de mai multe ori, însă autoritățile nu au luat

---

[282] Viorel Achim, *op.cit.*, p. 130.
[283] Mariana Sandu, *Romii din România: repere prin istorie*, București, Editura Vanemonde, 2005, pp. 26-30.
[284] Viorel Achim, *op.cit.*, p. 124.
[285] *Ibidem*, p. 129.

nicio măsură în acest sens[286]. În toată perioada interbelică, autoritățile au fost preocupate de stabilizarea romilor, între altele, și pentru a preveni răspândirea unor boli contagioase, între care tifosul exantematic sau scarlatina[287].

O altă problemă era legată de o serie de ocupații și meserii tradiționale, amenințată de concurență sau pur și simplu de progres[288]. Totuși, mai ales la sate, s-au conservat meserii indispensabile agriculturii, pe care romii le îndeplineau în mod tradițional, fiind meșteșugari, potcovari ori simplă mână de lucru ieftină. În unele cazuri, romii s-au reorientat spre muncă sezonieră și comerț cu alte obiecte necesare economiei rurale; în altele, s-a produs disoluția comunității tradiționale, cum este cazul rudarilor, fapt evidențiat de o serie de cercetări etnografice din anii '30[289]. În alte cazuri, precum lăutăria, romii și-au apărat monopolul, cerând, în 1919, interzicerea concurenței din partea unor ansambluri ne-rome în Cluj; în 4 aprilie 1930 se înregistrează protestul unui grup de romi lăutari contra prelungirii prezenței în țară a unor muzicanți străini, în București[290]. În 1927, a luat ființă societatea lăutarilor „Junimea muzicală", romă.

Prezența romilor în viața culturală românească s-a făcut simțită în perioada amintită mai ales în ce privește muzica, domeniu din care

---

[286] *Ibidem*, p. 127.

[287] Vezi în acest sens documentele publicate în Lucian Nastasă, Andrea Varga, *Minorități etniculturale. Mărturii documentare. Țiganii din România (1919-1940)*, Centrul de Resurse pentru Diversitate Etnoculturală, Cluj, 2001 - iunie 1922, București: Luarea de măsuri pentru a împiedica deplasarea țiganilor nomazi prin țară și răspândirea tifosului exantematic; februarie 1923, Cluj: Plângere a locuitorilor din zona „Fellegvár" contra țiganilor stabiliți aici, sursă de mizerie și boli contagioase; martie 1924. Cluj: Serviciul epidemiilor din județ atenționează Prefectura asupra pericolului deplasării nomazilor dintr-o localitate în alta, în ceea ce privește răspândirea tifosului exantematic; februarie 1940, Budești: Ținerea în carantină a romilor nomazi pentru combaterea tifosului și scarlatinei; noiembrie 1940, București: Ordin circular referitor la măsurile ce trebuie luate pentru preîntâmpinarea tifosului exantematic, la răspândirea căruia contribuie și romii.

[288] „Acum dispar, datorită concurenței din partea industriei, spoitorii. Bidinăresele sau chivuțele devin tot mai rare în peisajul Bucureștiului. Zidarii țigani sunt concurați de meșteri străini. Geambașii devin tot mai rari. Ursarilor li se interzice să-și mai practice îndeletnicirea, ca urmare a Societății pentru Protecția Animalelor" - Viorel Achim, *op.cit.*, p. 123.

[289] *Ibidem*.

[290] *Ibidem*, p. 75, 76 și 91.

provin de-a lungul timpului o mare parte dintre elitele etniei. Unul dintre exponenții săi a simțit nevoia să ajute efortul de război al României prin măiestria sa. Astfel, în Primul Război Mondial, celebrul Zavaidoc s-a înrolat voluntar, alături de fratele său și le-a cântat pe front răniților din spitale alături de George Enescu și cântăreața de operă Elena Zamora[291]. În 1900, o orchestră de romi condusă de Cristache Ciolac[292] a cântat la Pavilionul României de la Expoziția Universală de la Paris, devenind celebră după ce, în urma întreruperii accidentale a curentului electric, a fost singura care a continuat să cânte, pe întuneric, fără partitură, „după ureche"[293]. Publicațiile rome apărute în perioada interbelică, ca și liderii având profesii intelectuale care pun bazele unor organizații ale romilor − între ei, un ziarist, un avocat, un poet, un profesor[294] − sugerează o mișcare de emancipare efectivă.

În acest tablou, romii apar ca integrați în societatea românească interbelică, dar în continuare ca pătura socială cea mai săracă.

Romul în imaginarul interbelic: marginal, vagabond pauper și infractor

O lucrare de doctorat dedicată *Imaginii romilor în literatură*, susținută de Pavel Cristian Suciu la Universitatea Babeș-Bolyai din Cluj-Napoca, sub coordonarea prof.univ.dr. Ion Cuceu, oferă câteva concluzii interesante pentru tema noastră. Potrivit acestuia, chiar dacă în literatura română imaginea romilor este predominant negativă, ea este totuși „mai degrabă paternalistă decât agresivă"[295], constatându-se o familiaritate și incluziune parțială, față de evrei, „văzuți ca alteritate

---

[291] Mariana Sandu, *Romii din România: repere prin istorie*, București, Editura Vanemonde, 2005, p. 21.

[292] Muzician celebru în epocă, recompensat cu Legiunea de Onoare, care a concertat timp de decenii în restaurantul lui Iordache din București, loc de întâlnire a muzicienilor, de unde a apărut zicala „bun ca vinul lui Iordache și arcușul lui Cristache" − în Nicolae Crișan, *Țiganii. Mit și realitate*, Editura Albatros, București, 1999, pp. 110-111.

[293] Gabriel Sala, *op.cit.*, p. 219.

[294] Viorel Achim, *op.cit.*, p. 130.

[295] Pavel Cristian Suciu, *Imaginea romilor în literatură*, teză de doctorat coordonată de prof. univ. dr. Ion Cuceu, Universitatea Babeș-Bolyai din Cluj-Napoca, Cluj-Napoca, 2010, p. 286.

absolută"[296]. Dacă în Occident, imaginarul colectiv vede romul ca exotic, în România el este „marginal, vagabond pauper și infractor sau străin itinerant"[297], existând o „percepție confuză asupra romilor, ceva între categorie socială și grup etnic"[298], atitudinea față de ei fiind determinată nu atât de diferențele etnoculturale, ci de poziția socială și de „etnicizarea sărăciei"[299]. Potrivit aceluiași autor, dacă foarte mult timp a existat o „nepăsare politică" față de ei, în perioada pașoptistă, care a marcat debutul mișcării aboliționiste, imaginea predominantă a romilor a fost cea de victimă[300], pentru ca apogeul atitudinilor antirome să fie atins în anii războiului, când mareșalul Ion Antonescu a decis și pus în practică deportarea lor în Transnistria. Chiar dacă, până atunci, erau relativ mai bine acceptați/tolerați decât reprezentanții minorității evreiești și, ca atare, relativ feriți de măsurile cu caracter rasial, romii din România erau totuși văzuți ca grup social care crea probleme – mai ales de ordine publică: „La fel cum evreul din ficțiunile autorilor români n-a infirmat decât de puține ori «bestiarul» antisemit, nici țiganul din literatură nu a contrazis decât rareori un antițiganism, ce-i drept latent și unul mai «pașnic» decât antisemitismul"[301].

Un text cunoscut - cartea *Țara mea* (1916) scrisă de Regina Maria în limba engleză la îndemnul lui Nicolae Iorga, care a asigurat și traducerea, dincolo de motivația propagandistică, este reprezentativ pentru raportarea la romi în acea perioadă[302]. Pe de o parte, la câțiva zeci de ani după venirea sa în România, regina a simțit nevoia să scrie despre diversele „neamuri" ale țării – între care și romii - imediat după sat, țărani, bisericuțe, mănăstiri, cruci și cimitire, ceea ce indică faptul că percepea acești minoritari ca făcând parte din identitatea poporului român. Pe de alta, deși tonul este blând, abordarea „exotică" în descrierea șatrelor vizitate nu diferă cu mult de cea din descrierea lui Aventinus din *Cronica bavareză*: ideile sunt, în esență, aceleași. Astfel, sunt prezente toate

[296] *Ibidem*, p. 7.
[297] *Ibidem*.
[298] *Ibidem*, p. 286.
[299] *Ibidem*, p. 210.
[300] *Ibidem*, p. 256.
[301] *Ibidem*, p. 286.
[302] Regina Maria a României, *Țara Mea*, București, 1916, pp. 22-26.

stereotipurile referitoare la „taina" care înconjoară acest „neam ciudat", nomad și vagabond, format din „neodihniți călători", care sunt „străini oriunde merg" și priviți cu suspiciune peste tot, ca „pungași", fiind „din instinct hoți". „Ochiul de artist" al reginei înregistrează în mijlocul unei atmosfere de hărmălaie și de „murdărie pitorească" o mare de „fețe negre și dinți scânteietori" și albi, în care distinge copiii - „mici sălbatici", între care unii neobișnuit de frumoși, „mici statui de bronz cu capete crețe", fetele tinere, gingașe și grațioase, asemănate cu egiptencele zugrăvite pe frescele templelor și bărbații având „căutături urâte, de sigur, dar neînchipuit de frumoși totuși"; în fine, bătrânele ghicitoare, comparate cu vrăjitoarele din povești, „bahadârce culcate în corturile lor, plecate asupra oalelor în fierbere, mestecând mâncări misterioase cu bucăți de bețe rupte". Nu lipsesc din descriere referirile la meșteșuguri, la cerșetorie, la aplecarea romilor spre muzică, expresie a unei patimi sau a unei nostalgii „care-i mână din loc în loc" „ori poate după țara pe care nu au cunoscut-o niciodată". În text, referirile cele mai frecvente sunt la vagabondaj („nomazi", „neam rătăcitor", „vagabonzi" „neodihniți călători"), furt și cerșetorie („hoți", „pungași", „hoarde flecare și certărețe de cerșitori") și bineînțeles pitoresc[303].

III.3 Teorii rasiale în Europa interbelică

Rasa

　　Rasa, ca element decisiv în cadrul evoluției istorice[304] a constituit o idee îmbrățișată larg de cercurile intelectuale și ulterior politice europene, oferind un suport teoretic aparent științific pentru măsuri de excludere și intoleranță. Teoriile rasiale au ajuns la modă în perioada interbelică, efect al popularizării, în a doua jumătate a secolului XIX și începutul de secol XX, a unor idei precum cea a inegalității raselor sau eugeniste. Tonul a fost dat de cartea lui Joseph Arthur conte de Gobineau, *Essai sur l'inégalité des races humaines* (*Eseu asupra inegalității raselor umane*, 1853-1855), care, proclamând superioritatea rasei ariene, a constituit o sursă de inspirație pentru politicile rasiale de mai târziu. Francis Galton este cel care a introdus termenul de „eugenie", preluând

---

[303] *Ibidem.*
[304] Angus Fraser, *op. cit.*, p. 261.

teorii ale lui Charles Darwin (de unde conceptul de mai târziu, de darwinism social), pe care le-a dezvoltat, ajungând la concluzii precum ereditatea capacităților intelectuale și fizice. Eugenie înseamnă în greaca veche „nobil prin naștere", iar Galton propunea, în *Hereditary Genius* (*Geniul ereditar*, 1869), pe baza teoriilor darwiniste și a unor formule matematice, modele statistice de evaluare a capacităților intelectuale, îmbunătățirea fondului social prin eugenie pozitivă, adică cultivarea unor capacități deosebite, intelectuale în primul rând, respectiv prin eugenie negativă, adică oprirea de la răspândire a diverse defecte – de natură fizică sau intelectuală – prin controlul reproducerii[305]. Astfel, „trăsăturile negative ale oamenilor erau ereditare și se puteau identifica prin studii biografice, iar eugenismul ar fi avut ca scop îndepărtarea acestora"[306]. Cartea lui Gobineau a avut o circulație restrânsă, însă teoriile lui Darwin și dezvoltarea lor în sens rasial de Galton s-au bucurat de o mare popularitate. Sir Houston Stewart Chamberlain a glorificat, în *Die Grundlagen des neunzehnten Jahrhunderts* (*Bazele secolului al XIX-lea, 1899*) rolul istoric al teutonilor[307], idee foarte atrăgătoare pentru germani. Gobineau statuase că rasele sunt inegale ca vigoare și intelect, că dintre cele trei „rase» – albă, galbenă și neagră - cea albă este superioară, iar în interiorul său, tipul arian[308], susținând că metisarea constituie un adevărat dezastru[309]. Darwinismul social a dus ideea mai departe, statuând că, în această lume, urmează să se impună rasele cele mai puternice, în dauna celor slabe sau slăbite prin metisare. Dacă acest determinism era real, atunci degenerarea civilizației, provocată de degenerarea raselor – prin metisare, adică mixarea raselor superioare, „ariene", cu cele slabe - trebuia să fie stopată. La fel și declinul[310] spre

---

[305] Marius Turda, *Eugenism și antropologie rasială în România 1874-1944*, București: Cuvântul; Editura Muzeului Literaturii Române, 2008, pp. 32-33.
[306] Diana Medan, *Psihologia negativă. Antisemitismul*, Editura Hasefer, București, 2015, p. 70.
[307] Angus Fraser, *op. cit.*, p. 262.
[308] Arthur Gobineau, *The Inequality of Human Races*, William Heinemann, London, 1915, pp. 205-208.
[309] Angus Fraser, *op. cit.*, p. 261.
[310] Marius Turda, „Fantasies of degeneration: Some Remarks on Racial Anti-Semitism in Interwar Romania", în *Studia Hebraica*, nr. 3, 2003, p. 339.

care națiunile și omenirea se îndreptau, inclusiv cel economic, pentru că o serie de resurse erau, din această perspectivă, alocate inutil celor slabi.

În acest tablou, germanii și popoarele nord-europene erau văzute ca fiind din rasa superioară, ariană, căreia orice contact cu rasele inferioare îi slăbea vigoarea; evreii erau identificați ca principalul „dușman", ei fiind considerați cei care biologic amenință dominația rasei ariene, în primul rând. Rasele „inferioare" erau reprezentate îndeosebi de evrei, dar nu numai: și romii – care, în baza acestei filosofii, deși arieni, fuseseră pervertiți[311] – și cei cu diverse handicapuri, fizice sau sociale - vagabonzi, cerșetori, prostituate etc., calificați drept subumani („Untermenschen") și degenerați. În această concepție, comportamentul raselor era determinat de caracteristicile biologice, noțiunea centrală vehiculată în anii respectivi fiind cea de „sânge".

Pe aceeași linie, a determinismului biologic, Cesare Lombroso – medic italian de origine evreiască - a făcut un pas mai departe, în *Omul delincvent* (Torino, 1878) susținând teoria oamenilor predispuși la comportamente criminale - între ei, evreii și romii, a căror predispoziție la delincvență s-ar fi vădit prin semne fizice. Referindu-se la „rasa țigănească", el a statuat că romii „sunt imaginea vie a unei întregi *rase de criminali* și își reproduc toate viciile și patimile"[312] (s.n.), între care „lenea, furia impetuoasă, ferocitatea și vanitatea", și că ucid cu ușurință pentru bani, iar femeile lor se pricep să fure și își învață și copiii[313]. Pe baze empirice, acesta a statuat că există caracteristici fizice și anomalii, atavisme, care vădesc semnele unei predispoziții la comiterea de

---

[311] Vezi capitolul „The Non-Aryans Aryans" din Donald Kenrick, Grattan Puxon, *The Destiny of Europa's Gypsies*, New York, Basic Books, Inc. Publishers, 1972, pp. 59-75.

[312] Cesare Lombroso, *L'Uomo deliquente. In rapport all'antropologia, alla giurisprudenza e alle altre discipline, carcerarie*, Torino, 1878, reprodus de e-book Project Gutenberg, https://www.gutenberg.org/files/59298/59298-h/59298-h.htm, accesat la 10.05.2021. În capitolul III al cărții, Lombroso se referă la influența rasei și centrii criminali, tratând subiecte precum indicele cefalic, culoarea părului, rasele semitice etc. și susținând că există „influențe clare ale rasei asupra criminalității" în cazul evreilor și romilor. Astfel, în evrei „ca și în țigani, predomină forma ereditară a crimei", spune Lombroso, care face însă o distincție: în timp ce primii ar fi specializați în escrocherii, „generații întregi de traficanți și hoți", foarte rar ajunși în fața justiției pentru omor, despre cei din urmă afirmă că „au imprevizibilitatea sălbaticului și a delincvenților".

[313] În Loredana Narciso, *La maschera e il prejudicio Storia degli Zingari*, Editore Melusina, 1990, p. 145.

infracțiuni și la nesupunerea la regulile sociale, iar cei care dețin 4 sau mai multe dintre aceste semne trebuie exterminați. Teoria sa a fost primită cu răceală în lumea academică, însă a fost folosită de naziști[314] și în țările intrate sub influența lor, care au dezvoltat cercetări similare[315], cel mai adesea prin măsurători ale parametrilor fizici.

Teoriile eugeniste, populare în epocă, au fost denunțate în decembrie 1930 de Papa Pius al XI-lea, care, în enciclica *Casti Connubii*, susținând sacralitatea vieții, le-a calificat drept crime. El a subliniat că „viața tuturor e la fel de sacră și nimeni, nici măcar autoritatea publică, nu are puterea să o distrugă", situându-se de partea eugeniei pozitive − „<indicația> socială și eugenică", dacă se apelează la mijloace legitime și oneste, și respingând mijloacele eugeniei negative: „Pot, da, și trebuie luate în considerare; dar când se bazează pe asigurarea necesității, uciderea inocenților este de neconceput și contrar preceptului divin promulgat în cuvintele apostolului: nu este admis să se facă rău ca să se obțină binele"[316]. După ororile Holocaustului, încercarea de justificare a discriminării între rase prin argumente biologice a fost calificată drept pseudoștiințifică prin mai multe declarații adoptate de UNESCO în 1950, 1951, 1964 și 1967[317].

Romi și corcituri

Nesupunerea romilor la regulile sociale a dus la calificarea lor ca asociali și până la urmă la ideea de exterminare și a lor, deși numărul mic – circa 26.000 în Germania acelui timp – nu a constituit o preocupare, în primă fază, pentru conducerea nazistă. În *Mein Kampf* romii nu erau măcar menționați, iar Hitler s-a referit în

---

[314] Marius Turda, *art. cit.*, p. 340.

[315] În România, au existat cercetări în domeniu, în epocă, în centrele universitare de la Cluj, Iași și București. În 1941, la conducerea Secției de Demografie, Antropologie și Eugenie, înființată de directorul Institutului Central de Statistică, Sabin Mănuilă, în 1935, în cadrul ICS, a fost numit Iordache Făcăoaru, un cunoscut promotor al ideilor rasiale în România.

[316] http://w2.vatican.va/content/pius-xi/it/encyclicals/documents/hf_p-xi_enc_19301231_casti-connubii.html, accesat la 10.05.2021.

[317] UNESCO, *Rasismul în fața științei*, Editura Politică, București, 1982, p. 166.

discursuri doar de două ori la ei, de fiecare dată în context militar[318], fără nicio referire la rasă, cum o făcea frecvent în cazul evreilor, în care vedea răul absolut și care erau, ca atare, subiect politic[319]. Guenter Lewy susține că persecuțiile cărora le-au căzut victime romii în Germania nazistă sunt rodul presiunii exercitate de unii oficiali pentru a scăpa de „asociali", iar descrierea pe care o face prezentării stadiilor în „rezolvarea" „problemei țigănești" - prin măsuri de deportare, încarcerare și sterilizare - urmează un model funcționalist[320]. Motivarea și cronologia măsurilor implementate față de romi sunt într-adevăr diferite față de cele din cazul evreilor; însă și ei au fost declarați până la urmă, alături de evrei, „Fremdrasse" („rase străine"), elemente care afectau „puritatea" „rasei ariene"[321]. Modelul teoretic german în cazul romilor a fost oferit de dr. Robert Ritter – conducătorul Centrului de Cercetare pentru Igienă Rasială și Biologia Populației, o agenție înființată în 1936, aflată în subordinea Ministerului Sănătății german - care a statuat că există circa 10% romi „puri", restul fiind „Mischlinge" („corcituri"), incapabili de adaptare socială, periculoși, asociali, soluția sa fiind trimiterea lor în lagăre de muncă[322]: „Am reușit să stabilim că peste 90% dintre așa-zișii țigani autohtoni sunt *corcituri*... Alte rezultate ale cercetărilor noastre ne permit să considerăm că țiganii sunt un popor cu origini etnologice complet primitive, a căror *înapoiere mintală* îi face *incapabili de o adevărată adaptare socială... Chestiunea țigănească* nu se va putea rezolva decât atunci când cea mai mare parte dintre acești *indivizi asociali, buni de nimic și cu sânge amestecat* vor fi strânși în mari lagăre de muncă și puși să muncească acolo, și atunci când *înmulțirea acestei populații corcite va fi stopată* odată pentru totdeauna"[323] (s.n.). Trimiterea în lagăre de muncă a fost de fapt și „soluția" preferată de

---

[318] Guenter Lewy, „Gypsies and Jews under the Nazis", în *Holocaust and Genocide Studies*, V13 N3, Winter 1999, p. 384.

[319] Gilad Margalit, „The uniqueness of the Nazi Persecution of the Gypsies", în *Romani Studies* 5, Vol. 10, No. 2 (2000), p. 193.

[320] *Ibidem.*

[321] Donald Kenrick, Grattan Puxon, *op. cit.*, p. 59.

[322] În Angus Fraser, *op. cit.*, p. 274.

[323] *Ibidem.*

germani, preluată și de alte țări – în România, deportarea romilor în Transnistria a fost însoțită și de ideea de trimitere a lor la muncă forțată. Dacă evreii erau văzuți ca „paraziți" în statul german, teoria în cazul romilor era că aceștia, la origine arieni, au ajuns o rasă slăbită, prin metisare, iar cei „Mischlinge" („romi parțiali, corcituri") erau responsabili pentru majoritatea infracțiunilor[324]. Teoria pe care Ritter a furnizat-o regimului nazist a fost una care a combinat elementele rasiale cu conceptul de „asocialitate" în cazul romilor[325]. Ritter avea să lucreze îndeaproape cu poliția pentru identificarea romilor care, potrivit cercetărilor sale, ar fi fost „Mischlinge", „primitivii" incapabili de adaptare socială care duceau „rasa" germană spre asocialitate - cei care erau, ca atare, expuși persecuțiilor de genul sterilizării, deportării, muncii forțate din lagăre ori interdicției de deplasare fără permis. Măsuri similare s-au luat și împotriva „țiganilor albi" („Janiche"), nomazi, deși se presupunea că aceștia sunt de fapt de origine germană[326]. Înregistrarea tuturor romilor – împărțiți în „puri" și „corcituri" după „evaluarea rasial-biologică" care mergea până la două generații în urmă - dispusă de Himmler printr-un decret din august 1941, a fost raportată ca încheiată de Ritter în martie 1943 de pe teritoriul Reichului și Austriei, iar în teritoriile anexate, zece luni mai târziu, cifra lor ridicându-se la aproape 24.000 de oameni[327].

„Soluția" nazistă

Politica nazistă în ce privește romii a evoluat gradual, de la intensificarea măsurilor de control de către autoritățile locale și naționale, în primii ani de la preluarea puterii, la programul de „prevenire a infracțiunilor" din 1937 care i-a dus în lagăre de concentrare, faza a treia fiind reprezentată de decretul lui Heinrich

---

[324] Guenter Lewy, „Himmler and the «Racially Pure Gypsies»", în *Journal of Contemporary History*, Sage Publications, London, Thousand Oaks, CA and New Delhi, vol. 34, 1999, p. 201.
[325] Gilad Margalit, „The uniqueness of the Nazi Persecution of the Gypsies", în *Romani Studies*, 5, Vol. 10, No. 2 (2000), p. 197.
[326] Guenter Lewy, „Gypsies and Jews under the Nazis", în *Holocaust and Genocide Studies*, V13 N3, Winter 1999, p. 385.
[327] Angus Fraser, *op. cit.*, pp. 274-275.

Himmler din 1938, de „combatere a plăgii țigănești", care a folosit în mod explicit criteriile rasiale în cazul lor, pentru prima dată[328]. Până atunci, romii cădeau sub incidența unor legi cu caracter general. În mod evident, era doar o chestiune de timp ca, pe baza teoriei arianismului și a raselor inferioare (inclusiv rome), cea din urmă „confirmată" de cercetările lui Robert Ritter, și romii să ajungă în vizor, pentru scopul nobil declarat de „apărare" a națiunii germane. Astfel, legea privind prevenirea urmașilor cu defecte ereditare, care presupunea sterilizarea forțată, emisă la scurt timp de la preluarea puterii de către Hitler, în 1933, a avut inclusiv victime de etnie romă,"Mischlinge" („corcituri") sau romi din mariaje mixte, „defectul" lor fiind „asocialitatea"[329]. Tot presupusa lor „asocialitate" a constituit motivul încadrării lor în programul de eutanasie german[330].

În noiembrie 1933, legea împotriva obiceiurilor criminale a dus la arestarea de către poliție a unor indivizi considerați asociali – romi, cerșetori, prostituate, alcoolici, vagabonzi – și trimiterea lor în lagăre de concentrare. Legile de la Nürnberg (1935) nu erau explicite împotriva romilor, însă și ei și-au pierdut drepturile civile, numărându-se printre „rasele inferioare" cărora le era interzis mariajul cu „arienii". Într-un decret din același an al Ministerului de Interne, din 26 noiembrie, ei erau totuși menționați – alături de evrei, erau și „țigani, negri și bastarzii lor" cei care „poluau" sângele german[331]. În 1936, în preajma Jocurilor Olimpice de la München, poliția s-a declarat preocupată de imaginea creată de caravanele de romi, astfel că, în iunie, Ministerul de Interne german a emis directive „pentru combaterea problemei țigănești", autorizând raiduri polițienești împotriva lor, în timp ce în oraș s-a înființat un Oficiu Central cu același scop. Au fost arestate în jur de 600 de persoane, fiind creat un lagăr de concentrare special pentru ele, păzit

---

[328] *Ibidem*, p. 384.
[329] Gilad Margalit, *op. cit.*, p. 197.
[330] *Ibidem*, pp. 199-200. Vezi și Cristian Ionescu, *Post-scriptum la Nürnberg*, București, Editura Politică, 1989, lucrare dedicată experimentelor medicale naziste și proceselor medicilor implicați.
[331] Guenter Lewy, „Himmler and the «Racially Pure Gypsies»", în *Journal of Contemporary History*, London, Sage Publications, 1999, vol. 34 (2), p. 201.

de polițiști cu câini și unde în scurt timp, epidemiile au izbucnit, din cauza supraaglomerării și a condițiilor de igienă precare. Tot în 1936, medicul Hans Globke, lucrător la Biroul pentru problema evreiască din subordinea Ministerului de Interne german, făcea afirmația că „în Europa, doar evreii și țiganii sunt sânge străin"[332]. Lagăre similare au fost autorizate mai apoi în mai multe orașe germane de către Ministerul de Interne al Celui de Al Treilea Reich, cu atât mai mult cu cât în 1937 a fost emis un nou decret, „pentru combaterea preventivă a criminalității", care viza elementele „asociale sau care se tem de muncă"[333]. La scurt timp, a început procesul de deportare a lor pe cuprinsul Reichului, spre lagăre de muncă, dar și spre lagăre unde s-au făcut experimente, au fost sterilizați și au murit mii de oameni. Ca efect al decretului din 1938 privind „Combaterea flagelului țigănesc", semnat de Heinrich Himmler, sub influența lui Ritter[334], toți romii de peste 6 ani de pe tot teritoriul Reichului au fost înregistrați și clasificați în romi „puri" (care trebuiau păstrați, dar și sterilizați) și romi parțiali, „corcituri" („Mischlinge"), nomazi, care se comportă „țigănesc", „asociali", fiind dispuse măsuri împotriva lor, în ideea de „apărare" a națiunii germane. Ideologii rasei insistau că cei 90% dintre romi care erau „Mischlinge" sunt elemente degenerate, predispuse la comiterea de delicte. Se stabilea astfel o legătură între criminalitate și această „rasă" - asocială, „bună de nimic", care trebuia dusă în lagăre de muncă, iar înmulțirea sa stopată. Sute de romi au ajuns în aprilie-iunie 1938 în lagărul de la Buchenwald, iar în aprilie 1939 Gestapo-ul a trimis acolo circa 2.000 de bărbați romi, ca asociali[335]. Nu se cunoaște exact numărul romilor deținuți, însă în august 1938 în lagărul de la Buchenwald peste jumătate dintre cele 8.000 de persoane de acolo erau deținute pentru delictul că „se tem de muncă"[336]. În 1939, ca efect al unei amnistii, au fost eliberați în

[332] Donald Kenrick, Grattan Puxon, *The Destiny of Europa's Gypsies*, New York, Basic Books, Inc. Publishers, 1972, p. 59.
[333] Karola Fings, *De la „știința" rasială la lagărele de exterminare: rromii în perioada regimului nazist*, București, Editura Alternative, 1998, p. 15.
[334] Gilad Margalit, *art. cit.*, p. 197.
[335] Karola Fings, *op. cit.*, p. 15.
[336] *Ibidem*, p. 16.

Germania circa 700 de deținuți, însă poliția nota că în cazul celor declarați asociali era nevoie de „un discernământ extrem de sever", iar romii și evreii nu trebuiau eliberați deloc[337]. Și copiii romi au căzut sub efectul legilor rasiale, ei fiind trimiși la școli speciale, considerându-se că sunt predispuși la delicte sau cu retard mintal (cei care nu știau germana). În 1941, au fost excluși din sistemul public școlar. O mulțime de delicte au fost puse pe seama degenerării rasei. Decretul privind „Combaterea flagelului țigănesc", prima politică îndreptată contra romilor pe bază rasială[338] din Germania nazistă, impunea ca romii „puri" (pe care Himmler a încercat să-i salveze, din motive „sentimentale") să fie înregistrați cu cartele maro, iar cei „impuri" – cu cartele maro, cu dungă albastră. În august 1941, Heinrich Himmler a emis un nou decret, referitor la evaluarea rasială a romilor, între puri (Z, de la Zigeuner, țigani) și impuri (nicht Zigeuner), cea din urmă categorie cuprinzând mai multe subcategorii în funcție de predominanța „sângelui țigănesc"[339]. O circulară a acestuia relevă preocuparea de a găsi o „soluție" și la „problema țigănească".

Anexarea Austriei, în 1938, și continuarea cuceririlor germane au presupus și extinderea preocupărilor privind „problema țigănească" și chiar o radicalizare, Reinhard Heydrich, șeful Oficiului Securității Reichului din Berlin, făcând referire la o conferință ulterioară, din 1939, la un plan de trimitere a 30.000 de romi germani și austrieci în Polonia ocupată, împreună cu evreii. În regiunea Burgerland, situată în Austria, la granița cu Ungaria, trăiau cei mai mulți romi din această țară, stabilizați din timpul Mariei Tereza[340]. Aceștia, dar și romii provenind din Boemia și Moravia, Polonia, Ungaria, Iugoslavia, Franța, Belgia, Olanda și Norvegia au fost trimiși, la scurt timp după anexarea acestor țări, în lagăre de concentrare, unde au fost supuși unui regim de exterminare -

---

[337] *Ibidem.*
[338] Guenter Lewy, *Himmler and the „Racially Pure Gypsies",* în Journal of Contemporary History, Sage Publications, London, Thousand Oaks, CA and New Delhi, vol. 34, 1999, p. 201.
[339] Angus Fraser, *op. cit.,* pp. 272-274.
[340] *Ibidem,* p. 276.

îndeosebi în cele înființate pe teritoriul polonez. În lagăre, romii purtau triunghiuri negre – cei declarați „asociali" și verzi – cei „criminali", uneori însoțite de litera Z de la Zigeuner. Primii circa 5.000 de romi din Austria au fost deportați din Lackenbach în ghetoul din Łodz de către Germania nazistă, ca asociali, în noiembrie 1941, înregistrându-se o mortalitate mare din cauza condițiilor mizere și a tifosului, ceea ce a trezit îngrijorarea germanilor că epidemia s-ar putea întinde în tot orașul[341]. În scurt timp, condițiile din lagăr au devenit catastrofice, din cauza supraaglomerării[342], astfel că până la urmă s-a decis ca lagărul să fie lichidat[343], iar supraviețuitorii romi și evrei transferați la Chelmno. În lagărul de la Chelmno au fost primii romi gazați, cu monoxid de carbon provenit de la țevile de eșapament ale camioanelor – 4.400 - la începutul anului următor[344].

Odată cu invadarea Uniunii Sovietice, din iunie 1941, au fost vizați și romii din țările baltice și Belarus (Ostland), cu atât mai mult cu cât trupele speciale Einsatzgruppe D au primit ordin de a asigura frontul prin împușcarea tuturor elementelor „indezirabile"[345]. Dacă la început „problema țigănească" însemna deportarea și internarea în lagăre de muncă, pe parcurs, s-a ajuns la dorința unei „soluționări definitive": înainte de atacul URSS, Hitler a ordonat lichidarea tuturor evreilor și romilor, precum și a funcționarilor publici comuniști de pe teritoriul URSS[346]. Trupelor Einsatzkommandos le-a fost ordonată execuția imediată a celor două grupuri etnice[347], declarate „Untermenschen" („suboameni"). Numărul romilor împușcați de trupele speciale SS Einsatzgruppen, în teritoriul invadat al URSS – inclusiv sub pretextul că victimele erau spioni – se ridică la câteva mii. Un fost comandant al Einsatzgruppe D, Otto Ohlendorf, a declarat în 1948, în fața unui

---

[341] Guenter Lewy, „Gypsies and Jews under the Nazis", în *Holocaust and Genocide Studies*, V13 N3, Winter 1999, p. 386.
[342] A. Galinski, „Il campo nazista per Zingari a Łodz", în *Lacio Drom*, n. 2-3, 1984, pp.21-29.
[343] Guenter Lewy, *art. cit.*, p. 389.
[344] Karola Fings, *op. cit.*, p. 15.
[345] Angus Fraser, *op. cit.*, p. 278.
[346] Luca Bravi, *Altre tracce sul sentiero per Auschwitz, Il genocidio dei Rom sotto il Terzo Reich*, CISU, 2002, p. 64.
[347] *Ibidem*, pp. 88-89.

tribunal din Statele Unite, unde a fost judecat pentru crime de război, că „nu era nicio diferență între evrei și țigani"[348].

În toamna anului 1942, Himmler, Goebbels și ministrul Justiției Reich-ului, Otto Georg Thierack, au discutat problema trimiterii deținuților pentru pedepse în lagărele SS, cel din urmă notând „trimiterea elementelor asociale care efectuează pedepse către Reichsführerul SS pentru lagărele de muncă forțată. Se trimit în totalitate evreii, țiganii, rușii și ucrainenii, polonezii care au pedepse peste 3 ani, cehii sau germanii cu peste 8 ani pedepse, conform deciziei"[349]. Potrivit lui Ian Hancock, într-o minută din 14 septembrie 1942 – document folosit în procesele de la Nürnberg (PS-682) - Thierack ar fi propus ca romii și evreii să fie „exterminați necondiționat"[350].

Heinrich Himmler a ordonat, în 16 decembrie 1942, trimiterea tuturor romilor de pe întreg cuprinsul Reich-ului în lagărul de concentrare de la Auschwitz, aceasta fiind, în opinia Mirellei Karpati, momentul „soluției finale" și în cazul lor[351]. În ordin erau prevăzuți „corciturile de țigan, țiganii-romi și apartenenții unei ginte țigănești balcanice, care nu erau de sânge german", singura excepție fiind cea a romilor declarați de rasă pură, care, chiar dacă erau adaptați social, trebuiau totuși sterilizați[352]. Deportarea în masă a început în martie 1943[353]. La Auschwitz-Birkenau au existat o secțiune și un lagăr destinat special romilor – Zigeunerlager, secțiunea B II E[354], în care au fost aduși circa 23.000 de romi „impuri" din teritoriile ocupate, cu tot cu familiile, în urma decretului lui Himmler din decembrie 1942. În mai 1943, aici a izbucnit o nouă epidemie de tifos, din cauza

---

[348] Mikhail Tyaglyy, „Were the »Chingene´« Victims of the Holocaust? Nazi Policy toward the Crimean Roma, 1941–1944", în *Holocaust and Genocide Studies*, Volume 23, Issue 1, Spring 2009, p. 31.

[349] Karola Fings, *op. cit.*, p. 12.

[350] David Crowe, John Kolsti (ed.), *The Gypsies of Eastern Europe*, M. E. Sharpe Inc, New York, 1991, p. 19.

[351] Mirella Karpati, *art. cit.*, p. 48.

[352] *Ibidem*, pp. 32-33.

[353] Guenter Lewy, „Gypsies and Jews under the Nazis", în *Holocaust and Genocide Studies*, V13 N3, Winter 1999, p. 390.

[354] Vezi mărturiile expuse în Romani Rose, *The National-Socialist Genocide of the Sinti and Roma, Catalogue of the permanent Exhibition in the State Museum of Auschwitz*, Heidelberg, 2003.

condițiilor sanitare improprii, astfel că lagărul a fost plasat pentru mai multe luni în carantină[355]. Condițiile de detenție erau inumane, oamenii fiind supraaglomerați în barăci fără ferestre, doar cu clape de aerisire, și cu podele de lut. În cele 17 luni cât a funcționat Zigeunerlager, cei mai mulți dintre romii aduși acolo au pierit din cauza înfometării, a muncii grele și bolilor – circa 30%-40% dintre romii bolnavi de tifos au decedat; alții au murit din cauza altor boli, precum scabie, boli de nutriție și o formă rară de cancer („cancerul de apă")[356], în urma experimentelor medicale conduse de dr. Mengele (mulți dintre ei erau copii), sterilizării forțate ori torturii. Lagărul pentru romi a fost lichidat în noaptea de 2/3 august 1944, când aproape 2.900 de romi au fost gazați. Cei selectați ca apți de muncă urmau să plece cu un tren marfar; celor 2.897 de persoane rămase în lagăr, formate din bătrâni, femei, copii și bolnavi, care urmau să fie exterminate, li s-a spus că rudele lor pleacă spre Hindenburg, ca să le construiască un lagăr nou, cu barăci mai bune și instalații sanitare. Acestea s-au răsculat, atunci când și-au dat seama că urmează să fie gazate, opunând, înainte de a se reuși băgarea lor în dușurile morții, „o rezistență disperată"[357], Rudolf Höβ, care a fost implicat în executare, notând că „nicio exterminare de romi nu fusese atât de dificilă"[358]. Cei circa 1.400 care au supraviețuit – selectați ca apți de muncă - au fost transferați la alte lagăre, de muncă forțată, de la Buchenwald și Ravensbrück, cel din urmă recunoscut ca lagăr de sterilizare în masă a romilor.

În țările ocupate sau aflate sub influența nazistă, s-a recurs la metode similare, cu particularități locale. În fosta Iugoslavie, membrii formațiunii croate fasciste Ustaşa au ucis mii de romi, laolaltă cu evrei și sârbi, în cadrul unei politici de purificare etnică, fiind trimiși în lagărul de la Janosevac. În Serbia, în primăvara anului 1941, trupele germane au împușcat aproape toți romii și evreii adulți, ca represalii

---

[355] Guenter Lewy, „Gypsies and Jews under the Nazis", în *Holocaust and Genocide Studies*, V13 N3, Winter 1999, p. 393.
[356] *Ibidem*, p. 394.
[357] Karola Fings, *op. cit.*, p. 46.
[358] *Ibidem*.

pentru soldații germani uciși de luptătorii din rezistență. În România, alte mii au fost deportați începând din vara anului 1942, în Transnistria, teritoriu din vestul Ucrainei situat între râurile Nistru și Bug, unde mulți și-au găsit sfârșitul. Din Ungaria, regimul colaboraționist a început să deporteze inclusiv romi în toamna anului 1944. Numărul victimelor rome din Holocaust e dificil de estimat, cifrele mergând de la 220.000 la jumătate de milion de persoane.

„Degenerații" din România

Romii din România nu au fost exceptați de la studiile eugenice și de biopolitică. Acestea urmau, și în România, trendul european (în expoziția lui Marius Turda, *Știință și etnicitate*, apar o mulțime de astfel de titluri, între care și „Indicele cefalic la țigani", „studiu" care include inclusiv date ale romilor români, turci și bulgari din colonia Iris, defalcat, inclusiv pe sexe, prezentate în comparație cu alte populații conlocuitoare – români, unguri - prezentat de Iordache și Tilly Făcăoaru în 1936). România a avut o mișcare eugenistă puternică, pozitivă[359], radicalizată în sens negativ odată cu izbucnirea războiului în 1939 și marile cedări teritoriale din 1940[360]: „O nouă politică națională românească a fost stabilită, care a considerat o serie de probleme biologice amenințătoare pentru comunitatea națională românească"[361]. Noile regimuri aveau vederi naționaliste[362]. În epocă, conceptul de națiune și eugenia – care viza un corp social „pur", din care să fie eliminate persoanele cu diverse tare, dar și „minoritățile balast", mergeau mână în mână.

---

[359] Marius Turda, „Corpul etnic al națiunii și eugenismul românesc, 1918-1939", în (coord.) Vintilă Mihăilescu, *De ce este România astfel? Avatarurile excepționalismului românesc*, Iași, Editura Polirom, 2017, p. 108.

[360] *Ibidem*, p. 122.

[361] *Ibidem*.

[362] Legătura dintre teoriile eugenice, biopolitice, rasiale – în cazul de față privitoare la romi - și naționalism după 1940 este făcută și de Viorel Achim, *Țiganii în istoria României*, pp. 133-136 și de Vladimir Solonari, *op. cit.*, pp. 246-247. Maria Bucur dă cazul „sufletului mișcării naționaliste române", Asociația Transilvană pentru Literatura și Cultura Poporului Român (ASTRA), devenită după 1918, în aprecierea autoarei, „cea mai importantă organizație non-guvernamentală cu o agendă eugenistă coerentă" – Maria Bucur, *op. cit.*, p. 52.

Exponenții curentului eugenic din România au fost în special oamenii de știință reuniți în jurul Școlii de Igienă și Igienă Socială de la Cluj a dr. Iuliu Moldovan, care a jucat un rol important și în cadrul ASTRA (Asociațiunea Transilvană pentru Literatura și Cultura Poporului Român), înființată în 1861, dar care în anii interbelici a ajuns să aibă drept cea mai importantă secție a sa pe cea denumită „medicală-biopolitică". În 1927, Moldovan a lansat revista *Buletin eugenic și biopolitic*, în care pleda pentru „redeșteptarea conștiinței de rasă" alături de alți eugeniști; *Buletinul* a găzduit timp de 20 de ani cercetări eugenice și articole cu frecvente referiri la grupuri etnice, grupe de sânge, index facial, index cefalic, morfologie, biometrie, biotipologie, fiziologie, unele dintre ele puse în corelație cu criminalitatea sau inteligența[363]. Ele aparțineau, printre altele, unor membri ai Gărzii de Fier precum Ovidiu Comșia, Iordache și Gheorghe Făcăoaru[364], ori unor personalități în stat ca Sabin Mănuilă[365] - toți preocupați de stoparea degenerării rasei, a „neamului românesc". Cei doi Făcăoaru au avut o contribuție importantă la „știința" românească dedicată „raselor", mai ales celei rome, pe care o apreciau, exact ca și colegii lor naziști, drept disgenică - principala, de altfel, care „slăbea" neamul românesc, definit în termeni rasiali, de comunitate de sânge. Potrivit acestora, etnia romă era mult mai numeroasă decât cea declarată la recensământul din 1930, de circa 262.000 de oameni. În timp ce Iordache Făcăoaru susținea că ar fi de fapt minimum 400.000 de romi „fără corci", iar numărul înregistrat la recensământ ar fi poate doar al nomazilor[366], fratele său, Gheorghe Făcăoaru, plusa la nu mai puțin de 600.000[367].

Iordache Făcăoaru era, în epocă, unul dintre cei mai înflăcărați eugeniști, mai ales când venea vorba de romi. Așa cum o

---

[363] Vezi expoziția lui Marius Turda, *Știință și etnicitate. Cercetarea antropologică în România anilor '30.*

[364] Vladimir Solonari, *op.cit.*, p. 75-83.

[365] vezi subcapitolul anterior, dedicat promotorului planului de creare a unei „națiuni omogene din punct de vedere etnic" și de „rezolvare a „problemei" romilor, considerați „marea problemă rasială a României".

[366] Iordache Făcăoaru, „Amestecul rasial și etnic în România", în *Buletinul eugenic și biopolitic*, editat de Subsecția eugenică și biopolitică a „Astrei" și de Institutul de Igienă și Igienă Socială Cluj, IX, 1938, p. 282.

[367] Vladimir Solonari, *op.cit.*, p. 249.

demonstrează lucrarea cercetătoarei clujene Irina Nastasă-Matei, *Educație, politică și propagandă. Studenți români în Germania nazistă*, o serie de intelectuali din elita vremii studiaseră în Germania și fuseseră expuși la curentele de idei de acolo – rasism, naționalism, antisemitism și anticomunism. Potrivit autoarei citate, în anul școlar 1941/1942, studenții români care studiau în străinătate au ajuns să fie în marea lor majoritate înmatriculați în Germania – dintr-un total de 1.266, nu mai puțin de 1.146 (tendință care s-a menținut și în anul următor, deși la valori mult diminuate)[368]. În anul precedent se înregistrase un moment de cotitură: dacă înainte de 1940 preferința studenților români se îndrepta spre universități renumite din Franța, precum Sorbona, ei fiind „printre cei mai numeroși străini" (peste 2.000), în anul universitar 1940/1941 „nu mai rămăseseră să studieze la această universitate decât 40"[369], ceilalți reorientându-se spre instituții de învățământ superior din Germania. În acea atmosferă, de „învățământ politizat, impregnat de ideile naziste", studenții erau „unul dintre agenții cei mai importanți ai transferului cultural", „țintă", dar mai ales „unealtă a propagandei"[370]. Între „datoriile" studenților străini din Germania nazistă se numărau, conform aceleiași surse, „atribuții foarte clare care țineau de propaganda politică și ideologică", dar și aceea de a sprijini public politica dusă de Al Treilea Reich, inclusiv politicile antisemite criticate de mass media occidentală[371]. Unul dintre studiile de caz prezentate de cercetătoarea clujeană este al lui Iordache Făcăoaru, exponent al ideilor eugeniste, care „își trecuse doctoratul în antropologie și igienă rasială la Universitatea din München în 1931"[372] fiind coleg cu cel care avea să devină celebru ca „Îngerul morții" din lagărul de la Auschwitz, Iosif Mengele[373]. Iordache Făcăoaru era „cunoscut drept cel mai radical dintre rasiștii români (...) probabil cel mai atașat de

---

[368] Irina Nastasă-Matei, *Educație, politică și propagandă. Studenți români în Germania nazistă*, Cluj-Napoca, Editura Școala Ardeleană, București, Eikon, 2016, p. 86.
[369] *Ibidem.*
[370] *Ibidem*, p. 191.
[371] *Ibidem*, p. 193.
[372] *Ibidem*, p. 53.
[373] *Ibidem*, p. 296.

teoriile care susțineau superioritatea anumitor rase, mare miză a demersurilor lui fiind purificarea neamului românesc"[374] și a avut ocazia, ca asistent universitar, să le popularizeze în rândul studenților de la Cluj și Iași, să le publice în *Buletinul eugenic și biopolitic* clujean și, probabil, să contribuie la elaborarea politicilor de epurare etnică în calitate de consultant al guvernului antonescian[375].

Articolul „Amestecul rasial și etnic în România", publicat de Iordache Făcăoaru în numărul din septembrie-octombrie 1938 al *Buletinului eugenic și biopolitic*, este elocvent. Acesta afirma că există „minorități balast", un minoritar, „străin", la 3 români, iar „statul român este în fața alternativei: ori adoptă principiul promiscuității etnice necontrolate, ori adoptă principiul izolărei și al purității etnice"[376]. Referindu-se la alternativa „izolare sau asimilare", în cazul romilor, care se încadrau între ceea ce el a definit ca minorități care dădeau „motive de neliniște" (în această categorie intrau „țiganii, tătarii, turcii, evreii, găgăuții, rușii, rutenii și ucrainienii"[377]), aprecia că ambele variante ar fi defectuoase[378]. În partea referitoare la romi răzbat experiențe personale, pe care Iordache Făcăoaru le generalizează (probabil pe baza teoriilor naziste, deși studiul se pretinde științific). Astfel, referindu-se la „prostia" romilor, acesta dă ca referință o cercetare proprie, din care reieșea un coeficient de inteligență mai mic cu 15-30 de puncte decât al sătenilor români, ceea ce i-ar fi plasat ca nivel mediu de inteligență în rândul înapoiaților mintal[379] și ilustrează cu amintirile personale din război: „Frica, indisciplina, corupția, prostia, lașitatea și susceptibilitatea pentru panică fac din majoritatea soldaților de origină etnică extra-europeană o adevărată pacoste pentru unitățile militare în timp de război. Aproape niciodată unitatea nu se poate bizui pe un țigan, de pildă, pentru paza tranșeii într-un post înaintat. De altă parte a scuti țiganul de această sarcină când îi vine rândul, este a demoraliza trupa prin

---

[374] *Ibidem*, p. 295.
[375] *Ibidem*, p. 296.
[376] Iordache Făcăoaru, *art. cit.*, p. 277.
[377] *Ibidem*, p. 282.
[378] *Ibidem*, p. 284.
[379] *Ibidem*.

atari favoruri. De pe urma prostiei și indisciplinei unui țigan, batalionul la care am făcut războiul a pierdut, pe când era în rezervă, patru oameni morți, între cari un sergent și alți șase mutilați sau răniți. Împotriva repetatelor ordine, țiganul s-a jucat aruncând un obuz, care a explodat în mijlocul unei grupe. Ca mulți alții din neamul lui, țiganul a făcut continue încurcături și indiscipline grave și a rămas până la sfârșit «piaza rea» a unitățеi, cum se exprimă, fostul lui șef"[380]. Aceeași situație s-ar fi regăsit, potrivit lui Iordache Făcăoaru, în activitatea unor angajați în serviciile publice de origine romă - vătășei, factori, gardieni sau jandarmi: „Nicio statistică n-ar putea evalua pagubele morale și materiale cauzate de minoritarii balast, funcționari în instituții de stat sau la particulari. Cine a scrutat activitatea unor asemenea funcționari sau angajați, cunoaște lipsa de scrupule proprie moravurilor lor". În ce privește asimilarea, Iordache Făcăoaru era de asemenea radical, grupând „amestecurile etnice" în trei categorii, „din punct de vedere al nocivității biologice" și afirmând că „promiscuitatea socială frecventă atrage fatal promiscuitatea biologică"[381]. Romii erau din nou exemplul negativ, de această dată în ce privește cazul în care s-ar fi căsătorit cu românii majoritari: „Cu cât două etnii sunt mai deosebite, cu atât mai mare este aversiunea germinativă și cu atât mai frecvente, mai variate și mai nocive sunt dizarmoniile organice și discrepanțele psihice. În cazul amestecului cu *rase inferioare cum sunt țiganii, coborârea nivelului biologic* constituie un proces cu urmări așa de dezastruoase, încât celelalte considerațiuni sociale, politice și de înstrăinare a ființei etnice rămân pe un plan cu totul secundar"[382] (s.n.). Iordache Făcăoaru deplângea faptul că autoritățile nu au luat nicio măsură contra romilor, ca și asimilarea lor și „promiscuitatea socială cu populația autohtonă" de la orașe și sate, precum și faptul că se făcea

---

[380] Iordache Făcăoaru, *art. cit*, p. 284. Aceste susțineri sunt contrazise flagrant, în cazul romilor, de numărul mare de militari combatanți, unii dintre ei decorați, care apar semnând reclamații privind deportarea familiilor lor în Transnistria (vezi capitolul IV – Deportarea romilor în Transnistria) și de aprecierea Corpului de cavalerie Stat Major către Marele Cartier General, din 26 octombrie 1942, care afirmă că „soldații țigani mobilizați – este surprinzător – luptă bine" – Arhivele Militare Pitești, *fond Marele Stat Major Secția 1 Organizare Mobilizare*, dosar 2695/1942-1943, f. 26.
[381] *Ibidem*, p. 285.
[382] *Ibidem*.

școala în comun: „Procesul asimilării e activat și agravat nu numai de numărul mare de țigani, ci și de alți factori specifici împrejurărilor politice de la noi: dispoziția tolerantă a poporului român, răspândirea țiganilor pe toată suprafața țării, promiscuitatea socială cu populația autohtonă la orașe, ca și la sate, școala în comun, împroprietărirea multora din ei și înlesnirea vieții sedentare, care le-a ușurat intrarea în comunitatea românească, absența oricăror restricțiuni legale și, în sfârșit, dispoziția ocrotitoare a guvernelor și a autorităților administrative"[383].

Dacă în opinia lui Iordache Făcăoaru, romii erau un factor de alterare a populației autohtone, iar sedentarizarea lor, de rău augur, pe aceeași linie de gândire, Gheorghe Făcăoaru a propus direct exterminarea, cu referire direct la cei nomazi și seminomazi, iar pentru cei stabili sterilizarea, astfel încât să creeze „un zid etnic folositor nației, și nu dăunător": „Țiganii nomazi și seminomazi să fie internați în lagăre de muncă forțată. Acolo să li se schimbe hainele, să fie rași, tunși și sterilizați. Pentru a se acoperi cheltuielile cu întreținerea lor, trebuiesc puși la muncă forțată. Cu prima generație am scăpa de ei. Locul lor va fi ocupat de elementele naționale, capabile de muncă ordonată și creatoare. Cei stabili vor fi sterilizați la domiciliu (...). În acest fel, periferiile satelor și orașelor nu vor mai fi o rușine și un focar de infecție al tuturor bolilor sociale, ci un zid etnic folositor nației, și nu dăunător"[384].

Mai departe, Nichifor Crainic, ministru al Propagandei într-un guvern Antonescu, enunțase încă din 1938 „Programul statului etnocratic", în care influența teoriilor rasiale germane este evidentă: între cei 4 piloni fundamentali ai statului etnocratic preconizat se regăsește „sângele" (alături de pământ, suflet și credință), el statuând că „orice minoritar neasimilat, dar activ în organismul statului, e un element de disoluție și de ruină"[385] și că „minoritarul care se dovedește dușman al statului etnocratic român își pierde dreptul de

---

[383] *Ibidem*, p. 283.
[384] Gheorghe Făcăoaru, *Câteva date în jurul familiei și statului biopolitic*, București, Tipografia Bucovina, 1941, pp. 17-18, apud Viorel Achim, *op. cit.*, p. 135.
[385] Nichifor Crainic, *Ortodoxie și etnocrație*, București, Editura Cugetarea, [193-], p. 284.

cetățean român"[386]. Crainic cerea „românizarea vieții culturale și economice a României" prin aplicarea principiului „proporției numerice" în organismul social, în „organismul oficial" al statului urmând să se regăsească exclusiv români[387].

Un alt colaborator al lui Ion Antonescu, ideolog al Gărzii de Fier, Traian Herseni, își declara în 1940 și 1941 deschis admirația pentru politica rasială a statului național-socialist german și teoriile privind îmbunătățirea „rasei". Aplicate la România, acestea sunau, în viziunea lui Herseni, la modul următor: și rasa românilor, „geto-romană", era ariană și de asemenea fusese contaminată, corcită cu „elemente de rasă inferioară", mai exact cu sângele romilor, grecilor și evreilor: „Fără nici o îndoială decăderea poporului român se datorește infiltrării în grupul nostru etnic a unor elemente de rasă inferioară, corcirii sângelui străvechi, geto-roman, cu sânge fanariot și țigănesc, iar acum în urmă cu sânge jidovesc. Elita țării care ar fi trebuit să cuprindă pe cele mai curate exemplare ale rasei s-a transformat într-o pătură suprapusă, fără legătură de sânge cu comunitatea etnică și fără aderență la tradițiile și idealurile naționale"[388]. Acesta s-a declarat adeptul eugeniei, pentru îmbunătățirea rasei propunând legi și metode eugenice, precum sterilizarea disgenicilor, statuând, exact ca naziștii, că aceasta „nu numai că nu trebuie privită prostește ca o încălcare a demnității omenești, dar ea este un elogiu adus frumuseții, moralității și în genere perfecțiunii"[389] și subliniind necesitatea unei „politici rasiale" în acest sens: „O rasă poate fi păstrată, purificată, înmulțită și îmbunătăță pe cale ereditară, de unde putința și nevoia unei politici rasiale, eugenice"[390].

Din 1935, la București a funcționat, în cadrul Institutului Central de Statistică condus de Sabin Mănuilă, Secțiunea de Demografie, Antropologie și Eugenie, condusă, din 1941, de Iordache Făcăoaru; iar

---

[386] *Ibidem.*
[387] *Ibidem,* p. 286.
[388] Traian Herseni, *Rasă și destin național, Cuvântul* 18, 91 (1941): 1, apud Marius Turda, *Eugenism și antropologie rasială în România 1874-1944,* București: Cuvântul; Editura Muzeului Literaturii Române, 2008, p. 75.
[389] *Ibidem.*
[390] Traian Herseni, *Mitul sângelui, Cuvântul* 17, 41 (1940): 1-2, apud Marius Turda, *Eugenism și antropologie rasială în România 1874-1944,* București: Cuvântul; Editura Muzeului Literaturii Române, 2008, p. 129.

din 1940, un Institut de Antropologie, între cercetători regăsindu-se și Ion Chelcea, autorul, încă din anii '30, a unor propuneri de izolare a romilor în colonii și chiar de sterilizare a lor, pentru evitarea amestecului sângelui lor cu cel al majoritarilor. Lucrarea lui Chelcea, *Țiganii din România*, publicată în 1944 sub egida Institutului Central de Statistică (care, în mod evident, a fost scrisă anterior) a apărut într-un moment în care măsurile propuse a fi luate împotriva romilor, erau deja un fapt împlinit - lucrarea poate fi interpretată ca furnizând o bază „științifică", teoretică, a ceea ce deja fusese decis de Ion Antonescu și se și întâmplase. Astfel, Chelcea distingea în rândul romilor din România trei tipuri. În concepția sa, băieșii sau rudarii puteau fi asimilați de populația majoritară, mai ales că era posibil ca ei să fi fost chiar descendenți ai dacilor, deci trebuiau exceptați de la măsurile cu caracter eugenic[391]; dintre romii „de sat", el propunea ca doar o mică parte – muzicieni și fierari - să fie păstrați, iar restul colonizați sau sterilizați, în timp ce „tipul speculator" (nomazii) trebuiau deportați în Transnistria[392], nicidecum asimilați, pentru că ar fi „perturbat" „sângele" românesc. Apare, în scrierea lui Chelcea, o serie întreagă de idei preluate direct din ideologia rasială nazistă: „problema" romă, „corcirea" și „dispozițiile inferioare" care determină o criză în „conștiința neamului românesc" și de asemenea rezolvările – deportarea, sterilizarea, izolarea, trimiterea într-un „parc în natură" a unora dintr-o „specie rară" (idee extrem de asemănătoare cu cea a păstrării romilor „puri" de către Himmler în Germania nazistă), printr-un plan executat gradual[393].

---

[391] Vladimir Solonari, *op. cit.*, p. 249.

[392] Marian-Viorel Anăstăsoaie, „Roma Gypsies in the History of Romania: An Old Challenge for Romanian Historiography", în *Romanian Journal of Society and Politics*, 2003, 3, nr. I, p. 269.

[393] „Amestecul de sânge produce spărtura definitivă în cercul închis comunitar și ajunge să distrugă cercul de fier: legea sângelui. Ca urmare avem adevărate crize sociale. Asimilarea țiganilor de cort ar produce o perturbare gravă în conștiința sângelui românesc. Noi avem o concepțiune naturală asupra problemei țiganilor. Din această cauză, pledăm pentru o izolare totală față de țiganii de cort. În zilele noastre, aceștia ar putea fi mutați undeva în Transnistria sau dincolo de Bug. Dintre ei, trebuiesc însă rezervați o parte, pentru un parc în natură, spre a nu pierde țara o specie rară de țigani aflată printre noi. Marele număr al țiganilor de sat va trebui colonizat într-o parte mărginașă a țării, trecuți peste Nistru, la caz sterilizați spre a nu se mai înmulți și astfel să

Raportul final al Comisiei Internaționale pentru Studierea Holocaustului în România vede în astfel de opinii o prelungire a celor rasiste din epocă, îndeosebi a celor din Germania, sub influența căreia începea să intre statul român, arătând însă că ele au avut în România o circulație foarte restrânsă - chiar dacă opinia publică nu le era favorabilă, romii nu reprezentau o problemă, în ochii autorităților[394].

Deportarea romilor din România în Transnistria a urmat deportării evreilor, dar împotriva lor nu au existat în prealabil atacuri publice de magnitudinea și virulența celor care vizau evreii, care să pregătească sau să justifice măsura. Așa cum remarcă Radu Ioanid, „incitările la acțiuni de purificare etnică împotriva romilor erau însă extrem de reduse în comparație cu masiva propagandă antisemită a guvernelor conduse de Ion Antonescu. La fel, dacă în timpul guvernărilor care l-au precedat pe Ion Antonescu, propaganda antisemită era foarte puternică în România, atacurile la adresa romilor erau relativ reduse"[395]. În plus, potrivit aceleiași surse, dacă începând cu guvernul Goga-Cuza (1938) statul român a dispus și implementat o legislație antisemită cuprinzătoare, împotriva romilor nu a existat nimic de acest gen. Deportarea romilor din România în Transnistria a fost dispusă prin ordine directe ale mareșalului Ion Antonescu, fără a avea baza într-o legislație care să îi lipsească de drepturile lor cetățenești și fără semnale publice care să o anticipeze. Astfel, cel puțin aparent, măsura a constituit un răspuns la o problemă inexistentă pe agenda publică românească a vremii.

---

li se piardă neamul care amenința să înăbușe însușirile bune, existente la populația noastră. Să nu uităm că bastardul se apropie mai mult de partea neamului inferior. Iar prolificitatea lor superioară, înlesnește o difuzare largă și efectivă a dispozițiilor inferioare impusă prin corcire. Pe viitor, în orașe, nu va mai putea trăi decât un număr mic de țigani meseriași brevetați. Printre primele orașe descongestionate de țigani, ar trebui să fie Bucureștiul, apoi, pe rând, celelalte orașe, capitale de provincii. Urmează satele, în ordinea numărului însemnat de țigani pe care-l au. Înlăturarea se va putea face progresiv și pe o perioadă mai mare de timp. Restul nu interesează. Acesta e de altfel singurul punct de plecare în dezlegarea problemei ce ne preocupă" – apud Ion Duminică, *Deportarea și exterminarea țiganilor din România în Transnistria (1941-1944),* http://www.platzforma.md/arhive/2357, accesat în 10.05.2021.

[394] *Raportul final*, pp. 227-228.

[395] Radu Ioanid, „Studiu introductiv. Tragedia deportării romilor în Transnistria. Precedente", în Radu Ioanid, Michelle Kelso, Luminița Cioabă, *Tragedia romilor deportați în Transnistria: 1942-1945: mărturii și documente,* Iași, Editura Polirom, 2009, p. 34.

Populația romă din România interbelică avea în mod cert probleme serioase de natură socială. Din punct de vedere economic, însă, nu ridica probleme de concurență a majoritarilor, cum ridicau evreii. Asimilarea romilor în rândul populației majoritare și chiar receptarea lor drept cetățeni fideli nu ridica probleme nici din punctul de vedere al naționalismului românesc[396]. Așezarea lor geografică, în România, nu „încurca" nici din punct de vedere militar, al unor necesități strategice, de a fi plasați în afara frontului, cum au fost motivate deportarea evreilor din Basarabia și Bucovina și respectiv a romilor din Crimeea[397] sau Italia, ambele asociate cu riscuri de trădare. În perioada interbelică nu a existat o „problemă țigănească" pe agenda publică din România, în sensul în care a

---

[396] Potrivit lui Viorel Achim, în 1937, Partidul Național Creștin al lui Octavian Goga a fost sprijinit atât de Calinic Popp-Șerboianu, cât și de Lăzurică, ceea ce ar indica faptul că nu se simțeau în niciun fel amenințați de ideile rasiale promovate de formațiuni de această factură (Viorel Achim, *Țiganii în istoria României*, p. 132). Pavel Cristian Suciu face observația că existau în epocă o serie de personalități care erau antisemite (antisemitismul era la modă, n.n.), dar nu și antirome, dezrobirea romilor fiind văzută „printr-o bizară suspendare a logicii" drept act de patriotism, în timp ce „aceeași elită se va dovedi mult mai puțin generoasă în ce privește evreii, codindu-se încă mai bine de jumătate de secol până să le acorde emanciparea" (Pavel Cristian Suciu *Imaginea romilor în literatură*, pp. 253-254). Ne raliem acestei opinii cu un exemplu propriu din aboliționistul Vasile Alecsandri. Iată un pasaj din opera sa *Dridri*, extrem de populară în epocă, relevant pentru atmosfera generală (piesa este plasată la Paris) - ceea ce astăzi ar fi considerat un atac la persoană, prin referirea la originea etnică (evreiască) a rivalei este considerat spiritual, iar Dridri stârnește admirația generală prin replica sa: „Deodată, râsetele contenira la glasul Esterei, care, trecând pe dinaintea rivalei sale, zise cu insolență: — Când nu are cineva nici doi franci ca să poată lua o birjă pe un timp ploios, ar trebui cel puțin să-și lase botinele la ușă și să intre desculță în foișor. Dridri, la această grosolană aluzie, se roși pe obraz și observă cu glas indignat: — că e mai lesne de a poseda un cupeu decât delicatețea inimii. Estera, astfel săgetată, ținti ochii săi aprinși asupra copilei și, apropiindu-se de ea, răcni ca o furie: — Sărmano! m-aș înjosi poate a-ți răspunde dacă nu mi-ar fi milă de mizeria în care te afli... Privește, nenorocită; ești muiată ca și când ai fi scoasă din mare... — Care mare? replică Dridri, Marea Roșie în care s-au botezat strămoșii dumitale? Un hohot general răsună în foișor la auzul acestei malițioase întrebări. Estera, înciudată, ieși ca o bombă fără a găsi ce răspunde, în vreme ce toți actorii înconjurară pe Dridri ca s-o complimenteze" – Vasile Alecsandri, *Dridri*, București, Editura Minerva, 1987, pp. 240-241.
[397] Vezi în acest sens Mikhail Tyaglyy, „*Were the «Chingene´» Victims of the Holocaust? Nazi Policy toward the Crimean Roma, 1941–1944*", în *Holocaust and Genocide Studies*, Volume 23, Issue 1, Spring 2009 p. 31.

existat „problema evreiască"[398]. Dacă exista o „problemă țigănească", ea era una de natură socială și ar fi necesitat alte răspunsuri decât deportarea, care în foarte multe cazuri a însemnat moartea.

III.4 Regimul Antonescu și „problema țigănească"

După ce foarte mult timp a existat o „nepăsare politică" față de ei - reprezentanții statului român raportându-se în mod tradițional la romi ca la o categorie socială, eventual una care crea probleme pentru ordinea publică[399] - în anii războiului mareșalul Ion Antonescu a decis și pus în practică deportarea lor în Transnistria. Este vorba de teritoriul dintre Nistru și Bug cucerit în vara anului 1941, pe care România a acceptat să-l administreze, dar pe care l-a văzut tot timpul ca exterior țării și pe care, cel puțin în declarațiile oficiale, dorea să îl ofere la finalul războiului în schimbul restituirii Transilvaniei de Nord[400]. Până la schimbarea de direcție din 1940, destul de evidentă în

---

[398] Viorel Achim, *op. cit.*, p. 133.

[399] În spiritul epocii, *Revista Jandarmeriei* dedica chiar înainte, în primul său an de apariție, 1923, un articol romilor nomazi, descriindu-I în termeni de „rasă" și pornind de la premisa din prima frază conform căreia „Experiența a arătat, că unii dintre cei mai rafinați și cei mai periculoși infractori sunt țiganii nomazi" - *Revista Jandarmeriei*, anul I, nr. 2, Oradea-Mare, 15 Ianuarie 1923, p. 13. Vezi și Viorel Achim, *Țiganii în istoria României*, București, Editura Enciclopedică, 1998, p. 133.

[400] În ședința Consiliului de Miniștri din 6 septembrie 1941, Ion Antonescu declara că „îmi rezerv dreptul de a discuta despre drepturile noastre asupra acestei provincii, de la Est, până când nu știu ce este la Vest, ca să nu mi se spună că am posibilități suficiente. În această privință am spus că pentru 5 Transnistrii nu renunț la drepturile mele de la Vest" – ed. Marcel-Dumitru Ciucă, Maria Ignat, *Stenogramele ședințelor Consiliului de Miniștri. Guvernarea Ion Antonescu*, București, Arhivele Naționale ale României, vol. IV, 2000, p. 595. Despre planul maghiar prezentat liderilor germani, semnalat de Raoul Bossy guvernului român, privind împingerea românilor spre Est, adică popularea Transnistriei cu coloniști din Transilvania, ceea ce echivala cu acceptarea pierderii teritoriale din urma Diktatului de la Viena, vezi studiul lui Ottmar Trașcă, *Ocuparea orașului Odessa de către armata română și măsurile adoptate față de populația evreiască, octombrie 1941-martie 1942*, în Anuarul Institutului de Istorie „G. Barițiu" din Cluj-Napoca, tom XLVII, 2008, pp. 381-385. Ulterior, Ion Antonescu și-a reconsiderat poziția privitoare la Transnistria, arătând, în ședința cu guvernatorii din 26 februarie 1942, că nu intenționează să mai „dea din mână ceea ce a luat" și că va încerca să obțină prin tratative Transilvania de Nord după război. Mareșalul invoca faptul că până acolo s-a întins Moldova în vremea Ducăi Vodă și vrea să recupereze „masa românească", arătând totodată că, dacă va păstra Transnistria, aceasta ar trebui să fie epurată de minoritarii evrei și ruși: „Transnistria va deveni o provincie românească,

scrierile principalului colaborator al mareşalului în ce priveşte „politicile de populaţie", Sabin Mănuilă, în discursul public şi la nivelul decidenţilor politici nu a existat o „problemă ţigănească"[401] în sens rasial. În perioada de coabitare cu legionarii, Ion Antonescu nu a luat vreo măsură contra lor, deşi i se cerea acest lucru în ziarul Gărzii de Fier chiar cu câteva zile înainte de rebeliunea legionară[402] - legionarii, care îşi făcuseră un portdrapel din antisemitism şi teoriile de factură nazistă legate de rasă, ajunseră astfel, în final, şi la romi, cu atât mai mult cu cât nomazii erau percepuţi larg în epocă ca grup social care crea probleme de natură infracţională.

Până în 1942, romii au fost relativ toleraţi, feriţi de măsurile rasiale care se luau împotriva evreilor. „Rezolvarea" „problemei ţigăneşti" în România mareşalului Ion Antonescu prin deportarea în Transnistria începând din vara anului 1942 poate fi explicată pe fundalul atmosferei rasiste din Europa şi a promovării agresive a ideilor de „rasă" de către Germania nazistă, cu care statul român se aliase, dar mai ales prin oportunitate – faptul că avea dintr-o dată la îndemână un teritoriu exterior, Transnistria. Statul român a decis că se vrea pur din punct de vedere etnic, prin „eliminarea" elementelor alogene vizate de „transferuri unilaterale" în studiul lui Sabin Mănuilă, adică evreii din Basarabia şi Bucovina „dezrobite", consideraţi factor de risc (comunişti, iudeo-bolşevici, trădători) şi romii din întreaga Românie. Romii erau, numeric, abia pe locul 8 în

---

o vom face românească şi vom scoate de acolo pe toţi străinii" - ed. Marcel-Dumitru Ciucă, Maria Ignat, *Stenogramele şedinţelor Consiliului de Miniştri. Guvernarea Ion Antonescu*, Bucureşti, Arhivele Naţionale ale României, vol. VI, Bucureşti, Editura Mica Valahie, 2002, p. 205. Tot timpul, în discursul său din timpul războiului, Transnistria apărea ca şi concepţie drept exterioară ţării. Şi din punct de vedere administrativ era separată. Fondul Preşedinţiei Consiliului de Miniştri păstrează unele documente privind şedinţe doar cu guvernatorii provinciilor Basarabia, Bucovina şi Transnistria. În cea din 16 decembrie 1941, Ion Antonescu i-a cerut lui Alexianu să guverneze Transnistria „ca şi cum România s-ar fi instalat pe acele teritorii pentru două milioane de ani", adăugând „de s-a întâmpla apoi, vom vedea!" – ANIC, *Fond CC al PCR*, dosar 141/1941, f. 108.

[401] Viorel Achim, *op. cit.*, pp. 136-137.

[402] Se cereau interzicerea căsătoriilor romilor şi românilor şi izolarea primilor într-un fel de ghetou – L. Stan, „Rasism faţă de ţigani", în *Cuvântul*, serie nouă, XVIII, nr. 53, 18 ianuarie 1941, p. 1, 9, apud Viorel Achim, *op. cit.*, p. 136.

ce privește numărul etniilor declarate la recensământul din 1930 – după români, maghiari, germani, evrei, ruteni, ruși și bulgari - cu doar 1,45% din totalul populației și, fiind în general săraci, nu amenințau în niciun fel din punct de economic interesele majoritarilor[403], cum o făceau evreii. Totuși, ei au urmat, la mai puțin de un an după evreii din Basarabia și Bucovina, care de asemenea fuseseră deportați tot în Transnistria.

Așa cum o demonstrează *Jurnalul mareșalului Ion Antonescu*, în 17 august 1941, acesta era deja în Tighina, discutând cu Sabin Mănuilă „problema inventarierii populației și lucrurilor din Basarabia și Bucovina, dând instrucțiuni la proiectele politice de populație pe care dorește să o inaugureze"[404]. Conform aceluiași *Jurnal*, la câteva luni de la preluarea administrării teritoriului transnistrean de către România, Ion Antonescu l-a chemat din nou la el pe Sabin Mănuilă, în 18 noiembrie 1941, discutând cu acesta „chestiunea minorităților în Stat și a statisticilor"[405] (accentul era pus de această dată pe Transilvania).

Primul grup etnic deportat în Transnistria a fost cel evreiesc, în 1941. Începând din vara anului 1942, în lagăre înființate în Transnistria intrată sub administrație românească, „la Bug", au fost deportați la rândul lor romii - circa 25.000 de persoane – potrivit indicațiilor autorităților, nomazii, cei fără ocupație și cei condamnați. Dintre aceștia, puțin peste jumătate s-au mai întors, circa 11.000 murind după ce au fost expuși frigului, înfometării și bolilor[406]. Deportarea lor a fost justificată de regimul Antonescu prin rațiuni de ordine publică și igienă, fără ca persoanele care au decis-o și cele care au implementat-o să admită vreodată că ar fi avut motivații rasiale (problema motivației rasiale s-a pus acut o dată cu ivirea problemei obținerii de despăgubiri de la statul german pentru victimele politicilor naziste). În toate documentele birocratice studiate, problema a fost descrisă ca ținând de

---

[403] Vladimir Solonari, *Purificarea națiunii. Dislocări forțate de populație și epurări etnice în România lui Ion Antonescu, 1940-1944*, Editura Polirom, Iași, 2015, p. 245.
[404] Gheorghe Buzatu, Stela Cheptea, Marusia Cîrstea, *Pace și război (1940-1944), Jurnalul mareșalului Ion Antonescu*, vol. I, Casa editorială Demiurg, Iași, 2008, p. 249.
[405] *Ibidem*, pagina 312.
[406] Viorel Achim, *op. cit.*, p. 150.

asigurarea ordinii publice. Mai mult, în 6 mai 1946, când, cu ocazia procesului care i-a fost intentat, la interogatoriu, Antonescu a fost chestionat și cu privire la capătul de acuzare referitor la deportarea romilor, mareșalul a susținut aceleași motive legate de ordinea publică și arătând că printre romii deportați se numărau și unii cu 17 condamnări la activ[407]. El și-a asumat, cu acel prilej, responsabilitatea exclusivă pentru măsura luată, deși, potrivit aprecierii cercetătorului Vladimir Solonari, pe care o împărtășim, „existau mulți entuziaști ai măsurilor antiromi la diverse niveluri ale birocrației din guvernul român și din rândul experților guvernamentali, iar Antonescu nu era cel mai radical dintre ei"[408].

Potrivit lui Solonari, înaintea luării deciziei deportării romilor în Transnistria, pe masa Președinției Consiliului de Miniștri a ajuns, în octombrie 1941, un raport cerut de Ministerul Afacerilor Interne în primăvara acelui an, cu privire la răspândirea tifosului în regiunile Suceava și Iași[409]. În acesta, romii erau identificați drept principala sursă de izbucnire a epidemiei – din cauza nerespectării normelor de igienă și a sărăciei – dar și de transmitere a bolii[410], propunându-se trimiterea în colonii de muncă a celor apți și „căutarea unei soluțiuni" pentru ceilalți, descriși ca „un *balast inutil*" și „o *primejdi*e pentru sănătatea publică" de care societatea românească trebuia să scape[411]. Raportul a fost resuscitat în toamna anului 1941, după intrarea Transnistriei sub administrare româ-

---

[407] Ed. Marcel-Dumitru Ciucă, *Procesul mareșalului Antonescu. Documente*, vol. I, București, Editura Saeculum, Europa Nova, 1995, p. 246.

[408] Vladimir Solonari, *op. cit.*, p. 252.

[409] *Ibidem*, p. 251.

[410] Cercetătorul american Benjamin Thorne susține că discursul eugenic, cu referire directă mai ales la romi, penetrase în așa măsură opinia publică românească, începând din 1938, încât nu numai autoritățile, ci și populația civilă cerea măsuri împotriva lor, în principal din cauza îngrijorării legate de faptul că răspândeau tifosul. Cert este că, în acei ani, romii nomazi apar frecvent în corespondența oficială ca surse de răspândire a tifosului și scarlatinei, după cum o demonstrează documentele publicate de istoricii Lucian Nastasă și Andrea Varga, aceștia, dar și alte categorii (cerșetori, vagabonzi), fiind ținuți în carantină în baza unui ordin din februarie 1940 al Preturii Plășii Budești (Ilfov) și interzicându-li-se deplasarea („vagabondajul") pe timpul iernii, printr-un alt ordin al Ministerului de Interne, din octombrie același an.

[411] Vladimir Solonari, *op. cit.*, p. 251.

nească, fiind promovat de secretarul general al Președinției Consiliului de Miniștri, Ovidiu Vlădescu, care i-a cerut opinia ministrului de Interne cu privire la deportarea dincolo de Nistru a tuturor romilor, având în vedere că „majoritatea lor formează un pericol permanent pentru sănătatea publică, iar din punctul de vedere al economiei naționale sunt o pacoste"[412]. Ultima parte exprimă un punct de vedere extrem de similar cu concluziile lui Sabin Mănuilă din raportul cerut de Ion Antonescu la sfârșitul lunii iunie 1942, ceea ce indică faptul că, deși a mareșalul decis că „chestiunea aceasta va fi tranșată mai târziu"[413], „problema țigănească" intrase pe ordinea de zi și probabil urma logica împărțirii romilor în „utili" și „inutili" economic, model după care au fost judecați de altfel și evreii. Un alt argument, venit din partea Ministerului Justiției la sfârșitul lunii mai 1942, avea să aibă o mai mare greutate - furturile comise de romi, invocate pentru a cere „scoaterea țiganilor din orașe și izolarea lor în tabere de muncă forțată din cauza numeroaselor furturi pe care le săvârșesc"[414] pliindu-se pe viziunea mareșalului vizavi de subiect.

Mareșalul Antonescu era preocupat, uneori excesiv, chiar și pentru condiții de război, de ordine și disciplină, iar pentru un astfel de om, trebuie să fi fost extrem de deranjant stilul de viață al romilor. În Arhivele Militare de la Pitești se păstrează zeci de materiale care relevă admirația mareșalului pentru armata germană și nemulțumiri dese, că armata română e departe de a avea același aspect - în urma inspecțiilor zilnice pe care le făcea pe front, el scria, în documente care erau ulterior difuzate, comparații deloc flatante: între altele, a asociat coloanele regimentare în debandadă cu „șatre de țigani"[415], din cauza „aspectului de destrăbălare"[416] găsit acolo, dispunând să se ia măsuri imediate:

[412] *Ibidem*, p. 252.
[413] *Ibidem*.
[414] *Ibidem*.
[415] Arhivele Militare ale României, fond Armata a IV-a, Marele Cartier General, Secția a III-a, dosar 631/1941, *Ordinele Marelui Cartier General cuprinzând constatările și observațiunile domnului general Ion Antonescu cu ocazia inspecțiilor făcute pe front*, f. 90.
[416] *Ibidem*.

„Domnul general Antonescu a observat că peste tot trenurile regimentare, diferitele coloane și chiar trenurile de luptă poartă cu ele un adevărat lest inutil, ceea ce le dă acestor coloane aspectul unor șatre de țigani. Se cară după unități diferite lucruri inutile: scaune, mese, scânduri, diferite obiecte casnice și prin aceasta se imobilizează căruțele, destinate a transporta muniție și hrană. În acest fel, pe lângă aspectul de destrăbălare pe care îl are spatele frontului, mobilitatea este mult îngreuiată"[417].

Totuși, justificarea oficială a deportării romilor din România – preconizată inițial în Bărăgan, până la urmă în Transnistria, teritoriu intrat sub administrare românească, preponderent agricol - de către mareșalul Ion Antonescu, în contextul celui de-al Doilea Război Mondial, a fost legată de rațiuni de igienă și ordine publică, acesta respingând în mai multe rânduri motivația rasială. Mareșalul nu vedea romii cu ochi buni, care, în opinia sa, invadaseră" Bucureștiul, dincolo de rațiunile de igienă, el având aversiune față de dezordine[418], mizerie și nemuncă, precum și o sensibilitate față de ideea de „țigan" în general[419]. Problema se afla demult în atenția sa, în mai multe dintre documente el făcând referire la romii „fără nici un rost" și „oamenii

---

[417] *Ibidem.*

[418] Vezi în acest sens rezoluțiile puse pe unele dintre actele administrative, în care face referire la „dezordine în stat" și la dorința sa de „perfectă ordine" – în Vasile Arimia, Ion Ardeleanu (ed.), *Mareșalul Antonescu. Secretele guvernării. Rezoluții ale Conducătorului Statului (septembrie 1940-august 1944)*, București, Editura „Românul", 1992, p. 181, 209 și 219.

[419] Vladimir Solonari, *op. cit.*, p. 247, citează trei astfel de exemple. Astfel, într-unul dintre documentele USHMMA se afirmă că la retragerea armatei române din Basarabia s-ar fi strigat „Jos țiganii", mareșalul arătând apoi într-o ședință a Președinției Consiliului de Miniștri din 27 martie 1942 că pentru românii din noile provincii „eram țigani, buni numai să ne vărsăm sângele", iar la interogatoriul de la procesul din 1946 că în perioada interbelică Ungaria reușise să impună la nivel european ideea că România „era o țară de țigani, oameni care nu știu să-și administreze țara". De asemenea, într-o rezoluție pe o notă a Cabinetului Militar care semnala cazuri de etnici germani care evitau armata română înrolându-se în organizația Todt, mareșalul a scris: „Serviciul Special va întocmi un dosar raportând M.St.M. de toate aceste cazuri și de cazuri de dezertare pentru a plesni la timp în obraz pe nemții de la noi din țară care îndrăznesc să ne sfideze. Om fi «țigani», dar suntem luptători" – în Vasile Arimia, Ion Ardeleanu (ed.), *Mareșalul Antonescu. Secretele guvernării. Rezoluții ale Conducătorului Statului (septembrie 1940-august 1944)*, București, Editura „Românul", 1992, p. 118.

fără căpătâi" din Capitală. Astfel, într-o copie de pe ordinul 2294 din 19 august 1942 al Inspectoratului General al Jandarmeriei se face referire la o inspecție pe care mareșalul Ion Antonescu a făcut-o după cutremurul din 10 noiembrie 1940 și în care a constatat că atât în București, cât și în comunele suburbane, este „plin de țigani": „unii fără nici un rost, alții vânzători de flori, vânzătoare de porumb fiert, femei cu bidinele pe umeri, cerșetori, copii văxuitori de ghete în picioarele goale și murdari; la Băneasa, chiar în fața casei domnului mareșal, un cartier de țigani, într-o stare de murdărie de nedescris, atât ei, cât și locuințele lor"[420]. Iar în 4 aprilie 1941, într-o ședință a Consiliului de Miniștri, a povestit cum îi urmărește cum vin până în Piața Victoriei, „cum merg soldații pe câmpul de luptă, și cu copiii, răspândiți, și când ajung în Piața Victoriei – eu îi văd – unii o iau pe Bulevard, alții pe Calea Victoriei etc. Se despart automat, așa pătrund în București și invadează toate piețele"[421].

„Problema țiganilor" a fost pusă de Ion Antonescu în prima ședință a Consiliului de Cabinet - din 7 februarie 1941 - de după Rebeliunea legionară din 21-23 ianuarie același an, în care a făcut distincție între persoanele „antrenate de valul revoluționar" și cele care au comis „acte reprobabile", precum jafuri și acte de banditism, de la luarea de bani și bunuri personale până la silirea celor atacați în propriile case să semneze diverse cesiuni de proprietate. Cu acel prilej, el a ridicat problema mahalalelor bucureștene, locuite de „oameni fără căpătâi", între care și romi, care trebuiau „scoși"[422]. În viziunea sa, problema, care trebuia „pregătită în cele mai mici amănunte" implica Ministerul de Interne și Primăria București[423]. Rețin atenția descrierea acestor mahalale cu un termen medical, ceea ce conduce la ideea de boală („infectate"), dar și descrierea ca

[420] ANIC, *Fond IGJ*, dosar 126/1942, ff. 4-6.
[421] ed. Marcel-Dumitru Ciucă, Aurelian Teodorescu, Maria Ignat, *Stenogramele ședințelor Consiliului de Miniștri. Guvernarea Ion Antonescu*, București, Arhivele Naționale ale României, vol. III, București, Arhivele Naționale ale României, 1998, p. 94.
[422] ed. Marcel-Dumitru Ciucă, Aurelian Teodorescu, Maria Ignat, *Stenogramele ședințelor Consiliului de Miniștri. Guvernarea Ion Antonescu*, București, Arhivele Naționale ale României, vol. II, p. 181.
[423] *Ibidem*.

„invazie" a romilor și a „elementelor slabe" – într-un limbaj nazist tipic. Cu ocazia Rebeliunii legionare, aceștia ar fi fost la un pas de a destabiliza statul prin jafurile lor: „Din timpuri îndepărtate, de când s-a desființat robia, și mai ales după război a fost o *invazie* a țiganilor și a tuturor *elementelor slabe* de la sate. Tot ce nu era capabil la sate să ducă o muncă grea, a venit la oraș, unde, prin diferite mijloace își câștigă existența, fără ca să muncească. De aceea, în împrejurimile Bucureștiului s-au creat mahalale *infectate* de oameni fără căpătâi, care ați văzut cum au inundat strada zilele trecute, când a fost rebeliune. Au comis jafuri și erau pe punctul să dea Statul peste cap, dacă nu era energie"[424] (s.n.).

Ca atare, Ion Antonescu a propus ca măsuri inițierea de tratative cu proprietarii de terenuri din Bărăgan, care aveau permanent nevoie de „brațe de muncă" și construirea unor sate pentru romi acolo; sau relocarea lor în bălțile Dunării, după ce acestea ar fi fost asanate, pentru a-i ocupa cu pescuitul. Om metodic, Ion Antonescu schița și pașii necesari pentru împlinirea obiectivului – „scoaterea" indezirabililor din București, dar nu numai. În viziunea sa, o astfel de problemă trebuia „pregătită în cele mai mici amănunte". Astfel, romii trebuiau recenzați, ridicați toți deodată, în masă, duși în satele preconizate și păziți cu gardieni, „să nu poată să iasă": „Toți țiganii din București trebuie scoși. Dar înainte de a-i scoate, trebuie să ne gândim unde îi ducem și ce facem cu ei. Soluția ar fi fost să așteptăm până se asanează Bălțile Dunării, ca să facem sate țigănești acolo și să-i ocupăm cu pescuitul. O altă soluție este să intrăm în tratative cu proprietarii mari. În Bărăgan totdeauna a fost lipsă de brațe de muncă. Să construim aceste sate, nu definitiv, dar să facem niște case și barăci, organizație sanitară, comerț, cârciumi, etc. Să facem o statistică a lor și să-i ridicăm odată, în masă, și-i aducem în acele sate. Facem trei-patru sate, de câte 500-600 de familii și instalăm acolo gardieni împrejurul lor, să nu poată să iasă. Ei își trăiesc viața acolo și găsesc de muncă acolo". Problema urma să fie rezolvată în mod similar și în alte orașe, în special din Muntenia, ca Pitești, Ploiești, Târgoviște, unde cu ocazia

---

[424] *Ibidem.*

recensământului trebuia stabilit „ce minoritari au pătruns, țăranii veniți recent și țiganii, ca să putem să-i scoatem"[425].

Pasajele citate reprezintă o ilustrare a concepțiilor lui Ion Antonescu prin două elemente: definirea celor vizați de măsură ca „elemente slabe" (disgenie) și ideea „scoaterii" celor indezirabili, între care și romii. Este de remarcat faptul că mareșalul nu vedea romii între minoritari – aspect foarte corect, din punct de vedere legal la vremea respectivă: până în anii '90 aceștia nu au fost recunoscuți ca minoritate etnică în România; dar este posibil să îi fi văzut și ca o categorie aparte de ceilalți „străini", adică minoritari: o populație familiară, cu atât mai mult cu cât în enumerare face referire la orașul său natal, Pitești, unde probabil cunoștea bine situația. O altă referire, ilustrativă pentru concepția *Conducătorului*, o regăsim în ședința din 17 decembrie 1941 cu Consiliul de Aprovizionare, în care s-a referit la inspecția pe care a făcut-o la Azilul de Noapte, unde a găsit, citām „toți ticăloșii nației", între care și o femeie romă tânără: „Acolo, la «Azilul de noapte», se duc toți ticăloșii nației. Ce facem cu ei? Îi lăsăm să dea acest spectacol pe străzile Bucureștiului? Era acolo și o țigancă într-un hal nemaipomenit, cred că era leproasă. Era o femeie tânără, care ar fi putut să muncească"[426]. Generalul Florescu, primar general al Capitalei, i-a ținut isonul, arătând că a văzut-o și el și a certat-o. După cum reiese din discuție, problema de la Azilul de Noapte ar fi fost una de ordine publică: „Am văzut-o și eu și i-am spus: «Nu ți-e rușine să vii aici, în loc să te duci la muncă, să ții o gospodărie?» Femeile se îmbată cu bărbații și vin noaptea târziu la azil. Dacă nu li se deschide, sparg geamurile"[427]. Florescu adăuga că a discutat cu reprezentanții Ministerului de Interne despre această chestiune, „pe care nu o cunoșteau" și pentru care Ion Antonescu dăduse „semnalul de alarmă". Propunerea sa a fost de a lua 50 dintre acei „ticăloși" spre a-i

---

[425] *Ibidem.*

[426] ed. Marcel-Dumitru Ciucă, Maria Ignat, *Stenogramele ședințelor Consiliului de Miniștri. Guvernarea Ion Antonescu,* București, Arhivele Naționale ale României, vol. V, 2001, p. 543.

[427] *Ibidem.*

întrebuința la muncă, însă mareșalul a fost drastic, indicând ca la stabiliment să fie primiți doar cei care nu au altă soluție și eventual nu pot lucra și arătând că „cei mai mulți sunt bolnavi de diferite boli și plini de păduchi, râie și necurățenie. Și așa se transmite boala în tot orașul"[428]. Soluția lui Ion Antonescu consta în punerea la muncă – cu mențiunea că cei care nu vor, urmează să fie băgați la închisoare („îi țineți noaptea la închisoare și ziua îi întrebuințați la lucru") - și reeducarea în lagăre, pentru „pungașii" de la „Azilul de Noapte". În continuare, el s-a referit și la oamenii „cari ar putea să muncească, dar cari s-au învățat să trăiască din ajutorul public" unii de 20-30 de ani, de la „Pâinea zilnică", unde a arătat că a găsit „multă promiscuitate": „S-au învățat să profite de blândețea și bunătatea românească. Și aceștia sunt bolnavi. Unul este bolnav de sifilis, altul de pelagră; al treilea e bolnav de râie. Fiind mulți la un loc, boala trece de la unul la altul". În cazul acestora, soluția lui Antonescu era trierea de către Poliție și trimiterea la domiciliu, în paralel cu deparazitarea și tratarea celor care ar fi urmat să fie găzduiți acolo și puși la lucru, în schimbul hranei. El a subliniat că „Se dă ajutor numai cui merită să fie ajutat. Nu putem face din această Națiune, o Națiune de cerșetori. Omul care este capabil să presteze o muncă, acela trebuie să o presteze. Nu vrea, nu prestează, n-are dreptul la mâncare. S-a isprăvit"[429]. O „promiscuitate de nedescris" era și la „așa-zisele bombe", localuri de întâlnire pentru „derbedei de tot felul și tot felul de oameni", unde Ion Antonescu a dispus desființarea și internarea proprietarilor bordelurilor respective în lagăre, în termen de o săptămână[430]. Se remarcă în aceste dialoguri faptul că problemele sociale nu sunt expuse în termeni de rasă (mai departe, în ședința respectivă, Antonescu s-a referit la „rasa"... oltenilor, n. n.) și oroarea Mareșalului față de murdărie și promiscuitate. Soluția sa este punerea la muncă a tuturor celor capabili să o facă, cheia gândirii / viziunii sale în aceste cazuri fiind în frazele de final: „Nu vrea, nu prestează, n-are dreptul la mâncare", respectiv „Nu putem

---

[428] *Ibidem.*
[429] *Ibidem*, pp. 543-544.
[430] *Ibidem*, p. 544.

face din această Națiune, o Națiune de cerșetori". Este de remarcat că în mijlocul atâtor persoane i-au atras atenția ca buni de muncă tineri de 20-30 de ani, țăranul în zdrențe și femeia romă care, deși „într-un hal nemaipomenit", posibil bolnavă de lepră, ar fi putut, în opinia sa, să muncească, fiind tânără.

Ordinul mareșalului prin care a dispus deportarea romilor în Transnistria, transmis de Cabinetul Militar al Președinției Consiliului de Miniștri în 22 mai 1942, invoca nu numai „asigurarea ordinei interne", ci și „eliminarea elementelor eterogene și parazitare"[431]. Se pune problema dacă „eliminarea" se referă la simpla îndepărtare sau la eliminarea fizică a romilor vizați. La o primă vedere, am fi tentați ca, în context, să optăm pentru prima variantă, pentru că dispozițiile se referă la operațiunile de transport. Pe de altă parte, există referirea la „elementele eterogene și parazitare", care este în tonul retoricii rasiale naziste a perioadei. „Eterogen", la momentul respectiv, avea un sens puternic legat de rasă, exact ca la naziști, traducând practic elementele din compunere - cuvintele grecești „heteros" – „diferit" și „genos – rasă". Este posibilă deci și a doua variantă, după cum este posibil să se fi intenționat folosirea unei formulări interpretabile. Sunt, de altfel, și alte elemente, care ar indica o astfel de abordare: măsurile au un caracter strict secret - „pentru a se evita sustrageri și agitațiuni de spirite" - și nici organelor de execuție, nici șatrelor nomazilor nu trebuia să li se indice scopul ori destinația finală. Ridicarea celor din București urma să se facă de asemenea în masă și prin surprindere, însă organizat și „cu omenie", ceea ce aduce pe undeva a contradicție de termeni, dar este perfect explicabilă prin dorința de a nu se crea tulburări. Inițial, se cerea studierea variantei transportului pe apă, în șlepuri, pentru romii stabili ce urmau a fi „evacuați" ca periculoși pentru ordinea publică; până la urmă, au ajuns în Transnistria cu trenul, ceea ce nu le-a dat posibilitatea să-și ia cu ei bunurile. Acestea au fost confiscate de Centrele de Românizare. Nici nomazii nu au avut noroc, căruțele cu care au ajuns în Transnistria fiindu-le destul

---

[431] ANIC, *Fond IRJ*, dosar 258/1942, ff. 2-3.

de rapid confiscate prin ordin al guvernatorului Transnistriei, Gheorghe Alexianu. Intenția de a nu scăpa niciunul dintre deportați este evidentă, prin dispozițiile ca transportul romilor „evacuați" ca periculoși să se facă sub pază militară cu jandarmi, iar hrana pentru toată durata transportului să fie îmbarcată la plecaɩe, „spre a se evita pe cât posibil opriri și posibilități de evadare". Foarte probabil, „eliminarea" a fost interpretată în sensul de exterminare de organele subalterne. Suntem în fața a două declarații contradictorii: pe de o parte, mareșalul Ion Antonescu a declarat la proces că măsurile au fost motivate de ordinea publică și că ia asupra sa „totul, mai puțin crima". Pe de alta, generalul Constantin Z. Vasiliu le-a scris, în 1 februarie 1943, polițiștilor din subordine, care avizaseră majoritatea cererilor de readucere, că intenția „conducerii statului" fusese de „ecarisaj polițienesc al orașelor"[432], primul cuvânt conținând în el ideea de moarte și dezumanizarea, „ecarisaj" însemnând „jupuirea animalelor moarte": „Suntem nevoiți să respingem cererile de readucere, aproape în unanimitate, pentru că, dacă ne-am lua după răspunsurile organelor Dvs., ar trebui să-i aducem pe toți înapoi și deci să anulăm intenția de ecarisaj polițienesc al orașelor, așa cum se hotărâse de conducerea statului"[433].

[432] USHMMA, RG-25.004M, reel 34; ASRI, FD, dosar 4010, vol. 59, f. 35-35v, în Viorel Achim, *Documente privind deportarea țiganilor în Transnistria*, vol. II, pp. 103-104.
[433] *Ibidem*.

IV DEPORTAREA ROMILOR ÎN TRANSNISTRIA

IV.1 O problemă cantitativă: recenzarea romilor și numărul de deportați

Ion Antonescu a luat decizia deportării romilor „la Bug", în lagăre de muncă, în primăvara anului 1942, dispunând recenzarea celor vizați în scurt timp[434]. Aproape toate ordinele transmise aveau caracter secret sau strict secret și mențiunea că trebuie acționat în așa fel încât cei vizați să fie luați prin surprindere. Niciunul dintre documentele consultate referitoare la măsură nu este semnat de mareșal – pentru că a dat ordinele verbal - însă există o serie de rezoluții puse de el pe unele dintre acestea, care ne arată că urmărea operațiunea îndeaproape și atitudinea pe care o avea față de cele raportate.

Prin ordinul 33911 din 17 mai 1942, subsecretarul de stat din Ministerul Afacerilor Interne, generalul de divizie Constantin Z. Vasiliu, a cerut prefecturilor din țară recenzarea romilor, pe categorii, tabelele urmând să fie folosite atunci când se vor decide „măsurile ce se vor hotărî contra acestora"[435]: „1. Țigani nomazi: căldărari, lingurari, etc. 2. Țigani stabili, și anume cei care deși nenomazi sunt condamnați recidiviști, sau nu au mijloace de existență sau ocupație precisă din care să trăiască în mod cinstit prin muncă și deci constituie o povară și un pericol pentru ordinea publică. Toți aceștia vor fi înregistrați cu familiile lor adică: soție, soț, copii minori sau majori, dacă trăiesc sub același acoperiș. (...) Fiecare autoritate polițienească va întocmi apoi

---

[434] Recenzarea prealabilă a romilor a fost o metodă folosită și pentru romii din Crimeea, cărora autoritățile germane de ocupație le-au cerut să se înregistreze, la începutul anului 1942. Mulți au reușit să scape ascunzându-se sau mulțumită autorităților locale civile care i-au declarat „tătari din Crimeea". Vezi în acest sens Mikhail Tyaglyy, „Were the Chingené victims of the Holocaust? Nazi Policy toward the Crimmean Roma, 1941-1944", în *Holocaust and Genocide Studies* 23, no. 1 (Spring 2009), p. 35.
[435] ANIC, *Fond IRJ*, dosar 258/1942, f. 6.

câte un tabel nominal în dublu exemplar pe categorii, în care se va specifica: sălașul (numai pentru cei nomazi); numele și prenumele, bărbați, femei, copii; animale; căruțe; ocupație. Aceste tabele vor fi păstrate spre a fi folosite atunci când se vor ordona măsurile ce se vor hotărî contra acestora. Pe data de 10 iunie 1942, se vor primi la Minister două situații numerice, conform modelului anexat, una pentru țiganii nomazi și una pentru cei stabili, care fac obiectul ordinului de față"[436].

Termenul fixat inițial, de recenzare a persoanelor vizate („țigani nomazi – căldărari, lingurari etc.", respectiv, din rândul celor stabili, cei „condamnați recidiviști, care nu au mijloace de existență sau ocupație din care să trăiască în mod cinstit prin muncă și deci constituie o povară și un pericol pentru ordinea publică", împreună cu familiile lor) era de 31 mai 1942. Ulterior însă s-a decis grăbirea operațiunii, noul termen fiind data de 25 mai 1942. Ordinul nu era motivat rasial, ci din rațiuni de siguranță publică. Cu toate acestea, el se referea strict la romi, împotriva cărora se preciza că urmează a se lua „măsuri". Termenul dat organelor polițienești și ale jandarmeriei pentru a efectua acest recensământ era de o singură zi (o misiune imposibilă practic, putem bănui că s-a recurs la situații existente), în primul ordin apărând precizarea că „recensământul se va face după un plan bine stabilit în scopul de a se înlătura posibilitatea ca cei în cauză să se poată sustrage"[437].

Primii deportați au fost romii din categoria I, nomazii, ordinul transmis de mareșalul Ion Antonescu printr-o telegramă cifrată, din vila Predeal, unde se retrăsese, fiind dat în 22 mai 1942 și prevăzând că vor fi „evacuate" în Transnistria „toate șatrele de țigani din întreaga țară"[438], cu specificația că „pentru cealaltă categorie se vor da ordine la timp"[439]. Șeful Cabinetului Militar, colonelul Davidescu, l-a transmis Inspectoratului General al Jandarmeriei cu indicația că nu trebuie să cunoască „scopul final"[440] al dispozițiilor date de mareșal „pentru

---

[436] *Ibidem.*
[437] *Ibidem*, f. 6.
[438] *Ibidem*, ff. 2-3.
[439] *Ibidem.*
[440] *Ibidem*, f. 4.

asigurarea ordinei interne și eliminarea elementelor eterogene și parazitare"[441] nici șatrele și nici jandarmii. Ordinul, cu caracter strict secret și foarte urgent, trebuia să fie transmis în același regim legiunilor și prevedea ca, în cazul particular al Bucureștiului, unde erau mulți romi, „ridicarea țiganilor (...) se va face în masă și prin surprindere, însă organizat și cu omenie"[442]. Dincolo de contradicția aparentă de termeni (ridicarea romilor trebuia să se facă „prin surprindere", dar „cu omenie"), trebuie spus că „omenia" constituie un concept des utilizat de Ion Antonescu în dispozițiile sale, la concurență cu „onoarea" presupusă de educația sa de militar. Astfel, într-un ordin circular privind principiile de bază care trebuie să călăuzească toate treptele ierarhice în exercitarea atribuțiunilor lor, „omenia" se regăsește, alături de „legalitatea integrală", „dreptatea", „exemplul personal și inițiativa", fiecăruia fiindu-i dedicat un capitol separat[443].

La începutul lunii iunie 1942, Inspectoratul General al Jandarmeriei a avut la dispoziție datele recensământului din 25 mai 1942, care cuprindea un număr de 483 de sălașe, cu un număr de 15.679 de „țigani nomazi" (din care 236 de sălașe, cu 6.774 de persoane în mediul rural și respectiv 247 de sălașe, cu 8.905 de persoane în mediul urban) și respectiv 31.438 de „țigani nenomazi aflați pe teritoriul rural și urban al țării", din categoriile specificate în ordinul amintit[444].

---

[441] *Ibidem*, f. 2.
[442] *Ibidem*, f. 3.
[443] Președinția Consiliului de Miniștri, *Pe marginea prăpastiei*, vol. II, București, Editura Scripta, 1992, pp. 101-102. Dacă accepțiunea sa a „omeniei" era mai degrabă legată de aspectul militar, pentru Mihai Antonescu, civil, ea avea sensul comun, cum reiese din pasajul în care, în 8 iulie 1941, referindu-se la măsurile care urmau a se lua împotriva evreilor pentru „purificarea etnică și revizuirea națională", a spus textual că „omenia siropoasă, vaporoasă, filosofică n-are ce căuta aici".
[444] *Ibidem*, ff. 30-32.

Nr. Crt.	Denumirea Legiunei teritorial căreia se află Raport	Bărbați 5.340	Femei 5.619	Copii 11.878	Total 22.837	Vehicole 643	Animale 1.230	Observații
47	Tr. Mare	191						
48	Arad	56	188	303	682	15	24	
49	Bihor	22	53	149	258	11	24	
50	Caraş	5	15	26	63	-	-	
51	Severin	263	6	3	14	-	-	
52	T. Torontal	543	355	570	1.188	46	61	
53	Lăpuşna	285	591	1.246	2.380	37	79	
54	Bălţi	196	176	284	745	3	6	
55	Ismail	43	203	396	795	41	45	
56	Cahul	1	58	114	215	7	13	
57	Chilia	81	1	1	3	1	1	
58	C. Albă	1	83	141	305	8	17	
59	Tighina	-	3	3	7	-	-	
60	Orhei	-	-	-	-	-	-	
61	Soroca	-	-	-	-	-	-	
62	Pref. Pol. Cap.	1.946	-	-	1.946	66	66	
	Total G-ral	8.973	7.351	15.114	31.438	878	1.566	

certifică de noi prezenta situație.-

ŞL. SERVICIULUI JANDARMERIEI

onel

C. Tobescu

Cifrele „recensământului" romilor din 25 mai 1942.
Sursa: Arhivele Naționale ale României,
Fond Inspectorate Regionale de Jandarmi.

Evacuarea romilor nomazi, care s-au deplasat în Transnistria cu căruțele sau pe jos, în caravane monitorizate de jandarmi, timp de câteva săptămâni, a început în 1 iunie 1942 și s-a declarat încheiată în 15 august 1942[445]. Potrivit unui raport din 9 octombrie 1942, când s-a decis suspendarea deportărilor, în Transnistria fuseseră trimişi 11.441 de romi nomazi şi 13.176 din categoria a II-a, stabili, dar consideraţi periculoşi[446]. Diferenţele de cifre au constituit o problemă permanentă, existând neconcordanţe între numărul de romi predaţi de la un inspectorat de jandarmi la altul şi „nepotriviri evidente"[447]. Chiar şi în centralizatorul primului recensământ apăreau sute de romi nomazi care scăpaseră recenzării din diverse motive ori care, dimpotrivă, fuseseră recenzaţi, deşi nu erau din categoriile indicate[448]. În 10 septembrie 1942, când erau în curs pregătirile pentru deportarea romilor „periculoşi", Inspectoratul General al Jandarmeriei le-a comunicat legiunilor din subordine că pot primi de la poliţii persoane peste numărul comunicat anterior, existând locuri disponibile în trenuri[449].

Inspectoratele de jandarmi au primit ordin să controleze permanent persoanele de etnie romă care s-ar fi sustras evacuărilor, din ambele categorii. În 25 iulie 1942, Inspectoratul General al Jandarmeriei a emis un nou ordin telegrafic cifrat, în care le-a cerut legiunilor de jandarmi din subordine să îi transmită prin curier, până în 3 august 1942, centralizate pe inspectorate, tabelele cu romi stabiliţi din categoria a II-a (nenomazi, condamnaţi sau care nu aveau mijloace de existenţă sau ocupaţie precisă), care urmau să fie evacuaţi în Transnistria la o dată ce urma să fie precizată ulterior, alături de detaliile executării operaţiunii[450]. Însă executarea fusese defectuoasă încă de la început - o demonstrează adresa semnată de şeful Jandarmeriei, generalul Constantin Z. Vasiliu, datată 4 august 1942, către mai multe legiuni din subordine: „La ordinul IGJ nr. 38137 telegrafic cifrat, din 25 iulie 1942, Dvs. înaintaţi pe situaţie un număr de... persoane peste numărul total rezultat din recensământul executat la 25 mai 1942.

[445] ANIC, *Fond IGJ*, dosar 130/1942, f. 11.
[446] ANIC, *Fond IGJ*, dosar 126/1942, ff. 204-205.
[447] ANIC, *Fond IRJ*, dosar 258/1942, ff. 83-85.
[448] ANIC, *Fond IRJ*, dosar 259/1942, f. 77 şi 141.
[449] ANIC, *Fond IGJ*, dosar 126/1942, f. 84.
[450] *Ibidem*, f. 3.

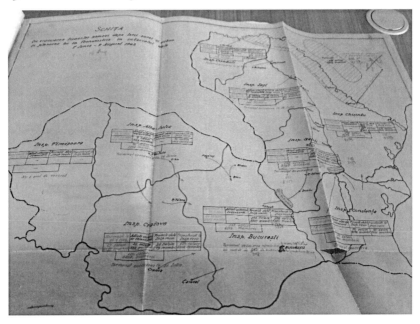

Schița evacuării romilor nomazi din România în Transnistria.
Sursa: Arhivele Naționale ale României,
Fond Inspectorate Regionale de Jandarmi.

Faceți-ne să pricepem cum ați ajuns la acest rezultat, pentru că noi din totalul ce aveați de recenzat am ordonat să alegeți pe cei din anumite categorii precizate în ordinul telegrafic. Ca o consecință, puteați avea cel mult numărul de astăzi, egal cu cel din trecut recenzat și aceasta ca excepțiune puțin probabilă, dar în niciun caz nu puteați avea mai mult"[451]. Vasiliu le-a cerut organelor subalterne să revadă lucrarea și să-i trimită noile cifre prin curier special până la 8 august direct la Inspectoratul General al Jandarmeriei. Unele dintre răspunsurile primite au fost chiar și mai surprinzătoare, ridicând serioase semne de întrebare asupra profesionalismului și chiar atitudinii (rasiste) a celor care le-au întocmit. Între explicațiile date de comandanții legiunilor de jandarmi care raportaseră un număr de romi deportabili mai mare decât cel transmis inițial ca existând în

---

[451] *Ibidem*, f. 5.

judeţe, din categoriile precizate, se numără aceea că „toţi sunt predispuşi a comite oricând infracţiuni"[452] şi că au „socotit că este momentul să scape de aceşti refractari ai ordinei şi siguranţei publice"[453], aşa cum se arăta în răspunsul primit de la Inspectoratul de Jandarmi Vâlcea. Într-un alt caz, în care comandantul Legiunii de Jandarmi Tutova, colonelul Grozan, se referea la datele comunicate de Inspectoratul de Jandarmi Galaţi comandat de colonelul C. Sârbulescu în 30 iulie 1942 (corectate în 2 august cu valori mai mici), acesta recunoştea că s-au transmis situaţii eronate, însă propunea să se ia în consideraţie cifrele iniţiale, motivând că Legiunea avea „interes de a debarasa judeţul de toate elementele indezirabile şi cu înclinaţiuni la crime şi delicte"[454]. Temele rasiste de sorginte nazistă sunt lesne de identificat în aceste atitudini venite chiar din partea celor care trebuiau să pună în practică măsura.

---

[452] *Ibidem*, f. 189.
[453] *Ibidem*.
[454] *Ibidem*, f. 50.

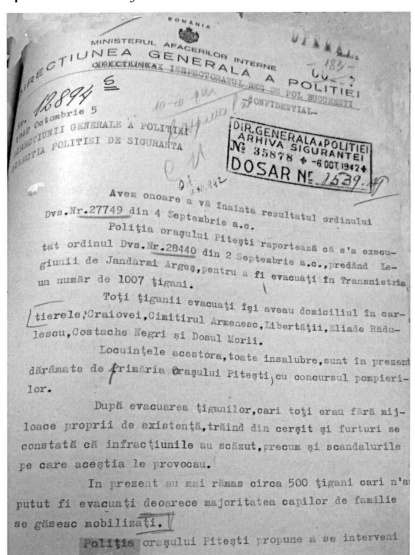

În toamna anului 1942, Poliția orașului Pitești susținea că, după „evacuarea"
romilor în Transnistria, infracțiunile în oraș au scăzut considerabil.
Sursa: Arhivele Naționale ale României,
Fond Inspectoratul General al Jandarmeriei.

Șeful Serviciului Jandarmeriei, colonelul C. Tobescu, și șeful Secției a III-a, colonel N. Diaconescu, au semnat în august 1942 un avertisment către legiunile care nu au întocmit corect lucrările cerute, amenințând cu pedepsirea „comandanții de legiuni care nu sunt atenți și nu urmăresc cu punctualitate ordinele ce se dau și pun în situațiuni grele IGJ față de Minister"[455]. Din document reiese că, în viziunea celor doi oficiali, problema nu consta în rapoarte defectuoase cu implicații asupra destinului unor oameni, ci în felul cum erau ei priviți de conducerea statului. De foarte multe ori, reprezentanții Ministerului Afacerilor Interne au „închis ochii", dacă nu chiar au încurajat starea de lucruri, inclusiv când s-a constatat că organele însărcinate cu bunul mers al operațiunii – jandarmii în mediul rural, polițiștii în cel urban - au comis abuzuri, inclusiv când acestea priveau familiile unor romi aflați sub arme. Ei au transmis în teritoriu dispoziții prin care se încerca remedierea situației doar când primeau ordine în acest sens sau le erau reproșate problemele grave care ajungeau la cunoștința altor centre de putere - membrii Casei Regale, Marele Stat Major al Armatei, Președinția Consiliului de Miniștri ori conducătorii unor culte religioase.

Unele dintre organele însărcinate cu „evacuările" erau chiar foarte zeloase. În 5 septembrie 1942, Prefectura Poliției Capitalei îi raporta generalului Constantin Z. Vasiliu, printr-o adresă confidențială, că alte „lucrări", ordonate în 21 august, nu vor putea fi gata până în 10 septembrie, întrucât „întregul personal al Poliției este ocupat cu executarea operațiunilor de evacuare a evreilor și țiganilor"[456].

---

[455] *Ibidem*, f. 7.
[456] ANIC, *Fond Cabinetul Ministrului de Interne*, dosar 125/1942, f. 54.

OPIE

00,10

- 1 -
00,03

MAJESTATE,

Suntem țigani spoitori,născuți în Orașul Giurgiu,ca și părinți noștri,posedăm propietăți în acest oraș,ne ocupăm cu creșterea vitelor de alăptat și comerțul vitelor cu orașul București,deci facem orice ne îngăduie legile țării,ca să ne putem întreține familia.-

Nu suntem ca alții,nomazi și corturari,ne-am făcut datoria către țară,ca militari activi,unii luptă și mor pe front,alții sunt reangajați în armată.Deci nimic contra bunului mers al ordinei publice.Azi ne vedem să fim expluzați din oraș,și trimiși în Transnistria,fără a fi vinovați de ceva.-

Deaceia,apelăm la bună voința M.Voastre de Regină și Mamă a celor săraci,și rugăm să interveniți a fi lăsați pe loc,să ne găsească aici copilași noștri,când se reîntorc depe front, sau când le vin extractele de decese.-

Rugăm a se da ordine poliției Giurgiu,să ne lase în pace că nu noi trebuie să plecăm ,ci hoții și derbedeii,care fac rău societății.-

Părinții sunt din luptătorii dela 1877,și noi am luat parte la ambele războaie unii din noi.-

Cu stimă
spoitori Șoseaua Ghizdarului Giurgiu

ss.Pascale Muti Mere   ss. Marin Muti

ss. Draghia Muti   ss. Gh.Roua

ss. Mircea Muti   ss. Aurica Preda

ss. Gheorghe Muti   ss. Niculae Ilie

ss. Dumitru Ilie Văduva   ss. Ioșca Ilie

ss. Dumitrul Muti Andrei   ss. Iosif Ilie

ss. Momiș Ioan   ss. Dumitru Tache

ss. Muțucu Mihail   ss. Valea Ion Meniș

ss. Creștina Gh.Rona   ss. Marin Curcă

p.conf.

Petiție romi spoitori Giurgiu către Regina Mamă.
Sursa: Arhivele Naționale ale României, Fond Direcția Generală a Poliției.

Pe de altă parte, au existat și cazuri de bunăvoință sau poate doar de bună credință. Spre exemplu, plutonierul Militaru Nicolae, de la Legiunea de Jandarmi Dolj, a fost destituit din funcția de secretar la Biroul Judiciar și mutat disciplinar în Transnistria, dat fiind că a recenzat sensibil mai puțini romi decât în realitate, trecând în tabele un număr de 828, în loc de 2.055. Într-un raport din 6 august 1942, semnat de comandantul Legiunii de Jandarmi Dolj, locotenent-colonelul Andrei Ionescu, acesta raporta că a sancționat mai mulți șefi de secție și cerea instrucțiuni în privința lui Militaru, a cărui greșeală era, în opinia sa, intenționată[457]. În documentele consultate, nu au fost identificate sancțiunile suplimentare care ar fi fost aplicate. Pe de altă parte, șeful Postului de Jandarmi din Preajba, plutonierul Petre Costea, a fost sancționat cu 10 zile de arest după ce a adus cu întârziere de o zi 4 romi din comună la tren, „după ce convoiul plecase"[458], fiind obligat să îi trimită apoi în Transnistria pe cheltuiala sa. El a raportat însă că romii respectivi sunt fugiți în București, ceea ce era fals, peste 2 săptămâni unul dintre ei, „țiganul Petre Moarte", fiind depistat ascuns într-o casă, cu ocazia încercării de reținere a acestuia, șeful Secției de Jandarmi Siliștea-Vlașca fiind atacat de 50-60 de coetnici[459]. Rezoluția generalului Vasiliu, pusă pe raportul privind faptele, indica agravarea sancțiunilor în cazul jandarmului în cauză, la 20 de zile, mutarea disciplinară, „dacă nu e cazul de eliminare" din sistem[460]. Într-un alt caz, maiorul Ioan Peșchir, comandantul Legiunii de Jandarmi Timiș-Torontal, a făcut o triere personală, constatând că din cei 346 de romi despre care subalternii susțineau că erau de evacuat, doar 78 de persoane se încadrau efectiv în prevederile ordinului[461]. Așa cum reiese procesul-verbal de verificare, din 11 octombrie 1942, care cuprinde motivele pentru care nu a deportat numărul inițial, maiorul a afirmat că a descoperit că „nu toți cei care erau trecuți în tabele pentru evacuare urmează a fi evacuați, fiindcă șefii de posturi, dintr-o

---

[457] *Ibidem*, ff. 81-82.
[458] ANIC, *Fond IGJ*, dosar 130/1942, ff. 34-34v.
[459] *Ibidem*.
[460] *Ibidem*, f. 33.
[461] ANIC, *Fond IGJ*, dosar 126/1942, ff. 221-222.

aversiune față de țigani sau greșită interpretare a ordinului de întocmire a tabelelor, au trecut și pe cei care nu erau în categoria de a fi evacuați"[462] și în plus, dintre cei vizați de deportare, „mai toți aveau unul sau doi copii pe front"[463]. Prin urmare, Legiunea Jandarmi Timiș Torontal „a trecut în lucrări numai țiganii care au la activul lor diferite fapte și urmează să fie evacuați", întrucât așa a interpretat ordinul primit[464], a arătat acesta.

IV.2 O problemă calitativă: motivarea deportării și categoriile celor deportați

Trebuie remarcat că, în ce privește planurile de deportare, instrucțiunile au fost întocmite cu minuțiozitate[465], prevăzând situația fiecăruia dintre romii vizați - nume, dacă au delicte, condamnări, propuneri de trimitere sau nu în Transnistria; pe cap de familie, număr de persoane și sex[466]. A existat o întreagă corespondență a autorităților implicate, cu adrese de revenire în unele cazuri concrete, în care se cereau informații dacă anumiți romi sunt sau nu mobilizabili, rapoarte și adrese. Ordinul privind romii vizați de evacuarea în Transnistria prevedea unde să-i strângă pe cei din Capitală (la școli evreiești), chestiuni legate de transportul CFR, pază, hrană pentru romi, respectiv pentru jandarmi, chestiuni logistice și ce se întâmpla cu bunurile lor - li se permitea plecarea doar cu bagaj de mână, iar proprietățile urmau să

---

[462] *Ibidem*, p. 222.

[463] *Ibidem*.

[464] *Ibidem*.

[465] După luarea deciziei, în conformitate cu ordinul lui Ion Antonescu, Președinția Consiliului de Miniștri a cerut în regim de urgență Ministerului Afacerilor Interne un studiu care să prevadă, în cazul romilor nomazi, „regiunile de strângere, cum se pot organiza convoaiele, itinerariul de urmat, cine îi conduce și îi păzește, punctele pe unde urmează a fi trecuți peste Prut, Nistru și Bug" - ANIC, *Fond IRJ*, dosar 258/1942, f. 14.

[466] În *Raportul final*, capitolul „Rolul lui Ion Antonescu în planificarea și implementarea politicilor antisemite și anti-rome ale statului român" se afirmă că „Ura lui nu era cea a huliganului cu bâta, ci aceea a unui birocrat care dorea să rezolve problema prin lege, într-o manieră sistematică" (p. 257). Citatul este inspirat probabil din aprecierea lui Radu Ioanid – membru în Comisia respectivă „Ura lui nu era cea a plebeului cu bâta în mână, ci aceea a unui birocrat care pretindea să rezolve o problemă în mod fundamental, rațional și nuanțat" (Radu Ioanid, *Holocaustul în România: Distrugerea evreilor și romilor sub regimul Antonescu 1940-1944*, București, Editura Hasefer, 2006, p. 411).

fie preluate de Centrele de Românizare. De asemenea, precizări despre „ce înseamnă familie la țigani", în care se prevedea includerea concubinelor, „dacă sunt copii rezultați", în categoria acelora asupra cărora se extindea „beneficiul excepțiunei prevăzut în ordinul de evacuare" pentru partenerii mobilizați și mobilizabili[467], dispoziții privindu-i pe cei ce urmau să fie reevacuați, prinși după ce fugiseră clandestin din Transnistria etc.

Dispoziția referitoare la prima evacuare, a romilor nomazi, este ilustrativă pentru concepția planului de acțiune. În aceasta apar ca fiind vizate de măsură „elementele eterogene și parazitare" nomade, cu excepția celor cu ocupații folositoare – în mod curios, doar din anumite zone, adică București, Pitești, Ploiești și Buzău. Din dispoziție nu reiese dacă romii nomazi cu ocupații folositoare din alte zone ar fi fost exceptați. Ordinul „strict secret, foarte urgent - Pentru asigurarea ordinei interne și eliminarea elementelor eterogene și parazitare" transmis în 22 mai 1942 de Președinția Cabinetului de Miniștri, Cabinetul Militar, către Ministerul Afacerilor Interne, transmitea dispozițiile mareșalului Ion Antonescu referitoare la romii nomazi, grupați în șatre din toată țara, care urmau a fi „imediat dirijați pe jos și pe drumurile cele mai scurte, prin organele de Jandarmerie spre Transnistria, unde vor fi instalați prin grija guvernământului". Legiunile de jandarmi erau însărcinate cu supravegherea mișcării și raportarea lunară la Cabinetul Militar a stadiului ei. Așa cum am arătat, în cazul romilor din regiunea București, Pitești, Ploiești și Buzău urma să se facă „o clasare și o statistică", pentru ca, după scoaterea din rândul lor a celor exceptați, să se procedeze la realizarea studiilor necesare transportului pe calea ferată până la Dunăre (Oltenița – Giurgiu) a celor rămași, vizați de asemenea de trimiterea în Transnistria. În paralel, Serviciul Special al Marinei urma a studia posibilitățile de transport pe apă pe ruta Giurgiu-Oceacov-Bug și, în funcție de rezultat, să stabilească grupele și data plecării lor. Transportul pe apă (la care s-a renunțat în cele din urmă în favoarea celui cu trenul) ar fi urmat a se va face în șlepuri, sub pază militară cu jandarmi, asigurându-se la plecare hrana pentru toată

---

[467] ANIC, *Fond IGJ*, dosar 43/1943, ff. 203-204.

durata transportului, „spre a se evita pe cât posibil opriri și posibilități de evadare". „Ulterior, în raport cu posibilitățile de transport, se vor degaja toate centrele urbane și apoi toate cele rurale de toți țiganii parazitari, retrograzi și necinstiți, pripășiți și tolerați prin o condamnabilă nepăsare a conducerii treburilor noastre publice de până acum. Toate aceste măsuri au un caracter strict secret, pentru a se evita sustrageri și agitațiuni de spirite. Nici organelor de execuție nici șatrelor nomade nu li se va arăta nici scopul, nici destinația finală. Ridicarea țiganilor din București se va face în masă și prin surprindere, însă organizat și cu omenie. (...) Operațiunea va începe în luna Iunie, pentru a le da posibilitatea de instalare pe timpul verii și de agonisire a mijloacelor de trai pentru iarna viitoare", se arăta în ordin. Acesta mai prevedea și convocarea unei ședințe tehnice de către Ministerul de Interne cu toate organele interesate (Poliție, Jandarmerie, Căi Ferate, sănătate publică, Guvernământ), pentru stabilirea tuturor detaliilor de execuție, în urma căreia mareșalului urma să i se prezinte „planul general al operațiunei". Ordinul, semnat de șeful Cabinetului Militar, colonelul Davidescu, cuprindea și următoarea „Notă. Înainte de a se fi primit răspunsul la acest ordin, Domnul Mareșal a ordonat să i se arate pe hartă stadiul evacuării țiganilor (ord. 6982). Ordinul a plecat prin Biroul 4 și răspunsurile înreg. la No. 7099 și 7241/942 au fost primite și lucrate tot de Biroul 4"[468].

Telegrama cifrată privind „evacuarea" în Transnistria din a doua fază, a celor care săvârșiseră delicte, prevedea deportarea unei părți a romilor recenzați în categoria a II-a („Țigani stabili, și anume acei cari, deși nenomazi, sunt condamnați, recidiviști, sau nu au mijloace de existență sau ocupație precisă din care să trăiască în mod cinstit prin muncă și deci constituie o povară și un pericol pentru ordinea publică", împreună cu familiile lor[469]), iar punerea în practică a ridicat multe probleme. Potrivit documentului, evacuarea în Transnistria a romilor din categoria a II-a recenzați conform Ordinului 34.050, adică nenomazi, urma „să înceapă cu cei condamnați pentru crime și orice fel de delicte, recidiviști, pungașii de buzunare, pungașii din trenuri, bâlciuri, borfașii,

---

[468] ANIC, *Fond IRJ*, dosar 258/1942, ff. 6-6v.
[469] ANIC, *Fond IRJ*, dosar 258/1942, f. 9.

precum și toți aceia pentru care aveți indicii că trăiesc din furt"[470]. Aceștia trebuiau deportați împreună cu familia, făcându-se precizarea că „prin familie se înțelege soția și copiii minori".

Numeroase erori, legate de calitatea celor deportați, au apărut chiar înainte de evacuarea tranșei a doua. Astfel, o notă telefonică din 15 august 1942, adresată inspectoratelor de poliție din întreaga țară, cerea refacerea tabelelor cu romii care urmau să fie deportați în următoarea serie, astfel încât romii mobilizabili să fie scoși din tabelul „cu țiganii condamnați, recidiviști etc." și incluși în cel cu mobilizați[471]. Minuțiozitatea cu care a fost gândit planul nu a împiedicat deportarea abuzivă de către organele Ministerului Afacerilor Interne, atât a familiilor unor romi care luptau pe front, cât și a unora care se aflau în evidențele Armatei. Un zvon lansat, după mai multe surse, chiar de jandarmi (cel mai probabil pentru a nu întâmpina rezistență la deportare) le promitea romilor că-i duc „În Transnistria frumoasă, să vă dăm pământ și casă" (cu varianta „Hai la Bug, să vă dau casă și plug"[472]), autoritățile și chiar și mareșalul Ion Antonescu referindu-se în câteva rânduri la operațiune ca la o „colonizare". Ca atare, la început, romii au fost dornici să plece, înregistrându-se chiar cazuri în care aceștia s-au îmbarcat clandestin în trenurile spre Transnistria, pe fondul zvonului că vor fi împroprietăriți cu pământ. Alții au declarat că merg de bună voie cu diverși membri ai familiei (reali sau nu), au negat că ar avea membri ai familiei pe front (ordinul excludea de la evacuare familiile celor mobilizați sau mobilizabili, înțelegând, așa cum s-a precizat ulterior, în 27 octombrie 1942, prin asta și concubinele), în ideea ca aceștia să îi urmeze ulterior în Transnistria ori chiar au mărturisit delicte pe care nu le comiseseră. Astfel, s-au înregistrat numeroase nereguli în ce privește calitatea persoanelor deportate - mobilizabili, familii ale unor romi care luptau pe front, dar și unele care s-au îmbarcat fraudulos sau la cerere (în special femei, care au amenințat că se sinucid dacă nu sunt lăsate să plece cu

---

[470] ANIC, *Fond IGJ,* dosar 126/1942, f. 3.
[471] ANIC, *Fond DGP,* dosar 188/1942, f. 211.
[472] Vasile Ionescu, Mihai Neacșu, Nora Costache, Adrian-Nicolae Furtună, *O Samudaripen. Holocaustul romilor România. Deportarea romilor în Transnistria. Mărturii – documente,* Centrul Național de Cultură a Romilor, București, 2017, p. 14.

soțul/concubinul, real sau imaginar) sau pur și simplu persoane luate de pe stradă, care nici nu erau de etnie romă.

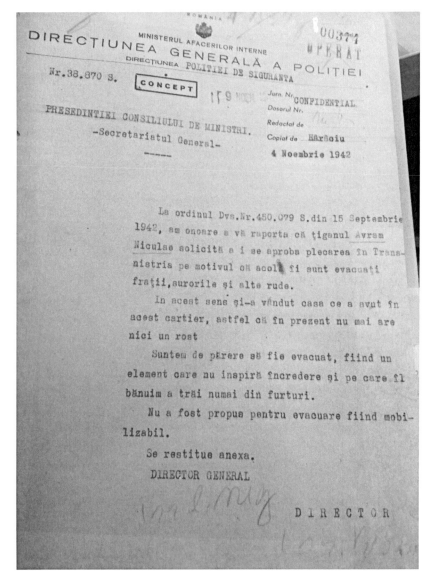

Unii romi au cerut să fie evacuați în Transnistria.
Sursa: Arhivele Naționale ale României, Fond Direcția Generală a Poliției.

Niciunul dintre cele nouă trenuri cu romi stabili deportați nu a sosit la timp. Inspectoratul de Jandarmi Transnistria raporta în 19 septembrie 1942 că încă mai aștepta 3 dintre ele[473] și că „toate trenurile au sosit la Tighina cu întârziere de 1-2 zile", cauzată de faptul că vămuirea și schimbarea banilor românești durau până într-o zi, dar și de faptul că, în cazul trenurilor din Turnu Severin și Galați, s-a așteptat o zi, pentru că s-a dat prioritate celor de pe front[474]. Cel mai ghinionist pare să fi fost comandantul trenului special E8, sublocotenentul Nicolau Gh. Dinu, însărcinat cu evacuarea romilor de pe raza Inspectoratului de Jandarmi Craiova, care s-a văzut confruntat cu o serie de probleme neprevăzute de ordinele și instrucțiunile date[475]. Acesta a întocmit un raport minuțios, referitor la faptul că numărul romilor efectiv ajunși cu trenul său în Transnistria, indicat de jandarmeria de acolo, a fost mai

---

[473] ANIC, *Fond IGJ*, dosar 127/1942, f. 259.

[474] *Ibidem.*

[475] ANIC, *Fond IGJ*, dosar 126/1942, ff. 213-214. Citām selectiv din raportul explicativ al acestuia, adresat conducerii Jandarmeriei: „I. Din cauza unui svon răspândit în regiune și care arăta că sunt împroprietăriți în Transnistria, țiganii s-au sfătuit și au hotărât să plece cu toții, atât cei ce aveau dreptul, cât și ceilalți. Cum era și normal, d-nii comand. de Legiuni s-au opus la acest lucru, executând strict ordinul I.G.J-ului. În această situație țiganii au recurs la alte metode, și anume: a. Declararea și mărturisirea de crime și delicte. Țiganii mărturiseau că sunt autorii unei sau altei infracțiuni nedescoperite, lucru înscenat câteodată etc, numai pentru a-i trece în categoria «evacuabili». b. Înscenarea de căsătorii false. A fost un fenomen foarte curios, care a explicat total prezența țiganilor mobilizabili și nemobilizați în Transnistria. Atunci când se striga familia unui anumit țigan mobilizat după tabelul întocmit de șeful de post, anunțând-o că trebuie să rămână pe loc, femeia începea să plângă și să declare că ea nu e căsătorită cu cel mobilizat și că vrea să-și urmeze părinții. Cum majoritatea țiganilor nu sunt căsătoriți oficial, a fost imposibil legiunilor de a-i opri, căci primarii răspundeau că nu sunt acte oficiale de căsătorie, ci trăiau în concubinaj. Această înscenare era făcută cu rea credință, cu scopul de a atrage în Transnistria și pe cel mobilizat, în cazul că avea un concediu sau era desconcentrat. Faptul acesta mi-a adus multe neajunsuri pe drum, căci mi s-a întâmplat să mi se prezinte prin gări soldați țigani care cereau să-și conducă familia ce se găsea în tren în Transnistria, el făcând cunoștință unității că se găsește acolo. Desigur că nu puteam admite acest lucru, ordinul primit fiind clar, însă mulți se strecurau în vagoane și stăteau ascunși acolo. Pentru cei mobilizabili situația s-a prezentat la fel, însă aici reaua credință era de ambele părți. Țiganul mobilizabil își sfătuia soția să declare că nu e măritată cu el și să plece cu părinții. Posterior, el îi urma cu trenul obișnuit sau venea la mine cerând să-l iau și pe el în vagon. Dacă nu îi admiteam, cum era și firesc, se strecura în vagon și căuta să nu mai fie văzut".

mare (1.960 de oameni) decât cel din tabelele nominale (1.845), iar romii din tabele - mai numeroşi decât numărul inițial transmis Inspectoratului General al Jandarmeriei. Comandantul trenului special E8 recunoştea că au existat cazuri când s-au evacuat şi romi mobilizabili şi chiar invalizi, care vânduseră tot, după ce se zvonise că vor fi evacuaţi fără nicio excepţie, şi care, rămaşi pe loc, ar fi devenit „un pericol social, căci nu mai avea cu ce trăi, afară de cazul când se apuca de furturi şi alte infracţiuni"[476]. Problemele au continuat, drumul durând nu 2, ci 7 zile, „fapt care a făcut imposibil bunul mers al operaţiunii". Potrivit aceleiaşi surse, din 15 septembrie, când romii au terminat hrana, s-au înregistrat mai multe incidente, unii bruscând chiar jandarmii din gardă, dat fiind că, potrivit comandantului trenului, el nu avea de unde să-i aprovizioneze. „Am fost nevoit să întrebuinţez chiar arma personală, fără a lovi însă pe vreunul. (...) Ţiganii au cauzat mari stricăciuni şi vagoanelor atunci când îi încuiau în ele (în gări), fapt constatat şi de dl. col. Ignat. Datorită însă măsurilor ce le-am luat, am ajuns cu toţi ţiganii la Tighina în seara de 19 septembrie. Imediat ne-am prezentat d-lui lt.col. Ignat, raportând cele întâmplate şi ordinul ce-l am, de a preda nominal ţiganii în gara Tighina, luând înapoi semnat câte un tabel care îmborderat trebuia înaintat I.J. Craiova. Domnia sa, din cauză că ţiganii erau foarte periculoşi (au încercat să devasteze la Tighina fabrica de marmeladă), mi-a ordonat că predarea nu se mai face la Tighina, ci se face la staţia de destinaţie, Grigoreşti"[477], relata comandantul trenului E8. În continuare, acesta explica faptul că, deşi primise permisie din 20 septembrie 1942 pentru a-şi da examenele la Bucureşti, a trebuit să se întoarcă la Odessa pentru că locotenentul Presecan, de la Jandarmeria Transnistria, refuzase să dea tabelele referitoare la predarea numerică a romilor din trenul său altei persoane. Între timp, Inspectoratul General al Jandarmeriei le cerea cu insistenţă. Întors la Odessa, a constatat că locotenentul în cauză nu semnase tabelele şi refuza să o facă, „spunând că la Grigoreşti ţiganii nu au fost luaţi decât numeric şi nu putea să semneze".

---

[476] *Ibidem.*
[477] *Ibidem.*

„Numai după ce a venit dl.lt. Popescu Neagoe, care i-a primit acolo și a semnat de primire pentru toți, numai atunci mi-a semnat și tabelele mele, pe care le înaintez cu prezentul raport. Toate aceste fapte m-au pus în imposibilitate să execut ordinul I.G.J.-ului întocmai și să recurg la fel de fel de soluții"[478], arăta sublocotenentul Nicolau Gh. Dinu, precizând că a predat cei 1.845 de romi pe care i-a primit pentru evacuare conform tabelelor, plus încă 115, care s-au „atașat" între timp trenului de care era responsabil.

Aceste aspecte sunt confirmate și de referatul din 25 octombrie 1942 al Inspectoratului General al Jandarmeriei, care raportează situația executării operațiunilor de evacuare a romilor nenomazi, cu 9 trenuri, în Transnistria. Potrivit sursei citate, „din centralizarea acestor tabele depuse la I.G.J. de comandanții trenurilor de evacuare, rezultă că s-au predat în total 12.854 țigani. Inspectoratul Transnistria raportează însă că a primit 13.176, deci cu o diferență în plus de 322 țigani"[479]. Legat de acest aspect, se aprecia că e „normal și posibil" ca numărul celor intrați în Transnistria să fie mai mare decât cel inițial al celor îmbarcați, având în vedere că în urma informațiilor că vor fi împroprietăriți în Transnistria au fost mulți care și-au vândut bunurile și au mers în gări, unde s-a amestecat printre ceilalți, „reușind a se îmbarca, fără a fi trecuți în tabele, înșelând organele de pază", iar „alții au venit cu trenuri obișnuite până la Tighina, profitând de faptul că trenurile au fost oprite pentru control s-au atașat diferitelor grupuri de țigani"[480]. Totodată, unii copii mici nu au fost trecuți în tabele, iar alții au mai fost născuți pe timpul transportului, se menționa în document, care mai arăta că se poate „lua de bună cifra raportată de Inspectoratul Transnistria", adică de 13.176 de persoane, din care 3.187 bărbați, 3.780 femei și 6.209 copii, mai ales că aceasta fusese raportată Ministerului Afacerilor Interne și anterior, în 9 octombrie 1942. În raport se recunoștea că s-au evacuat în plus 679 de persoane față de cei din tabelele transmise anterior, însă se susținea că cei deportați în plus fie i-au înlocuit la cerere pe unii dintre cei trecuți pentru evacuare care

---

[478] *Ibidem.*
[479] *Ibidem*, ff. 208-211.
[480] *Ibidem*, f. 208.

erau dispăruți, „fie că se dovediseră între timp că și aceștia intrau în aceeași categorie, adică nemobilizabili și periculoși ordinii publice"[481].

Amintind că unii din cei deportați au mărturisit unele crime comise anterior numai pentru a putea fi evacuați și anexând raportul comandantului trenului E8, reprezentanții Jandarmeriei susțineau că principala cauză a stării de fapt este „reaua-credință a țiganilor, sprijinită pe lipsa actelor de stare civilă", că „nici nu s-ar putea cerceta în prezent fiecare dintre aceste cazuri de nepotriviri"[482], ei admițând doar „eventuale" greșeli ale organelor din subordine însărcinate cu evacuarea romilor, nu și o eventuală rea-credință. Instituția părea că încearcă să mușamalizeze probleme de aceeași natură ca și în prima fază, care au apărut după ce romii nomazi au fost evacuați în Transnistria, respectiv că numerele nu corespundeau. De această dată, au fost numeroasele petiții primite de autorități, în care romii sau cei din familiile lor se plângeau că au fost evacuați, deși nu intrau în categoriile vizate. Motivația oferită pentru această stare de fapt, cum că „se dovediseră între timp că și aceștia intrau în aceeași categorie, adică nemobilizabili și periculoși ordinii publice" e rizibilă. După sesizarea oficială primită în 20 noiembrie 1942, din partea prefectului din Oceacov, Vasile Gorsky, care semnala că nu s-a făcut nicio triere a romilor deportați[483], însuși mareșalul Ion Antonescu a intervenit, dispunând „să se repare toate abuzurile" și apreciind, în rezoluția pusă pe document, că aceasta „este opera nefastă a Jandarmeriei, care nu a executat cu conștiință" ordinul său. Plecarea voluntară, uneori clandestină, a unor romi care sperau că vor fi împroprietăriți în Transnistria e un fapt, însă din documentele studiate nu rezultă că organele de ordine s-ar fi opus efectiv sau convingător.

---

[481] *Ibidem*, f. 209.
[482] *Ibidem*, f. 210.
[483] ANIC, *Fond IGJ*, dosar 65/1943, f. 77

Reclamații și motivări

La scurt timp după deportarea în Transnistria, atunci când romii au descoperit că nu vor fi împroprietăriți și regimul dur de acolo (în primă fază, adică până la apropierea iernii și izbucnirea epidemiei de tifos exantematic, îndeosebi aprovizionarea a fost deficitară), au început să curgă reclamațiile, intervențiile și cererile de a se întoarce. Autoritățile au fost practic bombardate cu petiții ale romilor sau ale membrilor de familie ai celor deportați. În acestea, se plângeau că au fost evacuați abuziv, pentru că nu intrau în categoriile vizate - ceea ce reiese din multele cereri de verificare a situației unor persoane care afirmau că nu au condamnări, că au mijloace de existență, că au membri ai familiei pe front sau că sunt văduve de război; de asemenea, că ei sau membri de familie au luptat pentru țară. Sunt și plângeri nefondate; însă rapoartele oficiale confirmă faptul că mulți au ajuns în Transnistria fără bază, prin abuz, inclusiv 62 de familii de români și 6 de turci; între plângeri se remarcă și cea potrivit căreia unii dintre deportați au fost „luați de pe stradă", fără bază[484]. Cazuri frecvente de abuzuri, în care familiile unor romi aflați pe front au ajuns în Transnistria, deși erau exceptați de la deportare cei mobilizați și mobilizabili, cu familiile lor, au fost confirmate de rapoartele oficiale.

---

[484] Este și cazul reclamat de Ivan Peciu, din comuna Ciucurova, județul Tulcea, care i-a cerut guvernatorului Transnistriei să-i dea autorizație să meargă la Oceacov pentru a o aduce înapoi în țară pe fiica sa Constanda, care „a fost luată de pe stradă și dusă în Transnistria, cu țiganii din Constanța", arătând că e plugar și că aceasta urma să îi dea ajutor la plugărie și să îngrijească cei 8 copii pe care îi mai are – ANIC, *Fond IGJ*, dosar 59/1942, f. 477.

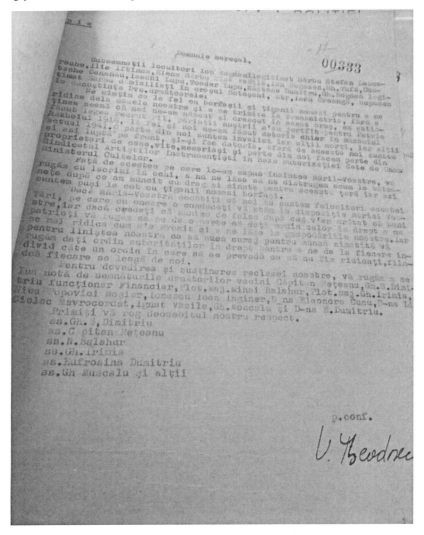

La scurt timp după deportarea romilor stabili, autoritățile au fost
bombardate cu petiții. În facsimil, plângerea unor romi
instrumentiști din Botoșani.
Sursa: Arhivele Naționale ale României,
Fond Direcția Generală a Poliției.

Referatul Jandarmeriei amintit mai sus răspunde punctual, pe baza cercetărilor efectuate, reclamațiilor în legătură cu evacuarea romilor: „1. Că s-au despărțit familiile. 2. Că s-au evacuat familiile celor aflați mobilizați. 3. Că în mod injust au fost unii dintre țigani evacuați ca neintrând în categoria celor periculoși ordinii publice". La primul punct, se afirma că gradele de rudenie „neprecis definite" și neclaritatea sau lipsa actelor de stare civilă au făcut să nu poată stabili exact care sunt părinții adevărați, soțiile legitime ori copiii romilor. La cel de al doilea, că femeile celor mobilizați (în majoritate concubine) au negat că sunt soțiile acestora, cerând să meargă cu alte rude ale lor, pe motiv că nu vor să se despartă de acestea. Ulterior, soții lor s-au prevalat de faptul că au fost mobilizați și au cerut să li se aducă înapoi femeile și copiii. În fine, la punctul trei, se răspundea că unii dintre romii mobilizabili sau mobilizați aflați în concediu și-au îndemnat femeile să nu recunoască că le sunt soții, lăsându-le să le evacueze, pentru ca apoi să plece și ei acolo spre a fi colonizați: „Chiar la I.G.J. s-a prezentat un ostaș dintre aceștia, care la propunerea I.G.J. de a i se aduce înapoi familia a refuzat, spunând că e bine acolo și vrea să meargă și el acolo. Acum, când văd că speranțele puse într-o colonizare prin împroprietărire nu se realizează, toți aceștia reclamă și cer reînapoierea și motivul lor este că au fost mobilizați. Rezultă deci că dacă s-au evacuat și unii țigani mobilizabili ori familii ale celor mobilizați, aceasta nu s-a făcut numai din greșelile eventuale ale organelor de execuție, ci și din reaua credință a țiganilor sprijinită pe lipsa actelor de stare civilă"[485]. Raportul este însoțit de o situație cuprinzând numărul celor predați în plus sau în minus, pe fiecare tren și zonă, precum și de propunerea ca Ministerului Afacerilor Interne să i se înainteze referatul, pentru a lămuri „cauzele care au determinat și determină formularea reclamațiilor". Conducerea Jandarmeriei a cerut să fie informat Ministerul Afacerilor Interne cu privire la executare și cauze, stabilind și că „pentru abaterile constatate – inerente operațiunii – urmează a se lua măsuri disciplinare de la caz la caz, fie prin Inspectoratul General al Jandarmeriei, fie prin organele

---

[485] ANIC, *Fond IGJ*, dosar 126/1943, ff. 208-211.

poliției, după cum neregularitățile au fost comise pe teritoriul rural sau urban"[486].

O problemă majoră pentru Armată

Deportarea romilor a creat o problemă majoră Armatei, timp de mai bine de o lună după deportarea celui de al doilea lot – din categoria romilor stabili - aceasta primind direct sau de la alte centre de putere numeroase reclamații legate de faptul că, contrar ordinelor, fuseseră trimise în Transnistria familiile celor mobilizați, mobilizabili, sau chiar ostași îmbrăcați în efecte militare[487]. Faptul că romii deportați aveau rude pe front a creat o problemă majoră - morală, de imagine, dar și practică Armatei și statului, prin bulversarea produsă.

Soldații romi aflați în astfel de situații ieșeau zilnic la raport, cerând să fie lăsați să meargă după familiile lor în Transnistria, unele corpuri de Armată semnalând cazuri de dezertări – caz amintit într-un raport confidențial al Centrului de Instrucție numărul 5 Sărata către Marele Stat Major[488] sau că măsura evacuării familiilor i-a făcut pe toți romii suspecți"[489]. Pentru că nu dețineau niciun fel de instrucțiuni, ordine, cum să procedeze în asemenea cazuri, iar în unele dintre unitățile respective soldații romi erau numeroși, se avansau și posibile soluții. Sesizată de Marele Stat Major, Președinția Consiliului de Miniștri a cerut explicații, după cum reiese dintr-o adresă din 23 octombrie 1942 pe această temă, semnată de generalul Constantin Z. Vasiliu, comunicată Inspectoratului General al Jandarmeriei, Direcției Generale a Poliției și Prefecturii Poliției Capitalei, în care se arată că deportările abuzive „au produs o justificată perturbare în rândurile ostașilor țigani, care în timp ce își făceau datoria către țară, la posturile de cea mai mare onoare, familiile lor au fost ridicate și evacuate în Transnistria"[490].

---

[486] *Ibidem*, f. 211.
[487] Arhivele Militare Pitești, *Fond Marele Stat Major Secția 1 Organizare Mobilizare*, dosar 2695/1942-1943, ff. 298-298v.
[488] *Ibidem*, f. 279.
[489] *Ibidem*, f. 258.
[490] ANIC, *Fond DGP*, dosar 190/1942, ff. 173-174.

MARELE STAT MAJOR
Secţia I-a
Biroul Control Vatră   Nr.906578 din .30 Septemvrie.1942

F. URGENT

298

N O T A
===============

Marele Stat Major primeşte zilnic rapoarte dela unităţi, care semnalează starea de nemulţumire a ţiganilor, ale căror familii, au fost evacuate la Est de Nistru.

Cerându-se relaţii atât de către Secţia I-a cât şi de către Secţia II-a, Inspectoratul General al Jandarmeriei, cu Nr.41826/1942, raportează următoarele:

1) Toţi ţiganii nomazi fără excepţie, au fost evacuaţi în Transnistria, din ordinul Preşedinţiei Consiliului de Miniştri.

Intre aceştia, au fost foarte puţini mobilizabili, dar nici ei nici familiile lor, nu au putut fi excluşi dela operaţiunea de evacuare, deoarece trăiau cu toţii în sălaşe, de care nu au voit a se desparţi.

In aceiaşi situaţie, s'au găsit şi familiile unora dintre ţiganii nomazi, aflaţi mobilizaţi, familii care au refuzat a se despărţi de sălaş, astfel că au fost evacuaţi cu întreg sălaşul din care făceau parte.

2) Tot în conformitate cu ordinul Preşedinţiei Consiliului de Miniştri, s'a procedat la evacuarea,deocamdată a unui prim lot de ţigani nenomazi (stabili), dintre cei periculoşi ordinei publice şi anume: infractorii, recidiviştii, hoţii de buzunare, hoţii din trenuri, cei fără ocupaţie şi care trăiau numai din furt.

S'a procedat însă la trierea acestora şi toţi cei care erau mobilizaţi sau mobilizabili, nu au fost ridicaţi, după cum nu au fost ridicate nici familiile lor.

+   +

Din rapoartele primite dela unităţi şi din informaţiile primite de Secţia II-a, rezultă însă că, dintre ţiganii nenomazi (stabili) au mai fost evacuaţi şi alte categorii,astfel:

- Luptătorii din războiul 1916 - 1918, unii deveniţi proprietari de pământuri, prin improprietărire sau cumpărare.
- Familiile unor ţigani care se află concentraţi sau mobilizaţi.
- Statul Major al Aerului semnalează că au fost ridicaţi dela locuinţele lor, de organele de poliţie şi închişi spre a fi evacuaţi,chiar ţiganii îmbrăcaţi în efecte militare.

+

Faţă de cele arătate mai sus, Secţia I-a propune:

1) Să se şteargă din controalele unităţilor toţi ţiganii nomazi,care fac parte din elementele armatei, situaţia lor fiind definitiv stabilită.
Cei care eventual s'ar mai găsi concentraţi sau mobilizaţi, să fie imediat liberi, pentru a-şi urma familiile în Transnistria.

2) Ţiganii stabili, care fac parte din elementele armatei, să rămână deocamdată, mai departe la unităţile unde se găsesc mobilizaţi sau concentraţi, unităţile urmând a le explica,pentru care anume ţigani s'au luat măsuri de evacuare şi că familiile lor nu vor fi evacuate.

3) Dacă totuşi, s'au întâmplat cazuri de evacuarea familiilor ţiganilor mobilizaţi sau mobilizabili, unităţile să raporteze dela caz la caz, dând toate datele necesare, pentru a se comunica Ministerului de Interne şi a se lua măsurile necesare.

4) Intrucât suntem informaţi de Inspectoratul General al Jandarmeriei, că se intenţionează a se evacua şi al doilea lot de ţigani,adică şi cei mobilizabili, să se ceară Ministerului de Interne a ne comunica, imediat ce se va lua această măsură, pentru a se da ordine, de ştergerea

· // ·

1 OCT.1942

Marele Stat Major al Armatei a semnalat că unii dintre romi
au fost evacuaţi chiar şi cu efecte militare.
Sursa: Arhivele Militare Piteşti, Fond Marele Stat Major.

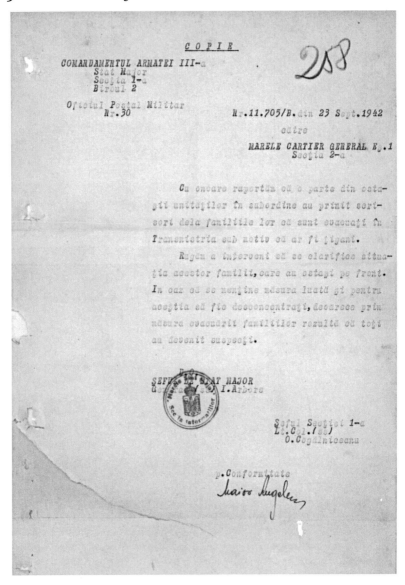

Comandamentul Armatei a III-a a cerut să se clarifice situația romilor și deconcentrarea celor cu familiile deportate, apreciind că măsura „evacuării" îi face și pe ei suspecți.

Sursa: Arhivele Militare Pitești, Fond Marele Stat Major.

Pentru că multe dintre plângeri se dovediseră întemeiate, generalul Vasiliu le-a cerut subalternilor ca până în 2 noiembrie același an să controleze toate tabelele cu romii stabili evacuați, „în scopul de a se constata riguros exact care dintre ei nu erau în cazul să fie trimiși, față de normele precise date de acest departament" și să repare erorile, cu scopul de a „crea atmosfera de liniște necesară acelora care-și fac datoria către Patrie"[491]. Până atunci, reclamanților li s-a permis să meargă în Transnistria, ca să-și aducă înapoi familiile, dându-li-se și foi de drum[492], iar Inspectoratul de Jandarmi Transnistria a primit dispoziția de a înlesni întoarcerea în țară a celor deportați abuziv, sau stabilirea acolo – cei cu rude pe front ar fi urmat să beneficieze de un tratament diferit[493]. În 27 octombrie 1942, Secția I-a a Marelui Stat Major a decis să se șteargă din controalele Armatei toți romii nomazi, iar cei care eventual ar mai fi concentrați sau mobilizați „să fie lăsați liberi, pentru a-și urma familiile în Transnistria"[494], ceea ce a echivalat, practic, cu o rezolvare eugenică a „problemei" romilor nomazi. Cei stabili rămâneau în continuare concentrați, iar unitățile trebuiau să le explice „pentru care anume țigani s-au luat măsuri de evacuare și că familiile lor nu vor fi evacuate". Pentru cazurile în care familiile lor ar fi fost totuși deportate, urma să se intervină prin Ministerul Afacerilor Interne[495].

---

[491] *Ibidem.*

[492] Izbucnirea epidemiei de tifos a sistat rapid această posibilitate.

[493] „Inspectoratul General al Jandarmeriei, apreciind însă că familiile celor cari la data evacuării se găseau mobilizați merită a li se crea o situație excepțională față de restul țiganilor nomazi evacuate, a intervenit (...) ca tuturor acestor familii să li se acorde avantagii materiale, pământ, casă și posibilități de muncă, colonizarea lor făcându-se aparte de celorlalți țigani, prin Guvernământul Transnistria. În acest fel se va aduce o recunoaștere din partea Statului pentru serviciile prestate de unii țigani, pe front" – ANIC, *Fond IGJ*, dosar 130/1942, ff. 1-3.

[494] Arhivele Militare Pitești, *Fond Marele Stat Major Secția 1 Organizare Mobilizare*, dosar 2695/1942-1943, f. 291.

[495] *Ibidem.* Pe larg, în Florinela Giurgea, „Deportarea abuzivă a romilor și Armata", în (ed) Adrian-Nicolae Furtună, *Deportarea în Transnistria a familiilor soldaților romi. Între „greșeli" administrative și imperative biopolitice. Studii de caz și documente de arhivă*, Dykta! Publishing House, București, 2020.

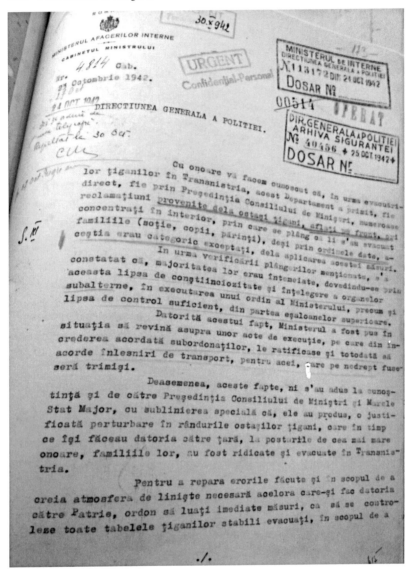

MINISTERUL AFACERILOR INTERNE
CABINETUL MINISTRULUI

URGENT
Confidențial-Personal

Nr. 4814 Cab.
Octombrie 1942.

24 OCT 1942 DIRECȚIUNEA GENERALĂ A POLIȚIEI.

Cu onoare vă facem cunoscut că, în urma evacuări-
lor țiganilor în Transnistria, acest Departament a primit, fie
direct, fie prin Președinția Consiliului de Miniștri, numeroase
reclamațiuni provenite dela ostași țigani, aflați pe front, ai
concentrați în interior, prin care se plâng că li s'au evacuat
familiile (soție, copii, părinți), deși prin ordinele date, a-
ceștia erau categoric exceptați, dela aplicarea acestei măsuri.

In urma verificării plângerilor menționate, s'a
constatat că, majoritatea lor erau întemeiate, dovedindu-se prin
aceasta lipsa de conștiinciozitate și înțelegere a organelor
subalterne, în executarea unui ordin al Ministerului, precum și
lipsa de control suficient, din partea eșaloanelor superioare.

Datorită acestui fapt, Ministerul a fost pus în
situația să revină asupra unor acte de execuție, pe care din în-
crederea acordată subordonaților, le ratificase și totodată să
acorde înlesniri de transport, pentru acei, care pe nedrept fuse-
seră trimiși.

Deasemenea, aceste fapte, ni s'au adus la cunoș-
tință și de către Președinția Consiliului de Miniștri și Marele
Stat Major, cu sublinierea specială că, ele au produs, o justi-
ficată perturbare în rândurile ostașilor țigani, care în timp
ce își făceau datoria către țară, la posturile de cea mai mare
onoare, familiile lor, au fost ridicate și evacuate în Transnis-
tria.

Pentru a repara erorile făcute și în scopul de a
creia atmosfera de liniște necesară acelora care-și fac datoria
către Patrie, ordon să luați imediate măsuri, ca să se contro-
leze toate tabelele țiganilor stabili evacuați, în scopul de a

.⁄.

Confruntată cu numeroase reclamații, conducerea Ministerului de Interne
le-a cerut organelor subalterne, la scurt timp de la deportarea romilor
stabili, verificarea tabelelor.
Sursa: Arhivele Naționale ale României,
Fond Direcția Generală a Poliției.

MARELE STAT MAJOR
Secția I-a
Biroul Control Vatră

Nr.101290 din

291

N O T A
==============

La cererea Marelui Stat Major de a se preciza, ce ordine s'au dat până în prezent, relativ la evacuarea țiganilor, Ministerul Apărării Naționale și Ministerul Afacerilor Interne, comunică următoarele:

1) Au fost evacuați toți țiganii nomazi - fără nicio excepție - depe întreg cuprinsul țării. Se înțelege deci, că au fost evacuați chiar cei mobilizabili, precum și familiile celor ce s'au găsit mobilizați la data evacuării.

2) În al doilea rând, au fost evacuați, o parte din țiganii nenomazi (stabili) și anume cei dovediți a fi periculoși ordinei publice și anume: condamnații pentru crime și delicte, borfașii, hoții de buzunare și din trenuri, cei ce trăiau numai din furt.

Din categoria aceasta însă, nu au fost evacuați decât cei nemobilizabili, deoarece cei mobilizabili, nu au fost evacuați nici ei nici familiile lor, după cum nu au fost evacuate nici familiile celor aflați mobilizați la data când s'a făcut evacuarea.

Dacă totuși, unele din familiile țiganilor aflați pe front, au fost evacuate, aceasta se datorește faptului că acestea nu au voit să-și lase părinții, rudele și au preferat să plece cu ei.

3) Alte categorii de țigani, nu s'au mai evacuat și nici nu se mai evacuiază până la primăvară.

✦

✦   ✦

Față de cele de mai sus, Secția I-a propune:

1) Să se șteargă din controalele unităților toți țiganii nomazi care fac parte din elementele armatei, situația lor fiind definitiv stabilită.

Cei care eventual s'ar mai găsi concentrați sau mobilizați, să fie imediat lăsați liberi, pentru a-și urma familiile în Transnistria.

2) Țiganii stabili, care fac parte din elementele armatei, să rămână mai departe la unitățile unde se găsesc mobilizați sau concentrați, unitățile urmând a le explica, pentru care anume țigani s'au luat măsuri de evacuare și că familiile lor nu vor fi evacuate.

3) Pentru cazurile de evacuarea familiilor țiganilor mobilizați sau mobilizabili, unitățile să raporteze dela caz la caz, dând toate datele necesare, pentru a se comunica Ministerului de Interne și a se lua măsurile necesare.

Rog a aproba.

ȘEFUL SECȚIEI I-a
Colonel,

B. Borcescu

2 7 OCT 1942

Se aprobă

Sesizarea abuzurilor, din Transnistria

Sesizări au existat și din partea organelor responsabile cu situația romilor în Transnistria. Astfel, în 20 noiembrie 1942, o telegramă semnată de prefectul județului Oceacov, locotenent-colonelul Vasile Gorsky, cerea „trimiterea unei comisiuni pentru trierea imediată a țiganilor"[496], acesta argumentând că sunt foarte mulți care nu intră în prevederile ordinului de deportare, „nefiind nomazi și neavând nici cazier; printre ei sunt invalizi, văduve de război, luptători în actualul război decorați cu Virtutea militară, bătrâni, femei și copii cu bărbați pe front, proprietari de imobile, meseriași calificați, negustori cu bune situații materiale de la orașe"[497]. Prefectul din Oceacov mai arăta că e „asaltat zilnic de țigani care cer reîntoarcerea în țară", că din cauza recoltei deficitare hrănirea lor e problematică și nu o poate asigura decât pentru scurt timp, iar „din cauza frigului mor zilnic 10-20" și „au devenit amenințători", jandarmii pe care îi avea la dispoziție fiind insuficienți pentru a asigura paza[498]. Ca urmare a semnalului tras de prefectul din Oceacov, i s-a transmis comandantului Legiunii de Jandarmi din Oceacov, Ioan Florian, ordinul Președinției Consiliului de Miniștri, de a solicita, pentru fiecare caz semnalat, legiunilor de jandarmi din țară, referințe. Ordinul e interesant mai ales prin judecățile de valoare exprimate: „Binevoiți a cerceta în detaliu și raporta, pentru că nu este posibil ca să fie așa. De unde poate ști domnul prefect de Oceacov că s-au evacuat alte persoane decât cele ce trebuia, din moment ce nu se putea acolo constata dacă cei evacuați au fost sau nu condamnați și care erau cazierele acestora. Situația țiganilor evacuați deci nu poate fi stabilită de organele din județul Oceacov, ci de legiunile sau polițiile care i-au evacuat, iar nu din declarațiile țiganilor care nu pot fi valabile. (...) Pe cele spuse de țiganii evacuați nu se poate pune bază, până ce afirmațiunile lor nu sunt verificate prin Legiunile de Jandarmi și Polițiile unde sunt de

---

[496] ANIC, *Fond IGJ*, dosar 65/1943, f. 77.
[497] *Ibidem.*
[498] *Ibidem.*

origină"[499]. Pe telegrama respectivă, mareșalul Ion Antonescu a pus o rezoluție în care învinuia de rea-credință organele Jandarmeriei: „Să se repare toate abuzurile. Domnul General Popescu să ia problema în mână și să raporteze de executare. Este opera nefastă a Jandarmeriei, care nu a executat cu conștiință ordinul meu"[500]. Exasperat în urma primirii unor „calificări, puțin măgulitoare, din partea Președinției Consiliului de Miniștri", unde era interpelat des pe această temă, la rândul său, generalul Vasiliu a identificat – cum altfel – în 1 februarie 1943 vinovatul în organele din subordine, cărora le-a imputat „lipsa de înțelegere sau reaua voință în executarea ordinelor" și „numeroasele greșeli" făcute în legătură cu deportarea romilor[501]. El a constatat nu numai că reclamațiile, numeroase de altfel, continuă, ci și că organele de Poliție le avizează aproape tuturor romilor cererilor de repatriere, moment în care a avut o ieșire nervoasă la adresa acestora. Ca atare, a decis că, deși au aviz, le va respinge, apreciind motivele invocate – că romii au fost deportați din greșeală sau la cerere - drept „vagi și stereotipe". Vasiliu a hotărât să nu dea curs cererilor de repatriere, deși avizate de organele de poliție din subordine, afirmând cu acest prilej, în clar, că a existat o intenție de „ecarisaj polițienesc al orașelor" din partea „conducerii statului": „Reclamațiile continuă și azi, fiind destul de numeroase, iar din răspunsurile primite asupra motivelor evacuărilor ne întrebăm când Polițiile, care își dau avizele, au judecat și și-au dat seama ce au făcut: atunci când i-au ridicat și trimis, ori acum când, cu seninătate și completă absență de înțelesul atributului și obligației ce le impune situația, avizează la reducerea tuturor țiganilor ori evreilor înapoi în țară, pentru vagile și stereotipele motive că trimiterile s-au făcut din greșeală sau la cererea evacuaților. Suntem nevoiți să respingem cererile de reducere, aproape în unanimitate, pentru că, dacă ne-am lua după răspunsurile organelor Dvs., ar trebui să-i aducem pe toți

[499] ANIC, *fond IGJ*, dosar 43/1943, vol. II., f. 74.
[500] *Ibidem.*
[501] USHMMA, RG-25.004M, reel 34; ASRI, FD, dosar 4010, vol. 59, f. 35-35v, în Viorel Achim, *Documente privind deportarea țiganilor în Transnistria*, vol. II, pp. 103-104.

înapoi și deci să anulăm intenția de ecarisaj polițienesc al orașelor, așa cum se hotărâse de conducerea Statului"[502].

IV.3 „În Transnistria frumoasă". Situația romilor deportați

Rapoartele comisiilor de anchetă

În urma numeroaselor sesizări, generalul Vasiliu a dispus constituirea a trei comisii de anchetă, care au fost în Transnistria și au analizat situația a nu mai puțin de 7.298 de persoane care au susținut că au fost deportate abuziv. Concluziile au fost înaintate în decembrie 1942. Dintre aceste persoane, au primit aviz favorabil pentru repatriere numai 1.261, în 5 februarie 1943[503]. În ciuda faptului că se stabilise că au fost evacuate abuziv, acestea au trebuit să aștepte primăvara, pentru că între timp repatrierile din Transnistria fuseseră suspendate, de la finele lunii ianuarie până în primăvara anului 1943, din cauza epidemiei de tifos. Ele s-au reluat abia în luna mai 1943. Este de presupus că o parte dintre aceste persoane nu au supraviețuit până atunci.

Memoriile comisiilor de anchetă au confirmat evacuările abuzive. Citām din cel întocmit de responsabilii din județul Berezovca, datat 21 decembrie 1942: „Din studiul tabelelor de clasare rezultă în general că parte din posturile de jandarmi și poliții din orașe nu au făcut o triere a țiganilor, conform dispozițiunilor din Ordinul Ministerului de Interne nr. 2383 cab. V din 21 iulie 942, ci au ridicat și evacuat pe cine le-a ieșit în cale și a urmărit numai a avea numărul de țigani pe care îl raportase că intră în categoria ordinului sus citat, fără de a controla dacă aceștia sunt aceia care trebuiesc evacuați, căci numai așa se explică numărul așa de mare a celor evacuați prin abuz sau prin neglijență și se impune a se lua severe măsuri contra celor vinovați. Dacă s-ar pune temei pe unele afirmații ale țiganilor evacuați prin abuz, cum că au dat bani alții care trebuiau evacuați și în locul acelora i-a pus pe ei, că din ură personală că nu le-a satisfăcut diferite cereri, fie organelor de poliție, fie organelor de la primărie, fie organelor de la posturile

---

[502] *Ibidem.*
[503] ANIC, *Fond IGJ*, dosar 43/1943, vol. II, ff. 64-65.

de jandarmi etc. au fost evacuați, ar fi cazul chiar de a se face cercetări ample, iar vinovații să fie trimiși la pușcărie, căci nu este permis a se evacua invalizi, soldați aflați în permisie, din cei care au făcut războiul actual și au diploma de recunoștință, copii români etc, etc și mă mir cum aceste categorii nu au fost raportate de Legiunea Oceacov la Inspectoratul Odessa și acesta să fi făcut propuneri de a fi imediat retrimiși în țară, unde după spusele chiar a țiganilor se găsesc o mulțime de borfași, sau fără ocupație și avere și nu au fost evacuați"[504]. Aceeași comisie a reclamat și conduita șefului Postului Covaliovca, sergentul major Dumitru Săpunaru, a cărui atitudine era de totală indiferență față de situația romilor de pe raza postului, având „chiar aerul de a spune că el nu trebuie a se ocupa de acești țigani" - în aprecierea comisiei, respectivul fiind nu numai slab pregătit, ci și leneș și lipsit de disciplină militară. Comisia a confirmat și condițiile de locuit precare puse la dispoziția romilor deportați: zeci de persoane înghesuite în case ale ucrainenilor, de 2-3 camere, fără paturi, care nu primiseră lemne „nici pentru încălzit, nici pentru prepararea hranei", unele degerate. În ce privește hrana, în ciuda rațiilor care ar fi fost dispuse de autorități, nu li se dădea de fapt nimic cu zilele, sub diverse pretexte, unii dintre romi fiind în situația de a muri de foame, iar alții dedându-se la acte penale: „în realitate, însă, nu li se dă zile întregi absolut nimic și chiar în timpul cât am stat în zonă, lor de la Covaliovca și Androtefca nu li s-a dat de către Primăria Covaliovca nimic de mâncare, pe motiv că morile sunt stricate și nu pot măcina etc. (...) Uneori nu li s-a dat nimic câte 4-8 zile și deci de la sine se înțelege că atunci când nu li se dă nici aceste minime cantități de alimente să plece după jafuri, tâlhării și distrugeri, iar cei în neputința de a face astfel de operațiuni, de a muri de foame"[505]. În ce privește asistența socială, aceasta era practic inexistentă, arătau membrii comisiei, care precizau că deja se înregistrează cazuri de tifos exantematic și anticipau că, în condițiile în care o parte dintre romi erau aproape goi, neavând

---

[504] *Ibidem*, ff. 47-50.
[505] *Ibidem*, f. 49.

săpun pentru spălat rufele și neexistând mijloace pentru igienă și deparazitare, atunci „când va izbucni epidemia cu greu va fi stinsă și se va întinde și la populație"[506]. Comisia avertiza că în zonă mor deja zilnic 5-10 persoane „și dacă se va continua cu situația actuală de hrănire, cazare și igienă, până în primăvară când urmează a fi puși la munci nu vor rămâne nici circa 500 capabili de muncă"[507]. În Transnistria, județul Golta, fusese epidemie de tifos exantematic și în iarna anului 1941, iar medicul primar al județului, M. Burnuz, se temea de apariția din nou a epidemiei, așa cum reiese din adresa sa din 10 august 1942 către Direcția Sănătății Odessa, în care prezenta măsurile pe care le-a luat de la numire (iunie 1942), menționând lagărele de evrei, dar și de romi existente[508]. Legiunea de Jandarmi Golta a comunicat înregistrarea unor noi cazuri de tifos la finele lunii noiembrie 1942, într-o notă informativă, avertizând că sunt condiții pentru izbucnirea unei epidemii, mai ales că lipseau medicamentele: „În raionul Vradievca s-au ivit 10 cazuri de tifos exantematic. Bolnavii au fost internați în spital. Tifosul este răspândit de țiganii care umblă din casă în casă după cerșit și furat. În legătură cu acești țigani nu s-a luat nicio măsură de deparazitare și, dacă vor fi lăsați așa, tifosul se va extinde pe întreg județul. Spitalele sunt lipsite de medicamente și nu au cu ce trata pe cei bolnavi de tifos exantematic"[509].

---

[506] *Ibidem.*
[507] *Ibidem.*
[508] USHMMA, RG-31.008M, microfiche 2178/1/430, NA, fond 2178, opis 1, delo 430, ff. 4-5, în Viorel Achim, *Documente privind deportarea țiganilor în Transnistria*, vol. I, pp. 97-100.
[509] USHMMA, RG-31.008M, microfiche 2178/1/430, NA, fond 2178, opis 1, delo 460, f. 17, în Viorel Achim, *Documente privind deportarea țiganilor în Transnistria*, vol. I, pp. 346-347.

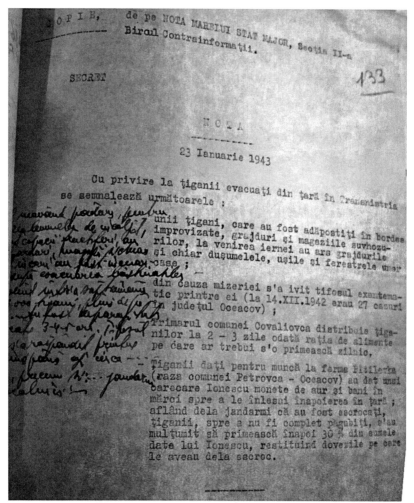

Notă informativă secretă, semnalând condițiile precare din Transnistria
și apariția tifosului exantematic în rândul romilor deportați.
Sursa: Arhivele Nikolaev.

Toate comisiile au raportat plângeri ale romilor privind abuzurile comise, precum și condițiile de hrană și cazare precare - înregistrându-se, într-adevăr, la scurt timp mii de decese, din cauza malnutriției și a bolilor contagioase, mai ales a tifosului exantematic. Comisia de la Alexandrovca, județul Oceakov, a consemnat, între altele, că romii nu primeau ca hrană decât 400 de grame de făină de orz sau porumb - adulții, și 200 de grame - copiii, niciun gram de sare și că nu aveau vase în care să-și prepare hrana, iar hainele și le vânduseră ca să-și poată cumpăra alimente, astfel că erau pe jumătate dezbrăcați, expuși gerului: „Dacă mor, mor de foame și de frig. (...) Toți sunt plini de insecte – n-au linjerie de schimb, n-au săpun"[510]. Medicul adus a constatat că 80% erau bolnavi de bronșită, 20 având pneumonie; din total, 20% erau bolnavi de stomac. „Darea de seamă", întocmită la jumătatea lunii decembrie, semnată de colonelul Lucian Ivașcu, conchidea că „dacă nu se va îmbunătăți starea țiganilor, în curând se vor prăpădi aproape toți. Că din cei 388 morți, numai în ultimile 16 zile au murit 165 de țigani, iar când va veni gerul mortalitatea va fi foarte mare"[511]. Colonelul Ivașcu a decedat la scurt timp după acest raport, din cauza tifosului contractat în timpul anchetei. În 19 decembrie, Comisia din zona Balșoia Carinica, județul Oceacov, a constatat că cei 3.881 de romi veniți această comună sunt cazați în 333 de case, „din care până în prezent au dărâmat 129 case, 1 școală și 119 grajduri, spre a-și lua lemnăria cu care să-și facă focul pentru preparatul hranei. Acest grup a fost adus în localitate de la diferite colhozuri, între 20-25 octombrie 1942. De la această dată și până în prezent au murit de foame peste 150 țigani. (...) Au fost împușcați de către germani 35 de țigani în comuna Steimberg. Nu au în locuințe paturi sau așternuturi și majoritatea sunt aproape goi și unii chiar complet dezbrăcați, fiind acoperiți cu saci sau zdrențe"[512]. Pe de altă parte, comisia consemna că la data raportului romii primeau doar făină – 400 de grame adulții și 200 de grame copiii. Pretura comunei Varvarofca nu le dăduse nimic de mâncare timp de 10 zile, cartofii lipseau de o lună „neavând personal suficient și nici bunăvoință pentru organizarea administrației ce se dă", astfel că romii „vor continua furturile" dacă nu se iau măsuri, se aprecia în

[510] ANIC, *Fond IGJ*, dosar 43/1943, vol. II, ff. 29-31.
[511] *Ibidem*, f. 31.
[512] *Ibidem*, f. 11.

document. În ce privește asistența socială, sectorul Caranica avea repartizate un medic și etuvă, „însă nu posedă personalul, instrumentele și nici medicamentele necesare, așa că țiganii mor mai rău decât animalele și sunt înmormântați fără preot"[513], chiar și câte 8-10 pe zi. Și populația locală era nemulțumită, din cauza romilor care, „neavând hrană și combustibil pentru prepararea mămăligei, se dedau la furtișaguri și distrugeri, de foame, cu toată vigilența patrulelor de jandarmi cari sunt insuficiente pentru paza unei comuni complet deschisă, în care locuiesc 2.500 de țigani, și cari au început să se fure între ei, chiar ziua, atacând cei puternici pe cei mai slabi, fapte constatate în cele 5 zile cât am lucrat în comună"[514]. Comisia respectivă a întocmit și un tabel cu romii, între cei 1.834 pe care propunea să fie repatriați, cu sau fără acte, regăsindu-se și 101 „români evacuați, fiind considerați țigani"[515].

În rapoarte, se consemnează faptul că romii nu au primit lemnărie sau combustibil, astfel că au devastat lemnăria cazărmilor și caselor primite de la ucraineni, pentru a se încălzi și a-și fierbe hrană, restrângându-se treptat în mai puține camere. În general, aceștia au ars tot ce au putut găsi, pentru încălzire: chiar și pomii din livezi și crucile de lemn dintr-un cimitir german[516]. De asemenea, au furat tot ce au găsit de mâncare, inclusiv de pe câmp, un raport menționând că „i-au speriat pe ucraineni cu furturile". Cei prinși la furat erau fie bătuți, „maltratați până la sânge"[517] de paznicii locali angajați de localnicii ucraineni, fie chiar împușcați de jandarmi. Populația locală, inițial docilă, a început să-i urască văzând ce se alege de avutul său; mai mult, imediat ce ucrainenii își lăsau casele

---

[513] *Ibidem*, f. 13.
[514] *Ibidem*.
[515] *Ibidem*, f. 12.
[516] Conform unui document datat 4 decembrie 1942, în care Prefectura județului Oceacov arată că a fost informată în legătură cu *„furtul de către țigani al crucilor și ramelor de lemn din cimitirul soldaților germani din Kaburga"*, că regretă acest sacrilegiu și că a luat măsuri pentru refacerea crucilor care urmau să se pună la loc, cu serviciu religios – USHMMA, RG 31.004M, reel 2; OA, fond 2242, opis 1, delo 1089, f. 262, în Viorel Achim, *Documente privind deportarea țiganilor în Transnistria*, vol. II, pp. 17-18.
[517] Așa cum reiese din raportul Comisiei III pentru investigarea romilor nenomazi evacuați în Transnistria, zona Covalevca – ANIC, *Fond IGJ*, dosar 43/1943, vol. II, ff. 47-50.

nesupravegheate, acestea erau expuse furturilor. Romii „au început să se fure între ei", scrie într-unul din rapoarte, care arată că pe lângă cei care se țineau de furturi în țară, au început să facă astfel de probleme și ceilalți – „și țiganul care în țară era cinstit s-a pus pe furt, căci foamea l-a dus la acest gest rușinos"[518]. Rapoartele informative care consemnează starea de spirit a populației semnalează inclusiv posibilitatea unor „noi nemulțumiri" din partea ucrainenilor, în momentul în care s-a pus problema ca romii să fie restrânși din două județe la unul (Oceacov), iar casele lor să le fie date acestora.

Autoritățile transnistrene și deportarea romilor

În timpul cât au fost deportați, viața romilor a depins de foarte mult de hazard, respectiv dacă exista sau nu bunăvoință din partea autorităților[519]: în timp ce unele făceau eforturi disperate de a le asigura posibilități de a supraviețui, chiar dacă romii nu munceau, altele propuneau pur și simplu împușcarea lor. Spre exemplu, într-un raport înaintat Guvernământului Transnistriei în septembrie 1942, prefectul din Berezovca, Leonid Popp, cerea să se colecteze haine în România pentru romii repartizați în județul său, care „sunt complet goi și în iarnă vor muri ca muștele deoarece au vândut tot ce brumă au avut"[520]. Prefectul delegat din Oceacov, V. Dragomir, relata, în 23 martie 1943, distrugerile făcute de romi asupra caselor unde fuseseră cazați, însă propunea și unele soluții: ca romii să fie trimiși în județe cu păduri, unde puteau să-și procure material lemnos pentru bordeie, regiunea fiind agricolă, iar ei nefiind plugari; ori ca aceia cei care deținuseră pământ și case în România să le poată valorifica, în scopul de a-și face noi gospodării în Transnistria și a se putea apuca de meseria lor obișnuită[521]. Pe de

---

[518] ANIC, *Fond IGJ*, dosar 130/1942, f. 132.
[519] Situația poate fi cel mai bine descrisă prin cuvintele lui Primo Levi, din celebrul poem care însoțește cartea-mărturie *Se questo è un uomo (Mai este oare acesta un om)*, publicată în 1947, ediția în limba română – Iași, Editura Polirom, 2004: „...care moare pentru un da sau pentru un nu".
[520] Arhivele Odessa, 2361-1-591, p. 51.
[521] USHMMA, RG-31.004M, reel 6; OA, fond 2242, opis 1, delo 1912, ff. 147-147v, în Viorel Achim, *Documente privind deportarea țiganilor în Transnistria*, vol. II, Editura Enciclopedică, București, 2004, pp. 157-158.

altă parte, pretorul raionului Varvarovca, Anton Dan, a scris, într-un raport înaintat Prefecturii Golta în aceeași primăvară, datat 13 aprilie 1943, că romii din Balșoia Caranica refuză să muncească, iar satele „forfotesc" de cei care se ocupă doar cu furturi – în special de vite – din comunele învecinate, pe care le taie, și cu cerșitul, fără să se ia măsuri împotriva lor, ceea ce îi încurajează să continue. El arăta că „raionul consumă zeci de vagoane de cereale cu hrana lor, acum când războiul cere atâtea sacrificii" și cerea aprobarea de a le da alimente „doar acelora care înțeleg să muncească, iar cei prinși cu furtul sau vagabondând prin sate să fie împușcați", sub motiv că pot răspândi tifosul sau holera[522]. La Prefectura Golta era prefect Modest Isopescu, cunoscut pentru modul brutal în care abordase „problema evreiască" și care nu s-a dezmințit nici de această dată. Într-o notă către Guvernământul Transnistriei datată octombrie 1942, acesta relata nemulțumirile create în rândul localnicilor, propunând împărțirea romilor deportați în grupe mici, de 20-50 de persoane, pentru a putea fi păziți de jandarmi, astfel că „fiind în minoritate, vor fi obligați să se facă oameni cumsecade, să se apuce de lucru, căci însăși populația îi va și opri de la furturi, nedându-le alt mijloc de existență decât lucrul". În caz contrar, afirma Isopescu, într-un autentic stil retoric nazist, „se vor deda la jafuri și distrugeri, devenind o adevărată plagă pentru județ și populație"[523]. Pe de altă parte, Legiunea de Jandarmi din Golta reclama, într-un raport din martie 1943, „lipsa de interes din partea autorităților pentru îmbunătățirea situației", la capitolul privind starea de spirit a populației notând că „starea de spirit a țiganilor evacuați este foarte agitată din cauza lipsei de alimente, boli, frig, etc. și lipsei de interes din partea autorităților pentru îmbunătățirea situației"[524]. Cu toate acestea, în 23 iunie 1943, Isopescu se plângea într-un raport

[522] *Ibidem*, f. 149, în Viorel Achim, *Documente privind deportarea țiganilor în Transnistria*, vol. II, Editura Enciclopedică, București, 2004, pp. 170-171.
[523] USHMMA, RG-31.008M, microfiche 2178/1/380; NA, fond 2178, opis 1, delo 33, f. 18, în Viorel Achim, *Documente privind deportarea țiganilor în Transnistria*, vol. II, Editura Enciclopedică, București, 2004, pp. 254-255.
[524] Arhivele Nikolaev, 2178-1-57, în Jean Ancel, „Prefață", în Luminița Mihai Cioabă, *Lacrimi rome=Romane asva*, București, Editura Ro Media, 2006, p. 25.

către Direcțiunea Forțelor de Muncă din Guvernământ, arătând că „nu reușim să facem nimic cu țiganii, pentru că, în ciuda faptului că-i hrănim, nu lucrează ci, mai mult, fură"[525]; ulterior, i s-a adresat și guvernatorului provinciei, Gheorghe Alexianu, „întrebând de unde să ia bani să hrănească și țiganii neproductivi, din moment ce nu avea resurse"[526]. La acel moment, potrivit raportului către Direcțiunea Forțelor de Muncă din Guvernământ, în Golta mai existau peste 3.000 de evrei supraviețuitori ai masacrelor și condițiilor din lagăre și 9.117 romi. Pe de altă parte, șeful postului de jandarmi Covaleovca, plutonierul Paul Jilă, raporta în 20 mai 1943 Preturii raionului Landau din Berezovca că fusese cu o zi înainte la Varușino, unde constatase că mălaiul care li se dădea romilor era „imposibil de a fi mâncat, porumbul este numai spart în patru, multe boabe întregi, apoi o imensă cantitate de nisip în acest mălai"[527] doar un sfert putând fi întrebuințat. Acesta arăta că a făcut constatările împreună cu primarul Bondar și că romii merg la muncă, zilnic, „atât cât colhozurile au nevoie", intervenția sa fiind ca hrana să fie comestibilă: „vă rugăm să luați măsuri ca cel puțin alimentele ce se dă țiganilor să nu li se mai dea în bătaie de joc"[528].

---

[525] Arhivele Nikolaev, 2178-1-77, p. III.
[526] Jean Ancel, *Transnistria*, pp. 243-244.
[527] USHMMA, RG-31.008M, microfiche 1594/3/10; NA, fond 1594, opis 3, delo 10, f. 46, în Viorel Achim, *Documente privind deportarea țiganilor în Transnistria*, vol. II, p. 200.
[528] *Ibidem*.

GUVERNĂMÂNTUL CIVIL AL TRANSNISTRIEI
PREFECTURA JUD. GOLTA
SERVICIUL ADMINISTRATIV

către
Guvernământul Transnistriei   Golta 23 Iunie 1943
Dir.Ad-ției și Personalului

O D E S S A

Urmare ordinului Dvs.confidențial No.571/1943 prin care
ne trimiteți nota informativă No.571 referitoare la situația
evreilor și a țiganilor din acest județ,avem onoare a vă raporta:
În județul Golta avem 3025 Jidani și 9117 țigani; Jidanii
sunt utilizați pe meserii și specialități și salarizați conform
deciziei No.1875/1943.Până la această salarizare,evreii erau
hrăniți în conformitate cu ordinul 23 (hrană în valoare de
2 RKKS.pentru specialiști și 1 RKKS.pentru nespecialiști).-
Pentru faptul că practic nu se poate găti mâncare pentru
amândouă categoriile,cu asentimentul lor,li s'a gătit același
fel de mâncare,din care au mâncat și bătrânii,copii,bolnavii și
toți neputincioșii.
Rațiile acestor neputincioși au fost date de Raioanele și
Fermele respective.
Li s'a dat mereu hrană caldă,o baie pe săptămână,var pentru
văruit,etc.
Cu țiganii însă,nu s'a putut ajunge la nici un rezultat
dat fiind faptul că deși li se dă de mâncare nu muncesc și în
plus fură.
Ordinele Guvernământului referitoare la țigani,spun să
fie puși la muncă și să li se dea de mâncare,dar nu spun ce facem
în cazul când ei refuză categoric să iasă la muncă,jandarmii în
număr insuficient nu-i pot scoate; iar ei așteaptă mereu să fie
trimiși în țară.
Raionul Crivoi-Ozero care are singur jumătate din numărul
total de țigani le dă de mâncare regulat,însă randamentul muncii
lor nu acoperă nici 1/10 cheltuielile cu hrana.
Cum își acoperă acest Raion deficitul ce-l face prin hrăni-
rea țiganilor.
Rugăm Guvernământul să ne dea un răspuns în acest senz.
La fel rugăm să ni se ordone cum și cine plătește pe

Prefectura Golta afirmă, într-o adresă către Guvernământul Transnistriei,
că romii „deși li se dă de mâncare, nu muncesc și în plus fură".
Sursa: Arhivele Nikolaev.

Un control făcut la ghetourile și lagărele evreilor și romilor deportați consemnează, cu data de 20 mai 1943, în ce privește „lagărele de țigani" o stare sanitară „înspăimântătoare (murdari, desculți, sdrențuroși)"[529]. Cazarea se făcea în case goale și în grajduri, lagărele neavând pază specială; hrana se asigura prin grija preturilor „în contul muncii viitoare", dar Prefectura Berezovca semnala că aceasta nu se dădea în mod regulat, existând și sincope de 8-10 zile. În ce privește munca, la capitolul „lucrări" se arăta la acel moment „nimic", dar că romii urmau a fi întrebuințați la prășit, secerat, treierat și că mulți se ocupau cu confecționarea de linguri și piepteni[530]. În ce privește mortalitatea, se arăta că au murit circa 3.000, iar în timpul iernii „s-au constatat cazuri când cadavrele celor morți erau ținute în casă pentru a putea primi și rația de hrană a acestora" – era vorba de 400 de grame de mălai, 200 de grame de cartofi, 250 de grame de mălai și 25 de grame de ulei, zilnic[531]. Starea de spirit în rândul romilor deportați era proastă, toți fiind nemulțumiți, „dar mai ales cei cari au fost pe front sau au avut fii foști pe front". Raportul mai consemna că mulți fugeau din lagăr ca să fure alimente din satele învecinate, că lipseau complet săpunul și lemnele pentru încălzire și de asemenea hainele[532] și că toți cereau să fie trimiși pe front. Din propunerile făcute de Pretură reiese că promisa împroprietărire a celor care fuseseră pe front sau aveau membri de familie care luptaseră pentru țară nu se realizase. „Pretura propune să fie constituiți în detașamente de lucru sau trimiși pe front, iar cei foști pe front să fie lăsați a se înapoia în Țară. Să fie evacuați din sate, dându-li-se material pentru bordee, precum și pământ cu obligațiunea de a trăi din munca lor"[533]. Un alt control a avut loc în luna septembrie la ghetourile de evrei, lagărul de la Vapniarca și „lagărele de țigani", despre ultimii raportul notând că „în general însă țiganii sunt răi, nu vor să muncească și singurul țel este să se înapoieze

---

[529] USHMMA, RG-25.002M, rola 16, dosar 205/1943, ff. 433-435, reprodus în Vasile Ionescu, Mihai Neacșu, Nora Costache, Adrian-Nicolae Furtună, *O Samudaripen*, p. 82, 84.
[530] *Ibidem*, p. 82.
[531] *Ibidem*, p. 82, 84.
[532] *Ibidem*, p. 84.
[533] *Ibidem*.

în țară"[534], la Razdelnaia fiind prinși la sfârșitul lunii august 209 de romi fugiți din diverse localități cu acte false, care au fost trimiși în „coloniile lor"; cei vinovați de înlesnirea fugii erau trimiși în judecată. Raportul subinspectorului general de jandarmi Chișinău-Odessa, colonelul Iliescu, susținea că acestea „propriu-zis nu sunt lagăre de țigani", ci colonii, întrucât li s-au dat locuri pentru construirea de locuințe, în afara localităților, fiind „obligați să muncească" în condiții de salarizare similare cu ale localnicilor și, de asemenea, că lagărele erau vizitate de medici evrei[535].

Că totul a depins de bunăvoința autorităților o dovedește cazul a 50 de romi fugiți din cauza mizeriei din comuna Berșad la Ananiev. Într-o notă informativă a Corpului 3 Armată din septembrie 1943 se raportează că cei 50 – „bărbați, femei și copii aduși din țară" – au fugit de la Berșad, unde „sunt puși la muncă, dar nu li se dă nici hrană nici adăpost, fiind siliți să doarmă pe câmp, goi și flămânzi"[536]. Reprezentanții Armatei apreciau că „se impune a se lua măsuri pentru a li se asigura o viață omenească" romilor respectivi, care „cu lacrămi în ochi se rugau să li se dea posibilitatea să trăiască mai omenește în schimbul muncii ce vor depune"[537]. Secția de Jandarmi Berșad confirma, în decembrie 1943, „situația dezastruoasă a țiganilor de pe Bug, în care trăiesc", însă susținea că fuga în masă a romilor (mai rămăseseră sub 100) se datora nu numai condiițiilor grele, ci și faptului că „erau amenințați de către nemții de peste Bug, ce începuseră a se evacua pe teritoriul nostru"[538].

Foamea și frigul

Romii au murit „pe capete" din cauza lipsei mâncării și a frigului. Căruțele nomazilor fuseseră confiscate cu jandarmii, la 29 iulie 1942, prin ordin al guvernatorului Transnistriei, Gheorghe

---

[534] ANIC, *Fond IRJ*, dosar 742, f. 69, 70.

[535] *Ibidem*.

[536] USHMMA, RG 31.004M, reel 6; OA, fond 2242, opis 1, delo 1912, f. 338, în Viorel Achim, *Documente privind deportarea țiganilor în Transnistria*, vol. II, pp. 306-307.

[537] *Ibidem*, p. 307.

[538] USHMMA, RG 31.004M, reel 16; OA, fond 2358, opis 1, delo 672, f. 20, în în Viorel Achim, *Documente privind deportarea țiganilor în Transnistria*, vol. II, p. 402.

Alexianu[539] și date colhozurilor și sovhozurilor, alături de cai. Această măsură nu le lua doar posibilitatea de fugă, dar îi lipsea și de adăpost și de mijloacele de a-și prepara mâncarea. În plus, ajunseseră în scurt timp să umble goi. Cităm dintr-o dare de seamă a unui agent informativ, informații apreciate ca sigure, referitoare la perioada în care romii au stat în cazărmile de la Alexandrudar, „într-o mizerie de nedescris", alimentați cu doar 400 de grame de pâine cei buni de muncă și câte 200 de grame bătrânii și copiii, alături de cartofi și foarte rar și foarte puțin pește sărat: „Din cauza proastei alimentări, unii țigani – și aceasta o formează majoritatea – au slăbit într-atât că au ajuns numai schelete. Zilnic mureau – mai ales în ultimul timp – câte 10-15 țigani. Erau plini de paraziți. Vizita medicală nu li se făcea de loc, iar medicamente nu aveau. Sunt goi, fără haine pe ei, iar rufăria și încălțămintea le lipsește de asemenea completamente. Sunt femei a căror corp (partea inferioară) este gol în adevăratul sens al cuvântului. Săpun nu li s-a dat de când au venit, din care cauză nu s-au spălat nici ei și n-au putut să-și spele nici singura cămașă ce o au. În general situația țiganilor este groaznică și aproape de neînchipuit. Din cauza mizeriei, mulți dintre ei au ajuns niște umbre și aproape sălbateci. Această stare a lor se datorește din cauza relei cazări și alimentări, precum și a frigului"[540]. Aceeași sursă arăta că până la data de 25 noiembrie 1942 decedaseră din cauza condițiilor peste 300 de romi și că au fost găsite cadavre ale romilor, morți de foame și de frig, pe șoseaua Oceacov-Alexandrudar[541]. Raportul avertiza că trebuiau luate măsuri, altfel mortalitatea în rândul deportaților urma să fie și mai mare, odată cu întețirea gerului, și că vor continua problemele cu populația din zonă: „.... încă nu s-a rezolvat problema țigănească din județul Oceacov. Li s-a ameliorat întrucâtva doar situația, fiind expuși mai puțin frigului și au fost deparazitați. Dar dacă nu li se va da și lemne sau alt combustibil, țiganii vor fi în stare să facă din case ceea ce au făcut din cazărmi, niște locuințe nelocuibile. Și

---

[539] Arhivele Odessa, 2358-1c-19, p. 41.
[540] ANIC, *Fond IGJ*, dosar 130/1942, f. 131.
[541] *Ibidem*.

frigul o să-i ducă și la aceasta, fără să se gândească că răul și-l agravează și că pericolul de a muri de frig este mai mare. De asemenea, dacă nu li se va da o alimentație mai omenească, asistență medicală și medicamente, precum și îmbrăcăminte la unii, mortalitatea țiganilor nu o să scadă, dar va crește pe zi ce gerul va crește și el. De asemenea vor intensifica furturile de la ruși". De altfel, starea de spirit a ucrainenilor era „foarte scăzută": „populația băștinașă este foarte revoltată și starea de spirit a acesteia este foarte scăzută prin faptul că au fost evacuați din casele lor în timp de iarnă pentru ca aceste case să fie date pe seama țiganilor pe care nu pot să-i sufere"[542]. O femeie deportată în Covaliovca, Margareta Dodan, văduvă de război de un an și jumătate, i-a cerut, în decembrie 1942, guvernatorului Transnistriei, să îi aprobe repatrierea, împreună cu cei 5 copii, arătând că au venit pe jos 140 de kilometri „nemaiputând suferi frigul și foamea"[543].

În 10 mai 1943, deși trecuse un timp suficient pentru remedierea condițiilor, comandantul legiunii de jandarmi din Golta raporta Inspectoratului General al Jandarmeriei că a verificat informațiile referitoare la situația evreilor și romilor din județ și că și unii și alții munceau, dar nu erau hrăniți: „La evrei nu li se dă hrană de luni de zile. La fel țiganilor și Lagărului Golta, unde sunt în număr de 40 de indivizi. Toți aceștia muncesc și se cere să muncească, căzând de pe picioare din cauza foamei"[544]. Iar în 18 mai 1943, un raport al postului de Jandarmi Covaleovca către Legiunea

---

[542] *Ibidem*, f. 132.

[543] Reproducem integral textul, semnat de aceasta și copii, cu tot cu greșelile de ortografie: „Subsemnata Margareta Dodan cu cinci copii rămasă văduvă de un an și șasă luni mia căzut bărbatul rănit pe front lovit de o schijă de obuz iar noi am rămas fără nici un ajutor și la un moment dat nia adus în Transnistria și ce am avut și noi mai bun am vândut și am rămas muritori de foame și de frig aici în satul Covaliovca jud. Ociacov și am venit D-le guvernator cu rugăminte și cu lacrâmi în ochi ne mai putând suferi frigul și fomia am venit pe jos 140 Khilometri la domnia vostră cu rugăminte de ami da o autorizație să pot pleca în țară cu copii mei la căsuța mia. Vă sărutăm mânile și picioarele D-le guvernator aștept acest răspuns de la măria vostră. D-sale D-lui Guvernator al Transnistrei" - USHMMA, RG-31.004M, reel 6; OA, fond 2242, opis 1, delo 1912, f. 49, în Viorel Achim, *Documente privind deportarea țiganilor în Transnistria*, vol. II, pp. 47-48.

[544] USHMMA, RG-31.008M, microfiche 2176/1/67, NA, fond 2176, opis 1, delo 67, f. 382, în Viorel Achim, *Documente privind deportarea țiganilor în Transnistria*, vol. II, p. 187.

de Jandarmi Berezovka arăta că „țiganii din comunele după [sic!] raza postului sunt în situația de a muri de foame, din cauză că nu primesc alimente de la colhozuri", fiind a 18-a zi în care nu primiseră nimic de mâncare[545]. Aceeași sursă arăta că din cauza foamei unii fugeau înapoi în țară, „chiar cu riscul vieții, de a fi împușcați", dar erau returnați de jandarmi, iar alții în comunele vecine, însă la Trihati „jandarmii acestui post îi împușcă"[546]. Raportul arată și că unii dintre romi „au ajuns să mănânce muguri din pomi fructiferi, ce constituie o nouă pagubă pentru Stat"[547]. În 13 august 1943, Pretura raionului Golta raporta prefecturii că pe raza postului de jandarmi Crimca grupuri de romi fură lemne din pădurea Caterinca, iar pentru a se încălzi au ars acoperișurile caselor, „distrug foarte mult prin furturi produsele agricole" și că provoacă moartea animalelor prin spargerea intestinelor cu obiecte ascuțite, iar după ce proprietarul le îngroapă, dezgroapă cadavrele pentru a le consuma carnea[548]. În aceeași zi, Pretura Liubașevca raporta prefecturii amintite că din cauza furturilor de animale și legume și a spargerilor comise de romi, „locuitorii stau toată noaptea la pândă și un mare procent de locuitori nu i[a]să la muncile câmpului pentru a[-]ș[i] păzi gospodăriile"[549]. În 22 noiembrie 1943, comandantul legiunii de jandarmi din Golta anunța într-un raport secret prefectura județului că au fost internați în lagărul de muncă 406 romi în urmă cu o zi, însă „nu dispun de niciun fel de alimentație", cerând instrucțiuni întrucât „acești țigani sunt expuși a muri de foame"[550]. Serviciul Muncii a

---

[545] USHMMA, RG-31.008M, microfiche 1594/3/10, NA, fond 1549, opis 3, delo 10, f. 47 copie, ms, în Viorel Achim, *Documente privind deportarea țiganilor în Transnistria*, vol. II, p. 197.
[546] *Ibidem*.
[547] *Ibidem*.
[548] USHMMA, RG-31.008M, microfiche 2178/1/369; NA, fond 2178, opis 1, delo 369, ff. 18-18f, în Viorel Achim, *Documente privind deportarea țiganilor în Transnistria*, vol. II, pp. 281-282.
[549] *Ibidem*, f. 20, în Viorel Achim, *Documente privind deportarea țiganilor în Transnistria*, vol. II, p. 283.
[550] USHMMA, RG-31.008M, microfiche 2178/1/369; NA, fond 2178, opis 1, delo 369, f. 95, în Viorel Achim, *Documente privind deportarea țiganilor în Transnistria*, vol. II, p. 379.

răspuns, peste câteva zile, să li se dea de către primărie brânză de vaci, de care avea, ordonând legiunii să intervină, întrucât „țiganii trebuiesc trimiși la muncă, căci altfel îi hrănim pe gratis"[551].

Cu toate problemele create, au fost cazuri în care ucrainenii le-au salvat viața romilor deportați în Transnistria, aducându-le de mâncare clandestin, așa cum rezultă din mărturiile orale strânse de istorici[552].

Condițiile mizere, foamea și moartea transpar din multe documente referitoare la romii deportați, unele dintre ele extrem de dramatice. Astfel, unii dintre ei cereau, în 4 octombrie 1943, să fie trimiși pe front, pentru că vor să lupte, nu să „moară ca niște câini pe malul Bugului"[553]; alții spuneau, potrivit unei informări făcute de un agent al Siguranței, care a fost acolo în noiembrie-decembrie 1942, că preferă să fie mitraliați decât să mai suporte condițiile în care erau deportați, în special foamea[554].

Tifosul

Cel mai mare pericol era reprezentat, în ochii autorităților, de posibilitatea de a se transmite tifosul – de către romii reveniți din Transnistria, clandestin sau cu aprobare, ca și de cei care mergeau direct de pe front să-și caute familiile acolo. Din această cauză, lagărele de represalii, prevăzute pentru romii care ar fi creat probleme, nu s-au mai organizat, autoritățile fiind avertizate că acestea ar fi implicat riscuri în primul rând pentru cei care le-ar fi păzit, ca și pentru populația din jur[555]. Ministerul Sănătății și Ocrotirilor Sociale a avertizat în mai multe rânduri asupra riscului de răspândire a tifosului exantematic de către cei (re)veniți din Transnistria, intervenind și la Președinția Consiliului de Miniștri pentru a-i semnala „situația îngrijorătoare" și a cere măsuri, pentru a nu se mai permite repatrierea niciunui rom până la trecerea perioadei epidemice: „Cum asemenea cazuri ni s-au semnalat și în

---

[551] *Ibidem.*
[552] Lucian Nastasă, Andrea Varga, *op.cit.*, pp. 593-626.
[553] USHMMA, RG-31.004M, reel 6; OA, fond 2242, opis 1, delo 1912, f. 305, în Viorel Achim, *Documente privind deportarea țiganilor în Transnistria*, vol. II, pp. 331-332.
[554] ANI, *Fond IGJ*, dosar 130/1942, vol. I, f. 131.
[555] Vezi în acest sens raportul Inspectoratului de Jandarmi Balta către conducerea Jandarmeriei - ANIC, *Fond IGJ*, dosar 130/1942, vol. II; ff. 211-216.

alte regiuni ale țării și cum toți acești țigani vin din regiuni intens contaminate cu tifos exantematic, aducerea lor în țară constituie un permanent pericol de contaminare, de o gravitate excepțională pentru populația cu care vin în contact. Pentru aceste considerente, am intervenit la Președinția Consiliului de Miniștri pentru a dispune ca până la trecerea actualei perioade epidemice să nu se mai admită repatrierea nici unui țigan. Până la primirea, însă, a unui răspuns la intervenția noastră, avem onoare a vă ruga să binevoiți a dispune fie oprirea repatrierii țiganilor din Transnistria, fie – dacă o asemenea măsură, din diferite motive, este imposibil de luat – ca organele noastre sanitare de pe Nistru să fie încunoștințate de punctul de intrare în țară a lor, pentru a lua măsurile necesare de deparazitare a tuturor țiganilor și eventuala carantinare a celor găsiți bolnavi sau suspecți de tifos exantematic. De asemenea să fie încunoștiințate la vreme și Serviciile Sanitare ale locurilor de sosire ale țiganilor eventual repatriați pentru a se lua la sosire măsurile de control sanitar, deparazitare, dezinfecție și izolare etc."[556]. Pe acest fond, *Conducătorul* a decis suspendarea repatrierilor, care a fost efectivă până în mai 1943. Dar chiar și după, au fost semnalați romi reveniți care aveau tifos: unii au fost internați și astfel izolați de restul populației, cum s-a întâmplat la Sibiu; în Argeș, într-o adresă oficială se afirmă că romii de reevacuat nu pot fi retrimiși în Transnistria, pentru că sunt băgați în carantină. Unele dintre exemple sunt înfiorătoare: astfel, conform raportării autorităților sanitare, în mai 1943, în gara Sibiu au ajuns clandestin 67 de romi, din care 8 cu tifos exantematic și 2 morți deja - ceilalți, fiind contacți, putea de asemenea răspândi boala: „au fost aduși într-o stare groasnică de promiscuitate și toți laolaltă într-un vagon de marfă, având pe lângă cei bolnavi de tifos exantematic și 2 morți cu ei, pe cari i-au debarcat abia în gara Sibiu"[557]. Tifosul a făcut noi victime, în iarna anului 1943/1944, mortalitatea înregistrată în rândul romilor fiind chiar mai mare decât cea a evreilor

---

[556] ANIC, *Fond IGJ*, dosar 130/1942, ff. 145-146.
[557] *Ibidem.*

supraviețuitori ai masacrelor din Golta[558]. În Berezovca, la Trihati și Covaliovca, unde erau circa 7.500 de romi, epidemia a reizbucnit în decembrie 1943, așa cum reiese dintr-un raport al subprefectului Vasile Petrenciu către Direcțiunea Justiție a Administrației Militare în regiunea dintre Nistru și Bug[559] din 10 februarie 1944, înaintat prin Guvernământul Transnistriei[560]. Acesta arăta că media zilnică a celor morți de tifos a fost de peste 200: „Spre mijlocul lunii decembrie a izbucnit epidemia de tifos exantematic, cu care ocazie media morților s-a ridicat zilnic la un număr de cca. 200-250 morți. Aceste cadavre nu puteau fi identificate, din cauză că țiganii le aruncau prin case și grajduri incendiate, prin stufărie sau pe străzi. Pe toate aceste cadavre mișunau păduchi de aproape un deget grosime. Din cauza celor mai sus relatate nu se putea ține nici evidența viilor și nici cea a morților. După încetarea epidemiei a rămas în sat o populație țigănească de cca. 1.800-2.400 suflete"[561].

Supraviețuirea

În 18 decembrie 1942, Guvernământul Transnistriei a transmis reglementări privitoare la așezarea în sate, în grupe de câte 150 până la 300, a romilor între 12 și 60 de ani, „după necesități și posibilități de utilizare în muncă, sub conducerea unuia dintre ei, cu obligațiunea de a presta munca ce li se impune, fiind retribuiți ca și muncitorii localnici"[562]. Cei cu randament superior în muncă ar fi trebuit chiar premiați cu un plus de 30%. Însă în rare cazuri acest lucru s-a întâmplat. Romii ar fi trebuit repartizați în ateliere – cei calificați, potrivit meseriei lor, iar cei necalificați în agricultură, pentru tăiatul și fasonatul lemnelor în păduri și diverse alte

[558] Jean Ancel, *Transnistria*, vol. I, p. 245.

[559] Noua denumire a Transnistriei, în care administrația civilă era înlocuită de cea militară, la începutul anului 1944 – vezi comunicarea Ministerului Afacerilor Interne în acest sens din 17 februarie 1944, care comunică ordinul anterior al Președinției Consiliului de Miniștri – ANIC, *Fond Cabinetul Ministrului de Interne*, dosar 29/1944, f. 11.

[560] Arhivele Odessa, 2361-1-512, p. 151.

[561] *Ibidem*. Același text apare și în Viorel Achim, *Documente privind deportarea țiganilor în Transnistria*, vol. II, p. 437, cu sursa USHMMA, RG-31.004M, reel 19; OA, fond 2361, opis 1, delo 592, f. 152, ca înaintat de Pretura raionului Landau către Prefectura Berezovca în data de 7 februarie 1944.

[562] ANIC, *Fond IGJ*, dosar 130/1942, f. 119.

ocupații mai degrabă tradiționale – „confecționare de obiecte de lemn (lopeți, mături, coșuri de nuiele, coveți, linguri etc.), strângerea pieilor, mațelor și părului, colectarea metalelor neferoase, a fiarelor vechi, maculaturei, zdrențelor și reziduurilor de tot felul, colectarea și curățirea pufului și fulgilor"[563]. Cei care ar fi lipsit de la lucru, ar fi părăsit localitatea unde li se fixase domiciliul sau ar fi plecat fără autorizația pretorului ori a prefectului ar fi urmat să fie internați în „lagăre de represalii". Cu toate acestea, în multe cazuri romii au refuzat să iasă la muncă, solicitând repatrierea. Majoritatea deceselor au fost înregistrate în iarna anului 1942/1943. Dar și după problemele au continuat, hrana lipsind uneori cu săptămânile sau fiind furnizată neregulat, condițiile de locuire și respectiv igienice fiind tot proaste.

---

[563] *Ibidem.*

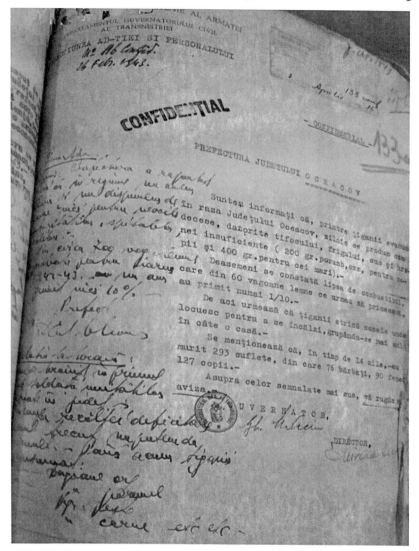

Raport al Prefecturii Oceacov din primăvara anului 1943, semnalând
un număr mare de decese în rândul romilor deportați.
Sursa: Arhivele Nikolaev.

LEGIUNEA DE JANDARMI OCEACOV   188

T A B E L - N O M I N A L

de țiganii din raza acestei Legiuni care sunt valizi pentru muncă.-

Numele și Pronumele	Domiciliul din Țară Comuna-Județul	Domiciliul actual Comuna Județul	Etatea	Punctele de adunare.-
Vasile Tudor	Pitești - Argeș	Oceacov-Oceacov	35	Oceacov
Nicolai Marin	" "	" "	27	"
Dan Gh.	" "	" "	23	"
Socol Ioan	Constanța-Constanța	" "	20	"
Lungu Teodor	Lascuța - Tighina	" "	25	"
Goriță Petre	" "	" "	20	"
Dobrin Anghel	Alexandria-Teleor.	" "	28	"
Florea Tănase	București - Ilfov	" "	23	"
Șerban Alexandru	" "	Cozirca "	21	"
Constantin Alex.	" "	" "	34	"
Popescu Ioan	Băleni - Dâmbovița	" "	20	"
Băesc Gh.	Odobești- Putna	" "	23	"
Nicolai Vasile	București - Ilfov	" "	- 35	"
Zgonea Stan	Zimnicea -Teleorman	" "	21	"
Paraschiv Valeru	București- Ilfov	" "	20	"
Costache Dumitru	Cazaci Dâmbovița	" "	28	"
Stefan Vasile	București - Ilfov	" "	32	"
Marica Gh.Andrei	" "	" "	36	"
Radu Pavel	" "	" "	33	"
Marin Alexei	Cernați-Tighina	Vladimirovca "	20	Vladimirovca
Radu Gh.	Șerban-Vod.Ilfov	" "	20	"
Ioan Ioniță	Cernica - Ilfov	" "	20	"
Mihalcea Ion	Pitești - Argeș	" "	20	"
Ion Anghel	Poenari-Val.Ilfov	" "	30	"
Andrei Dumitru	Cucueți - Ilfov	" "	21	"
Stefan Gh.	Tomași - Ilfov	" "	20	"
Cuțitaru Nicolai	Prundu - "	" "	35	"
Stefan Matei	Alexandria-Teleor.	" "	20	"
Rupa Stefan	Prundu - Ilfov	" "	34	"
Friptu Nicolai	Chișinău-Chișinău	" "	22	"
Radu Ioan	Șerban-Vodă Ilfov	" "	40	"
Tudor Anghel Sandu	Poenari-Vul. "	" "	25	"
Ceoabă Florea	Pitești- Argeș	" "	40	"
Costache Dumitru	" "	" "	20	"
Furdu Gh.	Gusterița-Sibiu	" "	20	"
Firică Marin	Pitești - Argeș	" "	20	"
Budiciuc Onofrei	Picinuș-Storojineț	Cosco "	38	"
Stelică Mihalache	Schelca-Mehedinți	" "	40	"
Pentelică Rafailă	Tâmna "	" "	40	"
Costică Petre	București- Ilfov	" "	40	"
Barbu Gh.	Schela- Mehedinți	" "	40	"
Alexandru Mihail	Tâmna "	" "	40	"
Bucinică Tache	Bogdățiță-Tutova	" "	40	Varvarovca
Marcu Ioan	" "	" "	33	"
Iancu Stefan	Voinești-Mehedinți	" "	40	"
Ciuran Gh.	Bogdanița - Tutova	" "	40	"
Victor Vasile	Tâmna - Mehedinți	" "	40	"
Bârlădeanu Nicolai	Bârlad - Tutova	" "	30	"
Lupu Teodor	Doamna Eliseveta-Roman	" "	22	"
Anghelici Ioan	Sulița Botoșani	" "	20	"
Bănică Chirchin	Palozu Mare-Constanța	" "	20	"
Cotev Vasile	Craiova- Dolj	" "	20	"

..//..

Tabel cu romii apți de muncă din lagărul Oceacov.
Sursa: Arhivele Odessa.

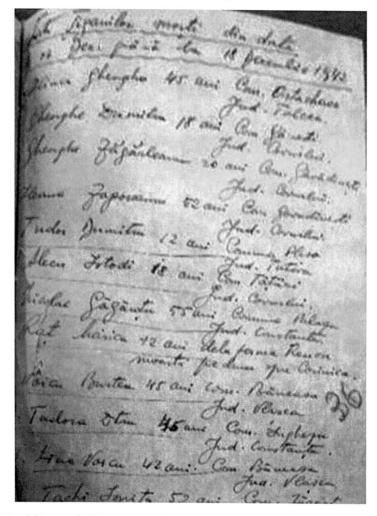

Unul dintre tabelele cu romii decedați în Transnistria - decembrie 1942.
Sursa: Arhivele Nikolaev.

La un an de la deportare, romii erau în continuare goi și desculți, fără a avea asigurate condiții de locuit și încălzire și furând, de foame, din satele din jur, uneori neputând fi opriți de jandarmi decât cu focuri de armă, după cum relatează șeful secției de la Crivoi-Ozero, care le cerea superiorilor instrucțiuni: „Chiar și în noaptea de 24/25 sept(embrie) 1943 au plecat din lagăr peste 100 de țigani și s-au înapoiat dimineața, însă numai parte dintre ei, cu sacii plini de porumb și fructe de furat. Față de cele de mai sus, cu onoare vă rog să binevoiți a înainta prezentul raport la Legiune, cu rugămintea a dispune măsuri, deoarece în tot momentul se dă ocazie – de către țigani – ca jandarmii să întrebuințeze arma, căci altfel nu pot fi stăpâniți. Toți țiganii s-au adunat în jurul meu și mi-au declarat că nu se ia nici o măsură, vor pleca din lagăr, cu riscul de a fi împușcați, căci nu mai pot suporta foamea ce sunt sortiți să îndure"[564]. În preajma venirii următoarei ierni în Transnistria, adică în septembrie 1943, Ferma Suha Balca s-a adresat Prefecturii județului Berezovca, cerând să intervină pentru a se asigura materiale pentru bordeie în pământ unde să poată sta romii și avertizând că, în caz contrar, „va intra din nou tifosul în Fermă, sau țiganii vor muri de frig și de tifos"[565]. Cu aceeași cerere se adresase Guvernatorului Transnistriei și Stan Ioan zis Natale, primarul romilor de la ferma amintită, care i-a scris lui Gheorghe Alexianu în 16 septembrie 1943 că cei 499 de romi originari din comuna Țăndărei care muncesc acolo deja nu mai pot sta în colibe din cauza frigului: „Vă rugăm, Domnule Guvernator, să binevoiți a dispune ca să se caute un mijloc de a ne îmbrăca, cât de puțin, și să ni se asigure o cazare omenească pentru iarnă"[566]. Cererea romilor de la fermă a fost rezolvată favorabil, dar abia după circa o lună: la 21 octombrie 1943 le-au fost trimise romilor care munceau la Suha-Balca două vagoane de scânduri nefasonate, pentru construirea unor colibe în care să se adăpostească iarna. La începutul lunii octombrie 1943, Guvernământul Transnistriei a anunțat distribuirea de bocanci și opinci pentru romii muncitori și apoi și flanele. Perechile de încălțările și îmbrăcămintea erau puține, față de cât ar fi fost nevoie, și contra cost; până la urmă, cele mai multe

---

[564] USHMMA, RG-31.008, microfiche 2178/1/369; NA, fond 2178, opis 1, delo 369, ff. 49-49v, în Viorel Achim, *Documente privind deportarea țiganilor în Transnistria*, vol. II, p. 320.
[565] USHMMA, RG-31.004M, reel 19; OA, fond 2361, opis 1, delo 591, f. 52, în Viorel Achim, *Mărturii privind deportarea țiganilor în Transnistria*, vol. II, p. 316.
[566] USHMMA, RG-31.004M, reel 19; OA, fond 2361, opis 1, delo 591, f. 107, în Viorel Achim, *Documente privind deportarea țiganilor în Transnistria*, vol. II, p. 315.

dintre autorități au decis să le distribuie gratuit sau „în contul muncii viitoare"[567]. Acestea sunt cazuri fericite. În alte documente, autoritățile transnistrene se declarau nemulțumite de impresia că romii așteaptă „să le asigure statul în permanență hrana", fără să muncească, chiar și generalul Vasiliu notând într-o rezoluție din 9 iunie 1944, pe un raport care semnala că romii reveniți din Transnistria nu munceau la moșiile unde fuseseră repartizați că „Cine vrea să muncească, va trăi; cine nu, să fi rămas în Transnistria, unde îi ținea administrația"[568].

În câteva cazuri, romii au creat probleme majore. Astfel, în 4 august 1943, Guvernământul Transnistriei comunica Subinspectoratului General de Jandarmi Odessa că în urma rapoartelor primite, a aprobat două măsuri: „sporirea pazei jandarmilor în satele cu coloniști, pentru a opri devastarea bordeielor construite și celor care se vor mai construi sau a caselor în care locuiesc" și „aspre pedepse pentru cei recalcitranți și recidiviști"[569]. În regiune se petreceau adevărate acte de banditism. Astfel, în 7 august 1943, Pretura raionului Crivoi Oziero raporta Prefecturii Golta că în raion s-au ivit în ultimele săptămâni „mai multe bande de tâlhari, care operează în diferite comune" și că pentru asigurarea ordinii a apelat la Sectorul de jandarmi și Batalionul 3/40 Infanterie din garnizoana locală[570]. Pretorul arăta că în comuna Mazurova a și fost capturată „o bandă de tâlhari formată din țigani" nomazi de la Crasnenchi, care a fost predată jandarmilor, cerând totodată să li se dea funcționarilor preturii pistoale, întrucât aceștia făceau deplasări dese și mai ales noaptea se expuneau unor atacuri „chiar numai cu ciomagul, fără ca ei să aibă cea mai mică posibilitate de apărare împotriva tâlharilor"[571]. De asemenea, din documente

[567] USHMMA, RG-31.008M, microfiche 2178/1/369; NA, fond 2178, opis 1, delo 369, f. 52, în Viorel Achim, *Documente privind deportarea țiganilor în Transnistria*, vol. II, pp. 332-333.
[568] ANIC, *Fond IGJ*, dosar 86/1944, f. 95.
[569] USHMMA, RG-31.004M, reel 6; OA, fond 2242, opis 1, delo 1912, f. 253, în Viorel Achim, *Documente privind deportarea țiganilor în Transnistria*, vol. II, pp. 272-273.
[570] *Ibidem*, p. 273.
[571] *Ibidem*.

188 *Florinela Giurgea*

reiese că la Ocolul Silvic Sluserovo (județul Golta), cei 1.756 de romi trimiși să lucreze la pădurea Savrani și-au însușit uneltele și au furat lemn din pădure, astfel că, în loc să lucreze pentru ocol, au confecționat pe cont propriu diverse obiecte pe care le-au vândut localnicilor și de asemenea lemn de foc. Șeful Ocolului Silvic amintit a cerut Prefecturii Golta, în 17 decembrie 1943, să ia măsuri urgente contra „taberei" acestora, întrucât romii nu numai că distrugeau materialul lemnos, dar și îi amenințau cu moartea pe lucrătorii silvici, care „refuză să se ducă în pădure, fiindu-le teamă de a fi desbrăcați și mutilați de țigani"[572]. Pe de altă parte, aflăm, aceștia au atacat în 12 decembrie 1943 și călătorii care au trecut pe drum de la satul Mihalcovo la Sliusarevo, „și acesta nu e singurul caz"[573]. În 13 august 1943, ca răspuns la un ordin telefonic primit de la Prefectura Golta în urmă cu 2 zile referitor la „furturile săvârșite de țigani", Pretura raionului Liubașevca raporta 125 de furturi, mai ales de porci, păsări și din grădini, 580 de spargeri și peste 150 de tentative, precum și atacarea șefului de post din Bobric, în noaptea de 2/3 august, când „s-a produs o reviliune (rebeliune?) a țiganilor"[574]. „Crime nu au fost, afară de cazurile când locuitorii prindeau pe țigani asupra furturilor și le-au produs diferite leziuni și răni cu sape și coase", se mai arată în raportul pretorului[575].

Deportările au continuat și în anii următori, sporadic[576]. Dat fiind că fuga din Transnistria a devenit în scurt timp fenomen de masă, persoanele care au fost prinse au fost reevacuate, sub escortă,

---

[572] USHMMA, RG-31.008M, microfiche 2178/1/369; NA, fond 2178, opis 1, delo 369, f. 127-127v, în Viorel Achim, *Documente privind deportarea țiganilor în Transnistria*, vol. II, pp. 405-406.
[573] *Ibidem.*
[574] *Ibidem*, f. 20, în Viorel Achim, *Documente privind deportarea țiganilor în Transnistria*, vol. II, pp. 282-283.
[575] *Ibidem.*
[576] În unele cazuri, era vorba de un număr însemnat de persoane, de peste 100 pe transport, cum ar fi, exemplu, „evacuarea" a „trei vagoane încărcate cu țigani", care au fost expediate de Legiunea de Jandarmi Argeș și au sosit în gara Tighina în 16 decembrie 1943 fără documente, motiv pentru care s-au întocmit un proces-verbal și un buletin de mărfuri, pentru a putea fi expediați la Trihati – USHMMA, RG-25.004M, reel 66; ASRI, FD, dosar 18844, vol. 4, f. 632, în Viorel Achim, *Documente privind deportarea țiganilor în Transnistria*, vol. II, pp. 404-405.

până în martie 1944, când pe fondul părăsirii Transnistriei de către administrația română, Inspectoratul General al Jandarmeriei a comunicat Direcțiunii Generale a Poliției că „situația actuală nu mai permite a se retrimite în Transnistria țiganii veniți clandestini în țară" și ca atare aceștia vor rămâne acolo unde se găsesc[577]. În documentele oficiale apar sute de cazuri de romi care au fugit din Transnistria, la scurt timp după deportare, cu orice risc, ducând vești în țară despre condițiile de acolo; unii dintre ei, prin fraudă, cele mai relevante fiind cele ale unei femei rome care a revenit în țară de la Bug pe baza autorizației unei alteia, decedate între timp; plus 800 de persoane (!) pe o autorizație falsificată. Administrația din Oceacov a raportat mai multe cazuri de persoane care „s-au lăsat mituite sau le-au permis țiganilor să fugă, ca să nu moară de foame; unii s-au repatriat cu complicitatea șefului de gară"[578]. S-au luat măsuri sancționatorii, șeful de gară Vasile Andronache, complice contra cost la îmbarcarea clandestină a unor romi spre România a fost arestat și trimis în fața Curții Marțiale din Tiraspol[579].

---

[577] ANIC, *Fond DGP*, dosar 87/1943, f. 289.
[578] ANIC, *Fond IGJ*, dosar 130/1942, f. 238.
[579] *Ibidem.*

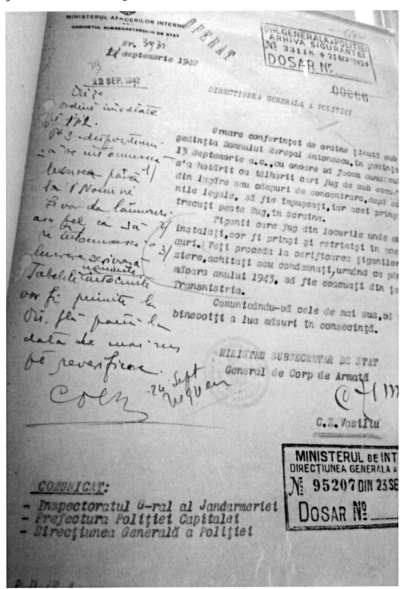

Evacuările de romi au continuat și după suspendarea deportărilor,
fiind inclusiv reevacuați.
Sursa: Arhivele Naționale ale României,
Fond Direcția Generală a Poliției.

Există cel puțin două cazuri de încercare de sinucidere, a două femei - ambele se reevacuau: prima s-a aruncat în fața trenului și nu a supraviețuit[580], iar a doua „și-a tăiat beregata", fiind internată în spital[581]. De asemenea, mărturii orale despre cazuri de canibalism, legenda privind „bărcile de carton" (probabil o proiecție a scufundării vasului Struma, cu evrei din România, care încercau să plece în Palestina[582]), aruncarea copiilor și a femeilor în apa Bugului, unde s-ar fi înecat[583]. Există tabuuri legate de rușine, în privința rememorării faptelor[584]. Surse orale vorbesc despre violarea femeilor rome deportate; de asemenea, atât surse orale, cât și mărturii scrise precum cea a lui Ion Cioabă fac referire la jefuirea „evacuaților romi" și mituirea jandarmilor, sintetizată astfel de unul dintre aceștia: „cine a avut bani, a trăit, cine nu, a murit"[585]. Romii au sperat tot timpul că se vor întoarce, deși în numeroase documente autoritățile insistau pe ideea că situația nu e de provizorat, iar deportarea lor în Transnistria e definitivă. În 13 martie 1944 Președinția Consiliului de Miniștri a transmis administrației militare din Odessa o telegramă cifrată a lui Mihai Antonescu în care se cerea „a lua măsuri de evacuarea cetățenilor români *fără deosebire de origină* și de a veghea ca nu cumva unele acte și (...) față de polonezi și evreii din Transnistria să ne fie

---

[580] „La un moment dat escortata țigancă Dondoczi Rozalia, profitând de mare aglomerație de public în apropierea liniei, s-a aruncat înaintea locomotivei trenului, care mutilând-o, a încetat din viață, fără ca sergentul jandarm să aibă posibilitatea de a o salva." – ANIC, Fond IGJ, dosar 130/1942, ff. 88-89.

[581] „Legiunea Jandarmi Turda nu a putut evacua o țigancă, deoarece aflând că urmează să fie retrimisă în Transnistria a încercat să se sinucidă tăindu-și beregata. A fost internată în spital". – Ibidem, f. 186.

[582] Adrian-Nicolae Furtună, *op.cit.*, p. 8.

[583] Citat din mărturia unei supraviețuitoare evreice, Sonia Palty, în volumul conferinței *Pogromul de la Iași (28-30 iunie 1941) – prologul Holocaustului din România*, Institutul Național pentru Studierea Holocaustului din România „Elie Wiesel", Iași, Polirom, 2016, p. 315.

[584] Deși invocat des de activiști (vezi Vasile Ionescu, *O Samudaripen*, p. 5 – „la rromi, este o ascundere a istoriei umilirii, o internalizare și însingurare a rușinii") „mitul tăcerii autoimpuse" privind suferințele îndurate, nu e singular în ce privește romii, vezi Doru Radosav, „Holocaustul între istorie și memorie. Câteva considerații", în *Anuarul Institutului de Istorie Orală* din Cluj-Napoca, volum 7, 2006, p. 10.

[585] Interviu acordat de Constantin Ion din București, apud Lucian Nastasă, Andrea Varga, *op. cit.*, p. 636.

imputate nouă"[586]. Colonelul Iliescu, de la administrația militară a Transnistriei, arăta că mai ales în cazul romilor „îmbrăcămintea este foarte rea și în starea în care se află nu s-ar putea deplasa prin țară", cerând formarea unui tren special sau ca, în caz de „neapărată urgență", să fie îndrumați pe jos în Basarabia. Deportații au revenit prin eforturi proprii, expuși, din nou, riscurilor de împușcare, oficialitățile îngrijindu-se doar de evacuarea în țară a militarilor și aparatului administrativ și a familiilor lor. Pe baza documentelor existente, Viorel Achim estimează că, din cei circa 25.000 de romi deportați în Transnistria, „aproximativ jumătate și-au găsit moartea acolo"[587], însă este posibil ca numărul să fi fost în realitate sensibil mai mare.

IV.4 Situația romilor rămași în România

„Măsurile generale de îndepărtare a elementelor parazitare și dezordonate" pe care mareșalul Ion Antonescu le preconiza în Transnistria însemna de fapt continuarea deportării, a altor categorii de romi[588]. Informațiile privind viitoarele „evacuări" au creat alte probleme, în rândul romilor, dar nu numai. Deportarea „urma să înceapă" cu delincvenții și cei în cazul cărora existau „indicii că trăiesc din furt" din categoria a II-a, deci restul celor recenzați, cei „fără mijloace de existență sau ocupație precisă din care să trăiască în mod cinstit prin muncă" erau vizați pentru o altă fază a măsurii. Este probabil explicația pentru care, o dată cu veștile despre regimul dur de viață din Transnistria, au început să curgă cererile din partea romilor rămași în țară de a nu fi la rândul lor deportați, ca și intervenții din partea mai multor particulari, personalități publice,[589] oameni politici[590] sau comuni-

---

[586] ANIC, *Fond IGJ*, dosar 37/1944, f. 310. La acea dată, în Transnistria se mai aflau 59.916 evrei și 12.083 de romi.

[587] Viorel Achim, *Țiganii în istoria României*, Editura Enciclopedică, București, 1998, p. 143. În general, istoricii sunt de acord cu numărul propus de acesta, de peste 11.000 de morți, adică 10% din totalul romilor declarați.

[588] Vladimir Solonari, *op.cit.*, p. 254.

[589] Conform unei note informative, cunoscutul compozitor George Enescu a afirmat că, dacă îi vor fi deportați romii din orchestră, îi va însoți în Transnistria – apud

tăți întregi – unii solicitați în acest sens de romi[591]. Se cerea să nu fie evacuați unii care, se argumenta, au comportament bun și un rol esențial în mica agricultură locală sau chiar în fabrici[592]. O confirmă faptul că, în 9 octombrie 1942, când Inspectoratul General al Jandarmeriei a comunicat suspendarea pe moment a altor evacuări, se precizează că, din categoria a II-a de romi, cei stabili, „nu s-au evacuat decât acei periculoși ordinei publice, și anume: criminalii și delicvenții, hoții de buzunare și din trenuri, cei ce trăiau numai din furt. Toți aceștia au fost evacuați cu familiile lor"[593]. În document se susținea că toți deportații fuseseră nemobilizabili, „deoarece acei care erau mobilizați nu au fost evacuați nici ei și nici familiile lor, după cum nu au fost evacuați

---

Viorel Achim, *Documente privind deportarea țiganilor în Transnistria*, vol. I, Editura Enciclopedică, București, 2004, p. 331.

[590] Liderul liberal Constantin I. C. Brătianu i-a trimis în 16 septembrie 1942 mareșalului Ion Antonescu o notă de protest împotriva măsurii expulzării romilor din România în Transnistria, care – arăta acesta – urmează celei a evreilor din Basarabia și Bucovina, subliniind că nimeni nu înțelege „ce vină au acești nenorociți", meseriași, mici negustori, lăutari etc., care ocupă un rol economic important și sunt ortodocși, ca și populația majoritară. „Deodată, autoritățile le pun în vedere să plece din țara în care s-au născut și în care moșii și strămoșii lor au trăit, din țara pentru care, *ca buni români* (s.n.), și-au vărsat sângele fiind înrolați în armata „ – apud Radu Ioanid, *Holocaustul în România. Distrugerea evreilor și romilor sub regimul Antonescu, 1940-1944*, București, Editura Hasefer, 2006, pp. 334-335.

[591] Este și cazul fierarului Ispas Neamțu, din Dăești, Argeș, care i-a cerut în 10 octombrie 1941 primarului comunei să intervină ca să nu fie deportat. Peste numai o zi, primarul a dat curs acestei solicitări, cerându-i la rândul său șefului Secției de Jandarmi Goranu să intervină la autoritățile superioare pentru ca trei fierari de etnie romă din comună să nu fie ridicați, motivând că localitatea „are absolută nevoie de acești trei meseriași fierari, nemaiavând alți meseriași fierari și dacă și aceștia vor fi ridicați, cărăușia, muncile agricole etc. va stagna complet". Mai mult, primarul i-a eliberat primului fierar și un certificat în care arată că acesta este născut în Dăești, are casă, pământ, are o bună purtare și nu umblă din loc în loc, repetând că este un bun meseriaș, de care comuna are nevoie – vezi în acest sens documentele publicate de Viorel Achim, *Documente privind deportarea țiganilor în Transnistria*, vol. I, Editura Enciclopedică, București, 2004, p. 273 și 277, provenind din fondul USHMMA, RG-25.004M, reel 66; ASRI, FD, dosar 18844, vol. 4, ff. 357-358.

[592] Spre exemplu, intervenția reprezentanților Marmi S.A.R. pentru industria marmurei și ceramică către Ministerul Afacerilor Interne, pentru repatrierea familiei lui Radu Alexandru din satul Progresul, deportat alături de încă 2 fii, „unii dintre cei mai harnici și de treabă lucrători ai întreprinderii" – ANIC, Fond IGJ, dosar 59/1942, f. 178.

[593] ANIC, *Fond IGJ*, dosar 126/1942, f. 204.

nici familiile celor aflați la data evacuării mobilizați la vreuna din unitățile armatei"[594] (aspect contrazis de nenumăratele plângeri înregistrate în toamna anului 1942, n. n.). În 16 septembrie 1942, când s-a terminat această fază a evacuării, s-a raportat că au fost deportați în Transnistria în total un număr de 13.176 de romi stabili, care s-au adăugat astfel celor 11.441 de romi nomazi evacuați până la mijlocul lunii august, dar că mai sunt persoane rămase de evacuat dintre cele recenzate, în situația în care acestea nu au membri de familie mobilizați sau mobilizabili: „Având în vedere că prin recensământul întocmit se prevedea a se evacua un număr de 31.438 țigani nenomazi și având în vedere că s-au evacuat 13.176, rămâne că ar mai fi posibil a se evacua un rest de 18.262 țigani. Față de restricțiunile impuse mobilizabililor și mobilizaților, care nu s-au evacuat, urmează că în cazul când se va aplica această regulă și pentru cei rămași, numărul acestora va fi cu mult mai mic"[595].

---

[594] *Ibidem*, f. 205.
[595] *Ibidem*.

C O P I E

DEPE ORDINUL MINISTERULUI AFACERILOR IN-
TERNE Nr.4635 din 14 Octombrie 1942, CATRE DIREC-
TIUNEA GENERALA A POLITIEI.-

Urmare hotărârei Consiliului de Miniştri, bine-
voiţi a cunoaşte că până la noui dispoziţiuni, nu se mai
ridică şi nu se mai trimit evrei în Transnistria, din acei
ce au fost trecuţi pe tabele ca activanţi comunişti, sau
au cerut repatrierea în U.R.S.S., ori sunt trecuţi pe ta-
bele de Cercurile de recrutare, Comandamente teritoriale
sau Marele Stat Major, ca contravenineţi la munca de fo-
los obştesc.

Veţi binevoi a verifica actele şi datele ce
aveţi asupra evreilor activanţi în prezent în mişcarea
comunistă şi cari prezintă un pericol pentru Siguranţa de
Stat.

Pentru aceştia se vor cere Ministerului de In-
terne, cu justificarea respectivă, internarea într'un la-
găr, intervenire, pe caza căreia acest Departament, va
decide internarea, precum şi repartizarea lor în lagărul
Tg.-Jiu sau Vapniarka, în Transnistria. Ei vor fi trimişi
în conformitate cu normele ve vă vom indica.

Deasemenea, nu se mai trimite nici o catego-
rie de ţigani în Transnistria, fie rămaşi dintre cei no-
mazi, fie dintre cei cu cazier judiciar.

Totuşi, pentru ţiganii neevacuaţi cari prin
prezenţa lor, preuintă un pericol contra ordinei publice,
veţi binevoi a cere Ministerului evacuarea lor, care se
va executa, după normele indicate mai sus.

Dispoziţiunile prevăzute în ordinul de faţă,
nu impietează asupra dreptului ce acest Departament are,
de a ordona internarea în lagăr -în condiţiunile de până
acum- a tuturor indivizilor cari se fac culpabili de fap-
te ce vin în atingere cu ordinea publică şi Si-
guranţa Statului.-

MINISTRU SUBSECRETAR DE STAT,
General de Corp de Armată,
C.Z.Vasiliu

DIRECTOR DE CABINET
Lt.Col.Magistrat,
Al.Mădârjac.

Ordinul privind suspendarea evacuărilor de evrei si romi,
cu excepţia celor periculoşi.
Sursa: Arhivele Naţionale ale României,
Fond Direcţia Generală a Poliţiei.

Un ordin circular semnat de generalul Vasiliu, în calitate de comandant al Jandarmeriei, din 16 septembrie 1942, prevedea deportarea în Transnistria a altor romi, dintre care unii nici nu apăreau în tabelele întocmite cu ocazia recenzării; cei care apăreau erau trecuți fie la nomazi, fie la stabili, organele de ordine motivând această stare de fapt prin aceea că erau seminomazi. „Acești țigani trăiesc în prezent pe diverse proprietăți agricole, în bordeie sau case, într-o mizerie și promiscuitate inacceptabilă. Ei nu și-au agonisit nimic pentru traiul lor, munca lor fiind speculată în continuu de proprietari. (...) Toți aceștia ar urma să facă obiectul unei categorii ce ar trebui evacuați în Transnistria"[596], se arăta în ordinul respectiv, care cerea de la legiunile de jandarmi tabele în care să se specifice localitatea și județul unde sunt așezați cei vizați, dacă trăiesc în bordeie sau case, cu ce se ocupă și dacă au fost sau nu recenzați în luna mai. Vorbim, deci, de persoane care nu erau nici nomazi, nici condamnați și care munceau. „Vina" lor era legată de sărăcie și eventual de condițiile de igienă, aspecte care cu siguranță se puteau rezolva și intern. Varianta în care aceștia ar fi fost trimiși în Transnistria pentru o viață mai bună ar fi fost valabilă doar în cazul în care sloganul care i-a făcut pe mulți să se alăture de bună voie celor deportați - „În Transnistria frumoasă, să vă dăm pământ și casă" - ar fi avut acoperire în realitate.

---

[596] USHMMA, RG-25.004M, reel 66, ASRI, FD, dosar 18844, vol. 4, f. 172, în Viorel Achim, *Documente privind deportarea țiganilor în Transnistria*, vol. I, Editura Enciclopedică, București, 2004, p. 210.

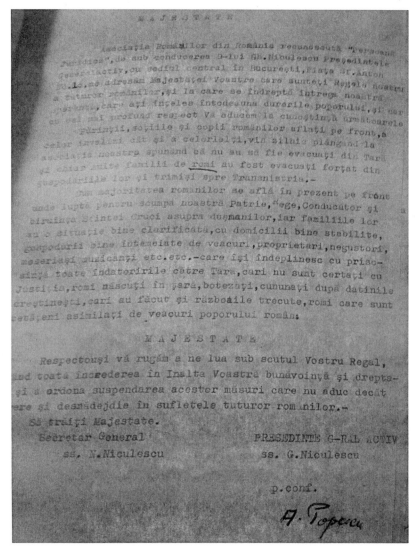

Petiția Asociației Romilor din România referitoare la deportări.
Sursa: Arhivele Naționale ale României, Fond Direcția Generală a Poliției.

Și în rândul romilor rămași circulau informații tulburătoare despre viitoare deportări. Asociația Romilor din România i-a adresat un memoriu regelui Mihai I în luna septembrie 1942, cerând suspendarea măsurii de deportare a romilor din Transnistria, arătând că „părinții, soțiile și copii(i) romilor aflați pe front, a(i) celor invalizi cât și a(i) celorlalți vin zilnic plângând la asociația noastră, spunând că au să fie evacuați din Țară și chiar multe familii de romi au fost evacuați forțat din gospodăriile lor și trimiși spre Transnistria"[597] și arătând că romii sunt practic „cetățeni asimilați de veacuri poporului român"[598]. Plângerea amintită a ajuns la Președinția Consiliului de Miniștri și apoi la Ministerul Afacerilor Interne, care a înaintat-o Corpului Detectivilor, spre cercetare. Raportul acestei structuri de informații, aflată în subordinea Direcțiunei Generale a Poliției, a susținut că instrucțiunile privind deportarea romilor au fost respectate și că au existat „puține cazuri de confuzie, de altfel fără multă importanță", care au și fost soluționate, minimalizând situația semnalată de Asociația Romilor. Astfel, Corpul Detectivilor a transmis, printr-un referat datat 1 octombrie 1942, care a fost comunicat Președinției Consiliului de Miniștri, că în cursul evacuărilor din 12 septembrie același an „nu s-au ridicat țiganii care aveau o profesie sau situație stabilă, ori surse sigure de existență de orice natură, criteriile respectându-se întocmai. Puținele cazuri de confuzie, de altfel fără multă importanță, au fost soluționate întotdeauna favorabil de către autoritățile locale"[599]. Ca atare, Corpul Detectivilor a apreciat cererea Asociației Romilor de suspendare a deportărilor ca neîntemeiată și motivată doar de „teama pentru periclitarea situației celorlalți romi sau din gândul de a ajuta cu ceva situația romilor în genere"[600]. Însă până la acea dată șefii Jandarmeriei recunoscuseră deja că starea de agitație în rândurile romilor fusese

---

[597] ANIC, *Fond DGP,* dosar 191/1942, f. 9.
[598] *Ibidem.* De altfel, o serie dintre romi erau în așa măsură asimilați / integrați în societatea românească, încât ei înșiși refuzau apartenența la etnia romă. Vezi și Marian-ViorelAnăstăsoaie, „Roma / Gypsies in the History of Romania: An Old Challenge for Romanian Historiography", în *The Romanian Journal of Society and Politics,* 2003, 3, nr. 1.
[599] ANIC, *Fond DGP,* dosar 189/1942, ff. 96-96v.
[600] *Ibidem.*

provocată chiar de unele dintre organele subalterne, care „au alarmat nemotivat" romi care nu erau la acel moment în categoriile vizate de deportare[601].

Noi recensăminte în rândul romilor

În luna septembrie 1942 s-au făcut încă două recensăminte în rândul romilor: cel destinat a-i identifica pe cei seminomazi, amintit mai sus; celălalt a fost decis în 24 septembrie 1942, Ministerul Afacerilor Interne – Direcția Poliției de Siguranță ordonând inspectoratelor regionale de poliție să întocmească, până la 1 noiembrie 1942, „tabele nominale cu țiganii care au caziere, achitați sau condamnați"[602]. Și aceștia urmau să fie trimiși în Transnistria, la ordinul mareșalului Antonescu, Președinția Consiliului de Miniștri cerând Ministerului Afacerilor Interne, în urma unei conferințe, în 13 septembrie 1942, atât numărul romilor deportați, cât și „câți țigani susceptibili de a fi evacuați au mai rămas în țară (pe localități) și data când vor fi evacuați"[603]. Aceeași informație privind deportarea romilor „cu cazier, achitați sau condamnați" e repetată într-un document semnat de șeful Jandarmeriei, generalul Constantin Z. Vasiliu, din 21 septembrie 1942, care comunică și termenul avut în vedere pentru noile deportări: până în primăvara anului 1943[604]. Urmau să se adauge romii care la acea oră erau în închisori, dar urmau să fie eliberați și cei care, având la activ fapte penale, se sustrăseseră evacuărilor. Jandarmeria a primit ordin să țină o evidență a acestora în 25 septembrie 1942[605]. Revine ideea de stat

---

[601] Cel mai grav caz pare a fi fost înregistrat la Argeș, unde Legiunea de Jandarmi a fost informată că șeful de secție de la Stolnici „terorizează și amenință pe țigani cu evacuarea numai pentru a le lua banii" - comandantul amenințând cu „consecințe" și Curtea Marțială – și că la Galicea „jandarmii continuă să țină sub amenințarea evacuării pe toți țiganii". În cel din urmă caz, romii nu și-ar mai fi susținut reclamațiile în fața jandarmilor care au anchetat cazul – USHMMA, RG-25.004M, reel 6; ASRI, FD, dosar 18844, vol. 4, nepaginat, concept, f. 322 concept, ff. 346-347v, în Viorel Achim, *Documente privind deportarea țiganilor în Transnistria*, vol. I, pp. 262-263 și 280-284.

[602] ANIC, *Fond DGP*, dosar 189/1942, f. 65.

[603] ANIC, *Fond IGJ*, dosar 126/1942, f. 207.

[604] ANIC, *Fond DGP*, dosar 189/1942, f. 64.

[605] *Ibidem*, ff. 110-111.

coercitiv, în care și romii care fuseseră achitați sau care erau în curs de a-și ispăși condamnarea erau vizați de deportare.

Implicații asupra vieții localităților

Cel din urmă recensământ a fost reclamat ca „defectuos și neomenos" de primarul din Târgoviște, Lazăr Petrescu. Acesta a susținut, într-un raport înaintat Ministerului Afacerilor Interne în 29 septembrie 1942, că polițiștii din oraș au întocmit „un așa zis recensământ cu caracter statistic"[606], care i-a vizat pe toți cei care „ce după culoare sunt bănuiți" ca fiind romi, cărora li s-a pus în vedere că sunt vizați de deportarea în Transnistria[607]. Acest fapt a determinat o mare agitație, „o enormă panică", „meseriași buni care nu mai muncesc", romi avuți care „își vând averile pe nimic", „speculatori și profitori ai situațiunei"[608], arăta primarul: „Cu ocazia de ridicare a «țiganilor» vagabonzi și cu cazier sau bănuiți ca răufăcători, o mare fierbere s-a produs printre țiganii sau cei ce după culoare sunt bănuiți. Tot cu această ocazie Poliția a întocmit un așa zis recensământ cu caracter statistic. Felul însă cum organele de aplicare au făcut această statistică a lăsat mult de dorit sub aspectul moralității pentru că: li s-a pus în vedere că sunt trecuți pe tablouri pentru a fi ridicați și trimiși în Transnistria"[609]. Un al doilea motiv al „lipsei de moralitate" a felului cum au procedat organele de ordine rezidă în faptul că s-au orientat după culoarea pielii și că au fost făcute numeroase abuzuri, reclamate ca atare de locuitorii orașului, mai arăta primarul: „Apoi criteriul după care s-a făcut statistica e defectuos pentru că, întâi, nu există o normă precisă de distincțiune decât culoarea și de aici o întreagă serie de abuzuri. Mulți ne vorbesc că au dat bani și au fost trecuți alți(i) bănuiți a fi țigani, apoi s-au trecut soți români de sânge, în multe cazuri plecați pe front, s-au trecut de asemeni copii(i) sau părinții celor ce luptă pe front și s-au trecut ca țigani copii(i) românilor căsătoriți cu țigănci. Cum felul defectuos și neomenos

---

[606] *Ibidem*, ff. 209-209v.
[607] *Ibidem*.
[608] *Ibidem*.
[609] *Ibidem*.

cum a fost aplicată măsura produce enormă perturbare în viața acestui oraș și în fiecare moment suntem asaltați de plângeri, uneori îndreptățite, simțim de a noastră datorie de a vă aduce la cunoștință cele de mai sus, pentru a se putea lua o măsură dreaptă și omenoasă"[610].

Implicații interetnice

Mai mulți ostași din orașul Huși i-au scris în luna septembrie 1942 mareșalului Ion Antonescu, reclamând că „la facerea recensământului nu s-au ales după acte, ci după față, care e mai negru e socotit țigan, indiferent că pe piepturile lor strălucesc decorațiile pe care Domnia Voastră le-ați dat pentru munca și lupta depusă alături de Domnia Voastră"[611]. Documentul, intrat la Președinția Consiliului de Miniștri în 8 octombrie 1942 și semnat inclusiv de un mutilat decorat cu Virtutea Militară, cerea ca ostașilor să li se facă „dreptatea de a fi scoși de sub acuzațiile țiganilor etnici, adică a celor ce umblă cu căruțele, cu șatrele, fără domiciliu stabil și care se țin numai de jafuri"[612]. Aceștia mai arătau că ei sunt „de naționalitate și origină etnică română și religiune creștin ortodoxă, fiind botezați și crezând în Sf. Cruce, nicidecum păgâni sau jidanii care ne-au trădat"[613].

---

[610] *Ibidem.* Ca urmare a primirii acestei reclamații, Ministerul Afacerilor Interne a cerut Poliției din Târgoviște explicații, iar aceasta a negat toate acuzațiile, arătând că Prefectura județului Dâmbovița i-a cerut în 21 septembrie 1942 „să-i comunicăm numărul țiganilor aflați în județul Târgoviște" (fără nicio distincție, n.n.) și, neavând aceste date, a dispus „să se efectueze un recensământ al tuturor țiganilor" (aceeași observație, n.n.). Șeful Poliției din Târgoviște, Al. St. Frumușianu, s-a declarat chiar ultragiat de acuzațiile primarului, cerându-i să le dovedească la modul concret, iar în caz contrar să-i dea „satisfacția cerută de codul onoarei". El a contraatacat, susținând că primarul a încercat fără succes să obțină ștergerea din tabele a croitoresei sale rome și că acesta ar fi substratul reclamației, „cu scopul de a-și crea anumite simpatii printre țigani" - ANIC, *Fond DGP*, dosar 190/1942, ff. 44-45.

[611] *Ibidem*, f.. 229-229v.

[612] *Ibidem.*

[613] *Ibidem.*

depe raportul No.46/942 al Primăriei orașului Târgoviște
către Ministerul Afacerilor Interne.-

00224

Cu oaczia măsurii de ridicarea "țiganilor" vagabonzi
și cu cazier sau bănuiți ca răfăscători,o mare fierbere s'a
produs printre țiganii sau cei ce după culoare sunt bănuiți.
Tot cu această ocazie Poliția a întocmit un așa zis
recensământ cu caracter statistic.
Felul însă cum organele de aplicare au făcut această
statistică a lăsat mult de dorit sub raportul moralității
pentrucă:li s'a pus în vedere că sunt trecuți pe tablouri
pentru a fi ridicați și trimiși în Transnistria.-
Din cauza aceasta s'a produs o mare panică ce a de-
terminat suspenadarea activității economice-meseriași buni
nu mai muncesc și mulți dintre țiagnii avuți își vând averi-
le pe nimic.-
Se nasc speculatori și profitori ai situațiunei și o
serie de bunuri se depreciează.-
Apoi criteriul dupa care s'a făcut statistica e defec-
tuos pentrucă întâi nu există o normă precisă de distincțiu-
ne decât culoare și de aci o serie de abuzuri.-
Mulți ne vorbesc că au dat bani și au fost trecuți
alți bănuiți a fi țigani,apoi s'au trecut soți romîni de
sânge în multe cazuri plecați pe front,s'au trecut dease-
meni copii sau părinții celo ce luptă pe front și s'au trecu
ca țiganii copii românilor căsătoriți cu țigănci.-
Cum felul defectuos și neomenos cum a fost aplicată
măsura produce enormă preturabare în viața acestui oraș și
în fiecare moment suntem asaltați de plângeri,uneori îndrep
./.

Sesizarea primarului din Târgoviște, referitoare la panica iscată
de recensământul defectuos, „după culoare",
al romilor din oraș și deportările abuzive.
Sursa: Arhivele Naționale ale României, Fond Direcția Generală a Poliției.

Documentul, în care se redau practic majoritatea temelor antisemite ale epocii dovedește circulația lor și preluarea în rândul opiniei publice din țară, cu tot cu conceptul de „vină"; dar este simptomatic și prin aceea că reclamanții din Huși se reclamă de la majoritatea română și se delimitează nu numai de bănuiala de a fi „țigani etnici" (din descriere, rezultă că se refereau la romii nomazi, al căror comportament îl condamnau), ci și de evrei, care, spuneau ei, râdeau de necazul lor: „Ori noi, întreaga majoritate din România noastră, să fim răsplătiți cu râsuri jidănești și ci bârfeli că ăsta ne e meritul nostru în urma luptelor care le ducem alături de Domnia Voastră, ca să ne despărțim de familiile noastre, de mamă, care e mai scumpă ca orice, de tată, frați, surori și copii(i) noștri, fără să avem un pic de vină, fără să fim condamnați, mergem la biserică, avem aceeași credință și avem dragoste de a vă urma și executa ordinul Domniei Voastre de înaintare în actualul război, după cum poate ați constatat personal aceste și ați pus medalii pe piepturile celor mai merituoși din acest neam bănuit țigan"[614].

O notă informativă din 19 septembrie 1942 a Poliției orașului Sighișoara către Inspectoratul de Poliție Alba Iulia și raportată și prefectului județului Târnava Mare relatează, între altele, faptul că măsura deportării romilor în Transnistria „a provocat o vie nemul-țumire în rândul celor rămași, plângându-se că această măsură a fost luată numai pentru stârpirea lor, căci altfel nu s-ar fi dat aceste dispozițiuni așa de brusc și în pragul iernei"[615]. Din notă mai aflăm și că îngrijorările cele mai mari erau în rândul romilor cu situație mai bună, care, „de teamă că vor fi evacuați și ei, au început să-și vândă bunurile mobile și imobile", în timp ce sașii urmăreau cu atenție acest proces „în scop de a cumpăra aceste averi"[616].

---

[614] *Ibidem*, pp. 231-233.
[615] ANIC, *Fond DGP,* dosar 189/1942, f. 87. Nota respectivă a fost transmisă în regim confidențial și înregistrată la cabinetul ministrului în 1 octombrie 1942, cu propuneri de la Direcțiunea Poliției de Siguranță - printre care și cea a emiterii unei legi care să le dea românilor drept de preemțiune asupra averilor romilor – ANIC, *Fond Cabinetul Ministrului de Interne,* dosar 125/1942, ff. 25-25v.
[616] *Ibidem.*

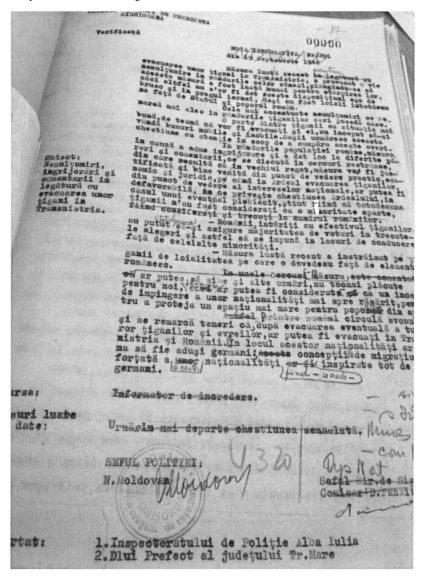

Un informator din Sighișoara avertizează că măsura deportării
i-a îndepărtat pe romi de loialitatea față de stat.
Sursa: Arhivele Naționale ale României, Fond Direcția Generală a Poliției.

Între comentariile în legătură cu deportarea romilor se numără, potrivit aceleiași surse, și faptul că măsura „ar putea fi considerată și ca un început de împingere a unor naționalități mai spre răsărit, pentru a proteja un spațiu mai mare pentru poporul din apus" și că și în rândul românilor „circulă svonul și se remarcă temeri că după evacuarea eventuală a tuturor țiganilor și evreilor, ar putea fi evacuați în Transnistria și românii. În locul acestor naționalități ar urma să fie aduși germani. Aceste concepții de migrațiune forțată a unor naționalități ar fi inspirate tot de către germani"[617]. (O notă informativă a aceleiași prefecturi face referire la o circulară care ar fi fost trimisă de Grupul Etnic German primarilor sași în acest sens.) În informare se mai arată că măsura este comentată ca binevenită în Vechiul Regat, dar „defavorabilă intereselor naționale" în Ardeal, unde romii erau tot timpul trecuți ca români, nu ca minoritate aparte, în cazul unui eventual plebiscit[618]. O altă notă, emisă de Prefectura Târnava Mare, înregistrată la cabinetul ministrului în 25 septembrie 1942, arăta că în regiune trăiesc 11.887 de romi, în număr covârșitor la sate, în care se includeau și 316 care fuseseră deportați în luna septembrie; prefectul, locotenent-colonelul Traian Antohi, cerea să fie consultat în legătură cu viitoarele operațiuni, afirmând în clar că Prefectura „acum nu a fost consultată"[619]. El argumenta că o astfel de dorință există și din partea păturii intelectuale ardelene, care „cere cu insistență ca pe viitor, evacuarea țiganilor din această regiune să se facă cu multă atenție deoarece nu numai că ei ca sentiment și credință (religie) sunt români, dar la un moment dat proporția populației majoritare se poate răsturna în dauna românilor și în folosul sașilor, cari ar pune mâna pe posturile de conducere (primării)"[620]. „Evacuarea" romilor crea și alt tip de probleme de natură interetnică. Într-un extras din Buletinul de informații din 16 octombrie 1942 Parchetul semnala nemulțumirea românilor din Târnava Mare – care ar fi fost „revoltați față de procedeele și purtarea sașilor" din regiune, culminând cu ideea că o serie de nemulțumiri mărunte au creat „un curent de opinie care crește zi de zi,

---

[617] *Ibidem.*
[618] *Ibidem.*
[619] ANIC, *Fond Cabinetul Ministrului de Interne*, dosar 125/1942, f. 174.
[620] *Ibidem.*

făcând să se creadă că sașii doresc o autonomie a Ardealului, iar noi vom lua drumul țiganilor"[621].

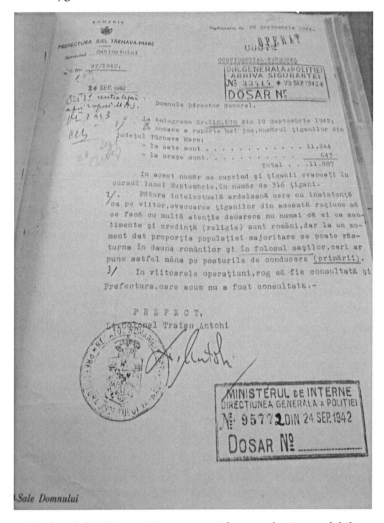

Prefectul din Târnava Mare cerea să fie consultat în prealabil,
având în vedere implicațiile politice ale deportării romilor.
Sursa: Arhivele Naționale ale României,
Fond Inspectoratul General al Jandarmeriei.

---

[621] ANIC, *Fond Cabinetul Ministrului de Interne*, dosar 21/1942, ff. 270-271.

Se cerea liniștirea cât mai grabnică a populației românești, în interesul general și al celor care plecau pe front „să-și verse sângele pentru Patrie", arătându-se că această opinie „ce și-a format-o românii" a fost generată de sași, „cari peste tot vorbesc că Ardealul este destinat să fie condus de către ei"[622]. La Timișoara și în județul Timiș-Torontal, o situație similară ar fi fost generată de șvabi, a căror „propagandă" a creat panică: „S-a născut o panică alimentată de propaganda elementelor șvabe, cari răspândeau zvonul că toți țiganii ca și evreii vor fi evacuați în Transnistria, iar în locul lor vor fi aduși sinistrații germani de război din Nordul Reichului. În același timp șvabii răspândeau svonuri și contra elementului românesc, susținând că toți refugiații din Ardeal vor fi colonizați în Transnistria"[623], se arată într-un raport al Inspectoratului Regional de Poliție Timișoara, Serviciul Poliției de Siguranță către Direcțiunea Generală a Poliției. Acesta adăuga că influența în rândul românilor a fost slabă, dar romii își vând mult subevaluat proprietățile (case, mobilă), pentru a avea bani în Transnistria[624].

Într-o altă notă, din 30 septembrie 1942, Inspectoratul Regional de Poliție Alba Iulia arăta că romii se tem că vor fi evacuați cu toții în Transnistria și „colonizați" împreună cu evreii, iar măsura primelor deportări „a produs o adevărată panică printre țigani, precum și nedumerire. Ei susțin că luptă pe front pentru această țară care este și a lor, au dovedit în toate cazurile o atitudine loială și acum se văd desconsiderați și evacuați la fel ca o categorie de evrei"[625].

---

[622] *Ibidem*, f. 271.
[623] ANIC, *Fond DGP*, dosar 194/1942, ff. 75-76.
[624] *Ibidem*.
[625] ANIC, *Fond DGP*, dosar 189/1942, f. 137.

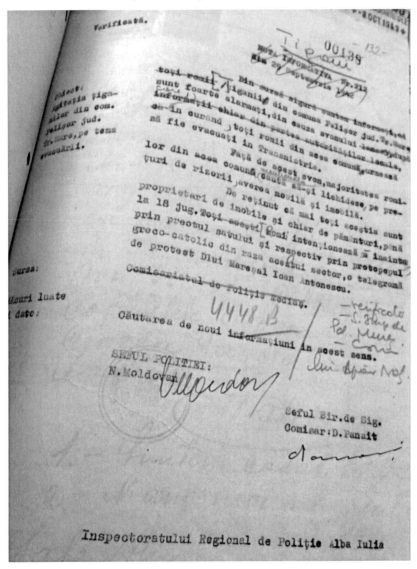

Nota informativă referitoare la situația din Mediaș - un zvon referitor
la deportarea tuturor romilor îi determină
să-și lichideze averea la prețuri derizorii.
Sursa: Arhivele Naționale ale României, Fond Direcția Generală a Poliției.

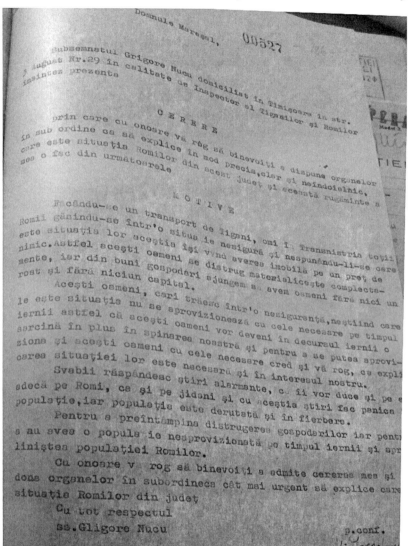

Sesizare că șvabii răspândesc interesat zvonuri alarmante.
Sursa: Arhivele Naționale ale României, Fond Direcția Generală a Poliției.

Tot în 30 septembrie 1942, o notă a Marelui Stat Major „în legătură cu deportarea în Transnistria a familiilor unor ostași țigani"[626] menționează în final că Inspectoratul General al Jandarmeriei a informat „că se intenționează a se evacua și al doilea lot de țigani, adică și cei mobilizabili" astfel că ar trebui să se ceară Ministerului Afacerilor Interne să i se comunice „imediat ce se va lua această măsură", din rațiuni birocratice, adică „pentru a se da ordine de ștergerea din controale a tuturor țiganilor, de orice categorie"[627].

Până la mijlocul lunii octombrie 1942, când s-a anunțat suspendarea „evacuărilor", astfel de sesizări și note informative sunt destul de dese. Ele reflectă o stare de spirit de neliniște, în care informații vizând noi deportări, amenințări sau zvonuri veneau chiar de la organele de Jandarmerie și Poliție, a căror corupție era recunoscută, dar și de la nivelul primăriilor ori al altor grupuri etnice. Documentele avute la dispoziție confirmă că această stare de lucruri era știută chiar la vârf. Spre exemplu, în Ordinul circular 42.383 din 25 septembrie 1942 semnat de generalul Constantin Z. Vasiliu, acesta afirmă, printre altele: „Cu această ocazie se mai atrage atențiunea și asupra faptului că unele dintre formațiuni polițienești (Jandarmerie și Poliție) au alarmat nemotivat unele categorii de țigani cari nu intră în categoria celor de evacuat, infiltrându-se teama continuă că vor fi evacuați, în scopul probabil de a putea obține în acest mod avantagii materiale din lichidările bunurilor lor"[628]. Nu există, nicăieri, însă, în ordinul respectiv, vreo referire la cercetarea situațiilor respective ori la eventuala sancționare a vinovaților. În același document, Vasiliu făcea precizarea că „evacuarea țiganilor se face numai în cadrul ordinelor date și numai după ce s-au înaintat I.G.J. tabelele pentru aprobare și că nu au fost sau nu se vor evacua decât foștii condamnați pentru crime și orice fel de delicte, recidiviștii, pungașii din buzunare și din trenuri, bâlciuri, borfașii, precum și toți acei pentru cari există indicii serioase

[626] Arhivele Militare Pitești, *Fond Marele Stat Major – Secția I Organizare Mobilizare*, dosar 2695, ff. 298-298v.

[627] *Ibidem*. Romii mobilizabili fuseseră inițial exceptați de la deportare.

[628] USHMMA, RG-25.004, reel 34; ASRI, FD, dosar 40010, vol. 60, f. 144, în Viorel Achim, *Documente privind deportarea țiganilor în Transnistria*, vol. I, Editura Enciclopedică, București, 2004, p. 229.

că trăiesc numai din furt, şi aceia numai în cazul când sunt nemobilizabili"[629]. Paragraful conține cel puțin un neadevăr, la acea dată existând deja o mulțime de plângeri cu privire la abuzuri în ceea ce priveşte deportarea unor persoane care nu intrau în prevederile ordinului inițial. Iar peste doar câteva zile, Marele Stat Major afirma că a fost informat de Inspectoratul General al Jandarmeriei că se intenționează să se evacueze şi romii mobilizabili.

Unele zvonuri erau răspândite chiar şi de unele dintre autoritățile locale. O notă informativă a Poliției oraşului Sighişoara din 29 septembrie 1942 cu privire la starea de spirit a romilor din comuna Pelişor, judeţul Târnava Mare, arată că o sursă sigură a informat că aceştia „sunt foarte alarmaţi din cauza zvonului lansat, după unele informaţii chiar din partea autorităţilor locale, că în curând toţi romii din acea comună urmează să fie evacuați în Transnistria"[630]. Respectivii îşi lichidau bunurile şi intenţionau să-i trimită o telegramă de protest, prin preotul satului şi protopopul greco-catolic, mareşalului Ion Antonescu[631].

Atitudinea oficialităților din țară

Nu este lipsită de importanță atitudinea oficialităților din țară. În documente, abundă cazurile în care se cere verificarea situaţiei unor persoane sau familii, în legătură cu Transnistria. Un caz ciudat s-a înregistrat în Argeş, unde, iniţial, în 11 octombrie 1942, autoritățile administrative şi ale Jandarmeriei au raportat că în comuna Poiana Lacului nu sunt romi care să facă obiectul deportării, seminomazi sau „pedepsiți pentru fapte rele"[632], ci 23 de familii de „ţigani băştinaşi", cu case şi ocupaţie, pentru ca în 5 aprilie 1943 Prefectura judeţului să sesizeze la minister situaţia a 20 de familii de romi, recidivişti, care „tăiau fără milă" pădurea Statului, sens în care propunea să fie deportați în Transnistria[633]. Propunerile, inclusiv de deportare, au fost susţinute şi de Legiunea de Jandarmi din Valea

---

[629] *Ibidem.*
[630] ANIC, *Fond DGP*, dosar 189/1942, f. 132.
[631] *Ibidem.*
[632] USHMMA, RG-25.004M, reel 66; ASRI, FD, dosar 18844, vol. 4, f. 409.
[633] ANIC, *Fond IGJ*, dosar 130/1942, vol. II, f. 53.

Ursului, care și-a prezentat peste câteva zile concluziile - că acele 20 de familii de romi din Poiana Lacului se ocupă cu comiterea de delicte silvice „atât în trecut, în prezent, cât și în viitor", că nu au avere și nici meserie de bază care să le asigure existența, că „sunt leneși, bețivi, cerșetori, parte din femei umblă cu ghiocul, trăiesc într-o stare de higienă mizerabilă" și așezarea lor în imediata apropiere a pădurii „Negrea" „favorizează comiterea infracțiunilor, săvârșind 642 delicte în ultimii 3 ani" și doar 3 familii nu ar face obiectul „evacuării", „după purtările avute în comună". Acestea au fost preluate de Legiunea de Jandarmi Argeș, care le-a înaintat Inspectoratului General al Jandarmeriei, în 29 aprilie 1943[634].

Pe fondul numeroaselor reclamații, Vasiliu le-a cerut părerea subalternilor, referitoare la o posibilă întoarcere a romilor în România, până în 10 ianuarie 1943 cel târziu[635], probabil pentru a putea justifica situația prin rezultate. Mulți dintre cei chestionați au opinat în scris să nu se permită acest lucru, cu aceleași argumente – că, de când romii au fost evacuați în Transnistria, numărul furturilor a scăzut simțitor sau că „vagabondajul și cerșetoria aproape s-au stins complet", iar revenirea lor în țară ar fi periculoasă ordinii publice, așa cum afirma comandantul Legiunii Teleorman, maiorul Ion Carcaș. Și cel din Vlașca, Gheorghe Stroescu, se opunea unei eventuale înapoieri a romilor, pe care îi considera „cea mai mare plagă a județului, imorali". Comandantul Legiunii Timiș Torontal, maiorul Ioan Peșchir, afirma că „motivele ce invoacă sunt de natură mincinoasă, în scopul de a fi aduși în țară ne fiind obișnuiți a munci", iar cel al Legiunii Cluj-Turda, maiorul Simion Lațiu, își fundamenta poziția pe „motivele serioase" care determinaseră deportarea: „În general nu propunem a se admite readucerea în țară a niciunui țigan din cei trimiși în Transnistria întrucât toți au fost evacuați cu motive serioase. (...) constituie un pericol public menținerea lor în societate"[636].

---

[634] *Ibidem*, ff. 51-51v.
[635] ANIC, *Fond IGJ*, dosar 65/1943, f. 231.
[636] ANIC, *Fond IGJ*, dosar 65/1943, f. 6, 34 și 117.

În unele cazuri, astfel de îngrijorări se și confirmau. O adresă din 10 octombrie 1942 a Legiunii de Jandarmi Argeș către Poliția orașului Pitești semnala, în cazul romilor întorși clandestin, că „romi fugiți din Transnistria s-au întors în oraș căutând să-și refacă mizeria de locuințe și să-și reia viața de trândăvie și furturi; s-au dedat la o propagandă intensă în legătură cu starea lucrurilor în Transnistria, defăimând măsura luată de Guvern"[637]. O adresă din 31 octombrie 1943 de la Jandarmeria Iași, către Inspectoratul General al Jandarmeriei, Direcția Siguranței și Ordinei Publice, cerea să nu fie înrolați romii care solicită asta, susținându-se că, după ce vor primi arme vor dezerta și se vor constitui în bande: aceasta se întemeia pe mai multe cazuri raportate de Legiunea de Jandarmi Rurali Botoșani, de romi reveniți din Transnistria care se înrolaseră, într-unul dispărând cu tot cu echipamentul[638].

---

[637] USHMMA, RG 25.004M, reel 66; ASRI, FD, dosar 18844, vol. 4, f. 391, în Viorel Achim, *Documente privind deportarea țiganilor în Transnistria*, vol. I, p. 272.
[638] ANIC, *Fond IGJ*, dosar 130/1942, vol. II, f. 82.

V STUDIU DE CAZ: ROMII ÎN ITALIA FASCISTĂ

S tudiul de caz comparativ ales este cel al Italiei, din cauza numeroaselor similitudini cu România: crearea relativ nouă a celor două state naționale (România și-a declarat independența în 1877, Italia și-a încheiat procesul de unificare în 1871, ambele extinzându-și teritoriul în urma Primului Război Mondial), ideologia naționalistă pregnantă din anii premergători celui de-al Doilea Război Mondial și respectiv regimurile autoritare din ambele țări din acea perioadă. În „noua ordine" din Europa[639] generată de izbucnirea conflictului, după anexarea mai multor teritorii europene și ocuparea altora, Germania avea drept „prietene sau aliate" următoarele țări: Spania, Italia, Ungaria, Bulgaria, România, Slovacia, Croația, Finlanda[640]. La încheierea războiului, „sateliți" ai Germaniei au fost considerate Italia, Bulgaria, România, Ungaria și Finlanda[641]. Cazul statului italian a fost ales și din cauza altor asemănări cu România. Ambele erau monarhii, însă puterea efectivă era deținută de un conducător autoritar. Populația majoritară are comun fondul latin, Imperiul Roman antic alimentând imaginea gloriei vechi, în cadrul ideologiei naționaliste în ambele țări. Ca și în cazul naționalismului românesc, fascismul italian – instaurat încă din 1922 - nu a avut, în prima fază, conotații rasiale, abia apropierea de Germania hitleristă aducând această „îmbogățire". În general, promovarea legislației antisemite de către Benito Mussolini, începând din 1938, adică la 16 ani de când se afla la putere fără ca subiectul rasei să se regăsească pe agenda publică, este interpretată ca reflectând influența pe care o avea asupra sa liderul nazist, Adolf Hitler. Cu toate acestea, au existat antecedente privind rasa în discursurile anterioare ale „Ducelui". Spre sfârșitul anului 1938, se produce ceea ce Francesco

---

[639] Jean-Baptiste Duroselle, *Istoria relațiilor internaționale 1919-1947*, vol. I, Editura Științelor Sociale și Politice, București, 2006, p. 262.
[640] *Ibidem.*
[641] *Ibidem*, p. 324.

Germinario descrie drept „rasializarea națiunii și nazificarea fascismului"[642]. Discuția despre Holocaust în Italia vizează îndeosebi măsurile luate împotriva evreilor, pe același fond economic și religios și al agitării pericolului bolșevismului și dominației lumii[643], cu o acutizare după ocuparea unei părți a țării de către Germania, în septembrie 1943, situație pe care România a reușit să o evite in extremis, după întoarcerea armelor, la 23 august 1944, și încheierea armistițiului cu Națiunile Unite, în 12 septembrie același an[644]. Potrivit autorului citat, antisemitismul italian considera că, întrucât este inferior, evreul este socialmente „periculos", iar periculozitatea lui consta, în imaginarul colectiv, în dominația asupra popoarelor și societăților cu care intra în contact, în timpul peregrinărilor sale. Evreul reprezenta o altă civilizație, cu alte valori (mamonism, materialism, agitație revoluționară), văzute ca străine de popoarele europene și prin urmare de arianism. Evreul aducea pericolul de iudeo-bolșevism. Și în propaganda italiană a existat demonizarea evreului, spre exemplu, în 1944 un document cu indicații de la Ministerul Culturii Populare pentru discursuri conținea idei împotriva evreilor ce provin din antisemitismul religios, dar și din *Protocoalele Înțelepților Sionului*, cu teoria privind cucerirea economică a lumii de către evrei, plus un argument contra poziției Bisericii Catolice, care se opunea teoriilor rasiale: „Evreii sunt repudiați de toți. Evreii - alături de Națiunile Unite – se simt stăpâni. Acest război este opera lor, în beneficiul lor. Și totuși, continuă să fie cei pe care nimeni nu-i vrea. (...) Răzbunarea Domnului e implacabilă pe capul lor; sunt poporul destinat să nu aibă pace pe pământ; ca șerpii odioși, ca șerpii periculoși. Oamenii, cum ar fi pastorii Bisericii, pot uita sau pot pretinde că uită. Dar Domnul nu uită și nu iartă"[645].

A existat o adevărată școală a teoreticienilor și specialiștilor în chestiunea rasială, reprezentată de autori fasciști și propagandiști

---

[642] Francesco Germinario, *Fascismo e antisemitismo (Progetto razziale e ideologia totalitaria)*, Editori Laterza, 2009, p. 51

[643] *Ibidem.*

[644] România a reușit să evite ocupația germană, nu și pe cea a URSS, care și-a retras trupele de pe teritoriul românesc abia în 1958.

[645] *Archivio di Stato Pescara*, *Fondo Prefettura di Pescara – Gabinetto*, busta 87, fascicolo 314, f. 10.

precum Giulio Cogni (*Rasismul*, 1936), Paolo Orano (*Evreii în Italia*, 1937, editor al volumului *Anchetă asupra rasei*, 1939 și a mai multor cărți dedicate sau semnate de liderul fascist Benito Mussolini), Giacomo Acerbo (*Fundamentele doctrinei fasciste a rasei*, 1940), Julius Evola (*Sinteza doctrinei rasiale*, 1941), Telesio Interlandi (*Apărarea rasei*), Giovanni Preziosi (care a publicat, între altele, titluri ca *Internaționala evreiască, Protocoalele înțelepților Sionului, Cum iudaismul a pregătit războiul, Iudaism, bolșevism, plutocrație, masonerie* etc.). În 14 iulie 1938 Telesio Interlandi a publicat *Manifestul rasei*[646], conceput de antropologul rasist Guido Landra și semnat de mai multe personalități ale lumii academice și științifice ale epocii, care statua că există rase „mari" și rase „mici", conceptul de rasă fiind pur biologic. Evident, „rasa" italiană făcea parte din prima categorie – „populația de azi din Italia este de origine ariană și civilizația ei este ariană"; documentul arăta că există o singură „rasă italiană", iar evreii nu aparțin acestei rase, ca de altfel nici africanii din colonii. „Manifestul" mai spunea că era timpul ca italienii să se proclame rasiști, întrucât caracteristicile lor ariene, fizice și psihice pur europene nu (mai) trebuie alterate. Acest document a anticipat legislația antievreiască din Italia. Astfel, la scurt timp, în 7 septembrie 1938, avea să fie promulgat primul decret antisemit, de expulzare a „evreilor străini", adică a celor intrați în țară după 1919. Marele Consiliu Fascist a adoptat în 6 octombrie 1938 „Declarația rasei"[647], document care a dat undă verde persecuțiilor antievreiești și în general rasiale, din Italia, singurii despre care se prevedea că nu vor fi discriminați fiind cei din familiile luptătorilor evrei în cele 4 războaie de până atunci în care fusese angrenată Italia în secolul XX și ale celor căzuți sau mutilați pentru apărarea cauzei fascismului. „Declarația" avea să se transforme în 17 noiembrie 1938 în decretul-lege 1728, cuprinzând „Măsuri pentru apărarea rasei italiene", între care interzicerea căsătoriei cetățenilor italieni de rasă ariană cu alte rase[648]. Erau introduse interdicții pentru

---

[646] Vezi http://www.osservatoriosulfascismoaroma.org/il-manifesto-della-razza-1938/, accesat la 10.05.2021.
[647] *Ibidem.*
[648] Ideea apărării de „pericolul" rasial a fost prezentă și în alte politici de inspirație național-socialistă, „soluția" interzicerii căsătoriilor sau relațiilor cu alte „rase" „inferioare", între care și romii, fiind promovată în România în oficiosul Gărzii de

evrei în serviciul militar, în economie – li se interzicea să dețină proprietăți, companii, funcții în administrație și școli publice; ulterior, li s-au retras licențele comerciale, cele care le permiteau să exercite profesii liberale precum avocat și medic; de asemenea li s-a interzis să dețină aparate de radio[649], prin măsuri similare cu cele românești.

În ce privește persecuția romilor în timpul celui de-al Doilea Război Mondial în Italia, și aici există o dispută, similară celei din România (evident, păstrând proporțiile: numărul victimelor este mult mai mic, iar Italia nu a avut atâția romi ca România ca să ia în considerare adoptarea de măsuri proprii, speciale, contra lor). Exact ca în România, motivarea măsurilor luate contra romilor prin rațiuni legate de siguranța publică și igienă[650] dă prilejul unor dispute între cei care le văd ca determinate de considerente de ordine publică și cei care, alături de organizațiile rome, vor recunoașterea unui Holocaust al romilor, similar cu cel al evreilor - în contextul în care se încearcă obținerea statutului de minoritate națională pentru romi. Legea privind recunoașterea Holocaustului în Italia, din 2000, nu face nicio referire explicită la romi ca victime, chiar dacă în Roma există un monument care le este dedicat și o placă comemorativă în Piazza degli Zingari[651]. Ca atare, în curricula școlară apare ca materie de predare doar Holocaustul evreilor, iar guvernul italian cooperează îndeaproape doar cu organizațiile evreiești legat de acest subiect.

Giorgio Viaggio susține, în *Storia degli Zingari in Italia*, că deși am putea presupune că dictatura fascistă ar fi trebuit să aducă „noi și mai drastice persecuții, între care un regim sever de menținere a ordinii

---

Fier, *Cuvântul*, în 18 ianuarie 1941, când legionarii se mai aflau încă la putere, alături de mareșalul Ion Antonescu – apud Viorel Achim, *Țiganii în istoria României*, p. 136.

[649] Mai multe despre legislația fascistă din Italia, la adresa http://sfi.usc.edu/education/roma-sinti/it/storia-e-memoria/la-legislazione-nazi-fascista.php, accesată în 10.05.2021.

[650] Luca Bravi, „La «questione zingari» nell'Italia fascista. La costruzione culturale di una categoria razziale", în T. Vitale (a cura di), *Politiche possibili. Abitare le città con i rom e con i sinti*, Carocci, Roma, 2009, p. 23.

[651] Inscripția dedicată, montată împreună de Opera Nomadi și comunitatea evreiască din Roma, face referire la genocid și la faptul că persoane de etnie romă din Italia au pierit în lagărele de exterminare alături de evrei: „în amintirea veșnică a romilor, sintilor și caminantilor care, împreună cu evreii, au pierit în lagărele de exterminare din cazua barbariei genocide a nazi-fascismului".

publice, propriu unui stat totalitar, excluziunea celor indezirabili și a celor care deranjau, retorica patriotică despre muncă, moralitate și ordine și, în fine, cultul rasei italiene și disprețul pentru rasele inferioare", acest lucru nu s-a întâmplat[652]. Potrivit lui Viaggio, în realitate, măsurile adoptate s-au limitat la menținerea ordinii publice, „respectând «tradiționala» aversiune față de nomazi și vagabonzi": în 1938, Ministerul de Interne a făcut razii în zona de frontieră cu Iugoslavia, câteva familii de romi fiind deportate în Sardinia, de unde au fost lăsate să circule. Aceasta, ca și alte măsuri, erau menite să țină sub control situația de la frontieră și afluxul de străini, afirmă Viaggio. El susține că alte măsuri, precum instituirea unui câmp de concentrare în centrul Italiei, din 1942, au avut în realitate nu atât în scop persecutoriu, ci de sistematizare a multor romi sloveni și croați care, fugind de masacrele comise contra lor de fasciștii croați (ustașii) preferau să se predea autorităților italiene. După căderea regimului fascist în 8 septembrie 1943 și invazia nazistă în Peninsulă, carabinierii care-i aveau în custodie în lagărele de la Agnone (Molise) și Tossicia (Abruzzo), în loc să-i predea germanilor, i-au lăsat liberi, mai afirmă acesta.

Pe de altă parte, există o serie de cercetători precum Giovanna Boursier care aduc documente și interpretări diferite[653]. Potrivit lui Boursier, chiar dacă există o serie de autori care sunt înclinați a crede că politica fascistă față de romi s-a limitat în esență la măsuri de ordine publică - cu atât mai mult cu cât ei nu intrau sub prevederile legislației italiene privind rasa, ca evreii, și nu erau menționați nici în „Manifestul rasei" din 1938 - aceștia au fost totuși victime. Astfel, există oameni de știință care au publicat lucrări, în anii `40, în care au pus problema romilor în termeni rasiali. Antropologul Guido Landra, deja menționat, a publicat un articol care se referă îndeosebi la rasele „inferioare", printre care și cea romă, în numărul 1 din *Apărarea rasei*, în 1940, referitor la „Problema metișilor în Europa"[654], arătând că metisajul era o „problemă

---

[652] Giorgio Viaggio, *Storia degli Zingari in Italia*, Centro Studi Zingari, Roma, 1997, pp. 103-104.
[653] Giovanna Boursier, "Gli Zingari nell' Italia fascista", în *Italia Romanì*, a cura di Leonardo Piasere, vol. II, ed. CISU, Roma, 1999, pp. 5-20.
[654] Guido Landra, „Il problema dei mettici in Europa", în *La difesa della razza*, anno IV, no. 1, 1940, pp. 11-15.

gravă" a rasei și statuând că încrucișarea rasei „ariene" cu alte rase, mai slabe – evreiască, romă, mongoloidă - duce la degenerarea primei. Despre romi, Landra afirma că provin din India și au ajuns în Occident prin Balcani, astfel că sunt în jur de 20.000 în Germania și de ordinul milioanelor în Europa de Est. Un admirator al modelului german în chestiuni de rasă, și Landra vedea ca necesară concentrarea romilor în câteva locuri, închise, pentru a-i împiedica să vagabondeze și să „contamineze" societatea. El atrăgea atenția asupra „pericolului" reprezentat de încrucișarea italienilor cu aceștia, din cauza tendințelor spre vagabondaj și furt: „Țiganii aparțin rasei ori ntale și aproape întotdeauna metișii lor indivizi asociali și cu atât mai periculoși cu cât sunt dificil de distins de europeni"[655]. Landra susținea în final necesitatea de a se lua măsuri contra indivizilor asociali, „diferiți din punct de vedere psihic de popoarele europene, în special de cea italiană", care trăiau vagabondând „în maniera țigănească" și care ar fi prezentat astfel trăsături somatice, ca mod de prevenire – astfel ca sângele vechii Europe să nu fie iremediabil otrăvit[656]. Un alt exemplu este cel al lui Renato Semizzi, de la catedra de Medicină socială a Universității din Trieste, care cu un an înainte publicase eseul „Țiganii", afirmând că romii prezintă semne ale unei inferiorități marcante și „mutații rasiale regresive"[657]. Potrivit lui Semizzi, nomadismul și criminalitatea reprezentau „o prerogativă rasială"[658]. El atrăgea atenția că în cazul romilor există posibilitatea apariției/activării unei „dispoziții patologice latente" pe fondul consagvinizării și se pronunța împotriva încrucișării cu romii (a italienilor), definind astfel „pericolul rasial" reprezentat de aceștia: „Ar putea încrucișarea cu țiganii să degradeze rasa? Răspundem: din punct de vedere antropologic nu, dar din punct de vedere psihico-moral, parțial da"[659].

Cercetările recente ale Giovannei Boursier, dar și ale Paolei Trevisan demonstrează că romii din Italia erau luați în vizor de

---

[655] *Ibidem.*

[656] *Ibidem.*

[657] Vezi și Luca Bravi, Matteo Bassoli, *Il Porrajmos in Italia*, Casa editrice Emil di Odoya, 2013, pp. 49-62.

[658] Renato Semizzi, "Gli zingari" în *La Rassegna di clinica, terapia e scienze affini*, fasc. I, gennaio-febbraio 1939, p. 67.

[659] *Ibidem*, p. 71.

autorități cu mult timp înainte, ceea ce nu constituie nici o surpriză: dincolo de cazul german sau românesc, așa se întâmpla în toată Europa, ajungându-se chiar la convocarea unei conferințe internaționale pe tema stabilirii naționalității romilor expulzați din diverse țări, în 1909, la care însă Italia nu a participat[660]. Paola Trevisan afirmă că noul stat italian de la sfârșitul secolului XIX a negat existența de o sută de ani a romilor – în special în zonele de graniță – în Italia, în viziunea sa, existând o adevărată luptă între primul și cei din urmă, transpusă îndeobște în reglementări penale împotriva lor, îndeosebi în ce privește vagabondajul, dar și alte delicte, precum cerșetoria și chiar furtul, și de asemenea în negarea unor drepturi politice. Vagabondajul, riscul la adresa sănătății și a siguranței publice, mizeria și faptul că nu lucrează se numărau între principalele motive invocate de statul italian pentru a nu îi recunoaște drept cetățeni pe romii existenți în Italia, în anii '20-'30 fiind emise o serie de circulare prin care statul italian încerca să gestioneze situația/le restrângă drepturile[661]. Potrivit lui Boursier, încă din februarie 1926, Ministerul de Interne italian atrăgea atenția că s-au infiltrat în țară vagabonzi și saltimbanci în caravane, dând ordin de a-i expulza în cel mai scurt timp. La 8 august 1926, același minister reitera intenția de „epurare de pe teritoriul național a caravanelor de țigani, vizavi de care e inutil să amintim pericolul pe care stilul lor de viață îl reprezintă la adresa siguranței și igienei publice"[662]. În 11 septembrie 1940, ministrul de Interne Arturo Bocchini a transmis prefecturilor din țară un ordin circular de „internare" a romilor, afirmând că era necesar ca aceștia să fie controlați, fiind elemente care s-ar putea implica în activități antinaționale[663]. Ei trebuiau să fie plasați sub supraveghere strictă în cadrul localităților propunându-se chiar, în cazul „elementelor considerate periculoase sau suspecte", trimiterea pe o insulă izolată, sau

---

[660] Paola Trevisan, „«Gypsies» in Fascist Italy": from expelled foreigners to dangerous Italians, în *Social History*, 2017, pp. 342-364.

[661] *Ibidem*.

[662] Giovanna Boursier, „Gli Zingari nel Italia fascista", în *Italia Romanì*, a cura di Leonardo Piasere, vol. II, ed. CISU, Roma, 1999, p. 7.

[663] Textul complet al ordinului circular al lui Bocchini, în Giorgio Viaggio, „Pregiudizio-Ideologia-Discriminazione. La menzogna della razza nell'ideologia fascista", apărut în *Lacio Drom*, n. 1/1995, pp. 16-17.

regiuni îndepărtate de zone de graniță sau de interes militar. Argumentația era rasială prin excelență: „Dat fiind că uneori comit infracțiuni serioase din cauza naturii lor, a modului de organizare și a posibilității ca între ei să se regăsească elemente capabile să se ocupe de activități antinaționale, este indispensabil ca țiganii să fie controlați... Se ordonă ca aceia de naționalitate italiană, confirmată sau presupusă, care circulă, să fie adunați cât de curând posibil și concentrați sub supraveghere strictă într-o localitate potrivită în fiecare provincie... în afară de elementele periculoase sau suspecte care vor fi trimise în insule sau regiuni"[664]. Referirile la presupusele activități antinaționale și la romii italieni ca elemente suspecte, deci asocierea lor cu ideea de trădare, sens în care trebuiau să fie trimiși în zone izolate, departe de regiunile de interes militar, este un element care continuă preconcepția medievală – aceasta lipsește în cazul deportării romilor din România în Transnistria, dar se regăsește în alte părți, precum în cazul romilor din Crimeea[665]. În Italia, suspiciunea de trădare apare în documente referitoare la romi și imediat după război[666].

„Internarea liberă" a romilor a fost urmată de internarea în lagăre de concentrare, după intrarea în război. Ulterior intrării armatelor germane în Italia, în 1943, există cel puțin un caz documentat, al familiei rome Levakovics, compusă din părinți și 8 copii, care a fost trimisă într-un lagăr de exterminare nazist. Majoritatea lagărelor din Italia au

---

[664] *Ibidem*.

[665] Mikhail Tyaglyy, „*Were the «Chingene´» Victims of the Holocaust? Nazi Policy toward the Crimean Roma, 1941–1944*", în *Holocaust and Genocide Studies*, Volume 23, Issue 1, Spring 2009 p. 31.

[666] Acest aspect apare în mai multe rapoarte privind mai romii și după război, trimise din diverse regiuni ale Italiei de carabinieri către Ministerul de Interne, care vizează îndeosebi circulația romilor din caravane (în Galliate – Novara, Palmanova - Udine, Parma, Savona, Genova, Gerano - Novara, Verona, Tortona – Alessandria). Din rapoarte rezultă că nu s-au confirmat activități suspecte, politice, propagandistice, între ei nefiind „emisari slavo-comuniști" (referirea e la romi proveniți din zona iugoslavă) sau „emisari străini" și nici că ar fi purtătorii unor maladii contagioase. Autoritățile erau totuși vigilente și în alertă față de pericolul pe care aceste caravane în tranzit îl puteau reprezenta pentru liniștea localităților – Archivio dell'Ufficio Storico dello Stato Maggiore dell'Esercito (AUSSME) Roma, *Fondo 1∧DIV Comando Generale dell'Arma dei Carabinieri*, busta 426/1947, titulo 2, sottotitulo 4, fascicolo 229 „Carovane di zingari in Italia", ff. 1-6.

fost situate în regiuni centrale. Potrivit lui Boursier, în lagărul de la Boiano, regiunea Molise, condițiile de cazare – în șoproane dărăpănate, ale unei foste fabrici de tutun – erau inumane, astfel că romii și sintii au fost mutați în august 1941 în cel de la Agnone, din aceeași regiune, într-o fostă mănăstire, care se pare că a avut internați exclusiv din această etnie: în iulie 1942, erau 250 de persoane; în 1943, autoritățile au deschis acolo o școală pentru copiii romi, una dintre însemnări, din aprilie 1943, consemnând un număr de 146 de romi „internați", referirile la școală reflectând și preocuparea de a le „îndepărta obiceiurile vagaboande și imorale". Lagărul de la Tossicia, în Abruzzo, deschis în octombrie 1940, a găzduit de asemenea romi, care erau în număr de cel puțin 106 în iulie 1942. Boursier notează că acolo au fost condițiile cele mai proaste din lagărele central-italiene, internații fiind aglomerați în clădiri fără ferestre și fără apă. Din mărturiile orale, s-a documentat internarea romilor și în lagărul de la Perasdefogu, din insula Sardinia; aceștia au mai fost deținuți și în altele, mai ales în zona centrală a Italiei. În Italia fascistă, romii au fost trimiși în lagăre alături de alte grupuri considerate indezirabile. Nu a existat un lagăr special pentru ei. Numărul victimelor de etnie romă este estimat la circa 1.000 de oameni, în total. Una dintre amintirile cele mai frecvente din lagărele de concentrare din Italia în care au ajuns evrei, romi și sinti, slavi, prizonieri de război, străini internați „pe motive de război" și italieni „periculoși" „pe motive de siguranță publică etc. - este cea a foamei, așa cum reiese din cartea lui Carlo Spartaco Capogreco, *Il campi del Duce*[667]. O mărturie orală a unei foste internate, de etnie romă, din lagărul de la Perasdefogu, din Sardinia, Mitzi Herzemberg, este grăitoare pentru regimul din lagăr: „Mi-era foame, o foame teribilă. Într-o zi, nu știu cum, o găină a apărut în lagăr. M-am aruncat asupra ei ca o vulpe, am omorât-o și am mâncat-o crudă, de ce foame mi-era. M-au bătut și m-au băgat 6 luni la închisoare, pe motiv de furt"[668].

---

[667] Carlo Spartaco Capogreco, *I campi del Duce. L'internamento civile nell'Italia fascista (1940-1943)*, Einuadi, Torino, 2004, p. 127.
[668] Mirella Karpati, „La politica fascista verso gli Zingari in Italia", în *Lacio Drom*, n. 2-3, 1984, p. 42.

În concluzie, suportul ideologic al măsurilor luate împotriva romilor din Italia s-a referit tot la presupusa lor inferioritate rasială şi la pericolul contaminării „rasei superioare", de această dată italiene. Ei nu au apărut explicit între cei vizaţi de „Manifestul rasei", însă şi împotriva lor au fost luate măsuri, care au fost justificate prin aceleaşi considerente de ordine şi siguranţă publică în timp de război, reproşându-li-se „asocialitatea", furtul şi vagabondajul, ca şi în cazul celor deportaţi din România în Transnistria şi ca, de altfel, şi în cazul majorităţii romilor trimişi în lagărele naziste. Condiţiile în care au trăit aceşti oameni sunt similare, atât în ce priveşte mizeria, cât şi foamea[669], pe care au fost nevoiţi să le îndure.

Întâlnire a studenţilor Universităţii din Florenţa cu urmaşii unor romi trimişi în lagăre din Italia - Prato, 21 mai 2019.

---

[669] Mărturii despre foamea din lagăre au fost prezentate şi de urmaşii unor supravieţuitori ai partizanilor romi din Italia, cu ocazia 1º Evento di animazione teritoriale *Rom, Sinti e Caminanti. Un Percorso culturale tra Memoria e Attualità*, organizată de Università degli Studi di Firenze, Ufficio Nazionale Antidiscriminazione Razziale e Formez PA în Prato, 21 mai 2019, la care am asistat. Foamea era un fenomen generalizat în lagărele italiene, după cum rezultă şi din numeroasele pasaje ale cărţii lui Primo Levi (evreu italian trimis în lagăr ca partizan în 1944) – Primo Levi, *Mai este oare acesta un om*, Iaşi, Editura Polirom, 2004. Ediţia originală, în limba italiană, a fost publicată în 1947.

VI REFLECTAREA DEPORTĂRII ROMILOR ÎN PERIOADA POSTBELICĂ

VI.1 Situația romilor la revenirea din Transnistria

O dată cu deteriorarea situației de pe front, mai ales de la sfârșitul anului 1943 și începutul anului 1944, romii au început să revină masiv în țară, într-o stare jalnică. Pe fondul retragerii din Transnistria a Armatei și a administrației românești, romii s-au putut întoarce legal în România, de la mijlocul lunii martie, odată cu ordinul de evacuare a teritoriului.

La revenirea „generală" din Transnistria, statul român a avut în vedere în continuare metode coercitive, nu foarte diferite de regimul anterior, în ceea ce îi privește. Astfel, s-a dispus ca romii reveniți din Transnistria să fie puși la muncă, sub pază, fără a avea dreptul de a se deplasa în afara razei unui județ. În 19 aprilie 1944, Inspectoratul General al Jandarmeriei – Direcțiunea Siguranței și Ordinei Publice a transmis unităților din subordine un ordin circular, cerând să ia „măsuri ca țiganii cari vor fi găsiți pe teritoriul Dvs., fugiți din Transnistria, să fie opriți pe loc și puși la muncă"[670], aceștia neavând drept de circulație în afara județului unde erau găsiți: comandanții de legiuni au primit dispoziția de a le fixa comunele în care să fie instalați. Mai departe, romii au fost plasați sub supravegherea/controlul atent al Poliției și puși la muncă în agricultură. Președinția Consiliului de Miniștri a emis un nou ordin către Ministerul Afacerilor Interne, în care cerea primirea romilor reveniți din Transnistria de către proprietarii de moșii, precum și măsuri precum stabilizarea lor în comune și construirea pentru aceștia de locuințe. Ordinul circular a fost comunicat în teritoriu, instrucțiunile relevând aceeași viziune a autorităților ca și până atunci, în ce îi privea. La Galați, spre exemplu, ordinul, semnat de șeful Poliției, a fost însoțit de „Instrucțiuni de

---

[670] ANIC, *Fond IGJ*, dosar 86/1944, f. 89.

executat în vederea (ținerii) pe loc a țiganilor nomazi și a plasării lor la munci agricole" extrem de precise, care urmăreau ca operațiunea să fie executată „în astfel de condițiuni ca să satisfacă și cerințele populației, unde sunt opriți, și pe cele de muncă și pe cele de trai bun pentru ei, în limita posibilităților"[671]. Măsurile se refereau la interzicerea circulației romilor, care urmau a fi opriți în locurile unde erau găsiți, fixarea unui domiciliu provizoriu, deparazitarea tuturor, pentru a preîntâmpina riscurile „pentru starea sanitară a populației", stabilirea moșiilor la care urmau a fi repartizați pentru muncă, cât și a numărului necesar pentru fiecare proprietar de comun acord cu Prefectura județului și Camera Agricolă, cazarea lor la moșii „în bune condițiuni sanitare", stabilirea condițiilor de plată și hrană, „care să le asigure cel puțin strictul necesar de hrană și îmbrăcăminte, pentru a nu mai fi îmboldiți la furturi". Romilor li se interzicea „de a circula în satul respectiv fără rost după ghicit", sub sancțiunea unor pedepse drastice - aplicarea până la 25 de lovituri, în funcție de gravitatea faptelor comise, precum și „întrebuințarea armelor fără cruțare contra celor ce fug și nu se supun la somațiile legale". Erau considerate abateri pasibile de pedepse următoarele: „Refuzul de a respecta măsurile de igienă; Lenea sau lipsa nejustificată de la lucru sau refuzul de a lucra; Călcarea interdicției de a circula în satul respectiv sau alte sate; Bătaia și cearta între ei"[672]. În motivarea măsurii se regăsesc aceleași considerente legate de infracționalitate și pericolul pe care l-ar prezenta, ideea de a „feri" populația fiind recurentă: „pentru a opri infiltrarea lor în restul țării și a feri astfel populația de pericolul ce-l prezintă pentru avutul și chiar viața cetățenilor, cât și pentru a înlătura urâtul aspect prezentat fie de marșul unei caravane, fie de umbletul lor prin sate pentru așa-zisa exercitare a meseriilor ce cunosc, printre care cea mai importantă rămâne tot furtul, cât și pentru a întrebuința atâtea brațe care stau în inactivitate tocmai acum când este atâta nevoie de ele. Pentru executarea ordinului de mai sus în bune condițiuni, Inspectoratul apreciază că și populația județului în care au pătruns și vor fi opriți trebuie ferită și pusă la adăpost de pericolul ce țiganii îl prezintă pentru avutul și viața ei, cât și din punct

---

[671] *Ibidem*, f. 217.
[672] *Ibidem*, ff. 217-218.

de vedere sanitar"[673]. Hotărâri similare în aplicarea aceluiași ordin au luat și autoritățile de la Dolj - prefectul, comandantul Legiunii de Jandarmi, directorul Camerei Agricole, cu prevederi exprese privind interzicerea circulației romilor înapoiați din Transnistria, domiciliu obligatoriu, deparazitare obligatorie, cu termen data de 15 iunie 1944, munca obligatorie, contra cost („absolut toți acești țigani vor fi puși de primar și șeful de post să muncească la proprietarii și locuitorii agricoli din comună") și împiedicarea cerșitului „de către țigani și în special de către femeile și copiii lor", cu sancțiuni prevăzute de legea sanitară în cazul nerespectării măsurilor de igienă și pedepse fizice, aplicate public, în fața unei comisii, în celelalte cazuri. Astfel, erau pedepsite „lenea, lipsa nejustificată de la lucru și refuzul de a lucra", li s-a interzis să meargă cu cerșitul, fiind puși la muncă, prin „luarea posibilităților de a-și procura hrană pe alte căi decât pe calea muncii la care sunt obligați". În caz de recidivă, urma să li se aplice vinovaților zece lovituri la spate în fața unei comisii formată din primar, notar, șef de post și medic, cu proces-verbal și doar pe baza avizului scris al medicului că pot suporta loviturile. Populației îi era interzis să îi hrănească pe ascuns pe cei despre care i se adusese la cunoștință că nu vor să muncească. Romii erau pasibili chiar de a ajunge în fața instanței, pentru tulburarea liniștii publice: „Călcarea interdicției de a nu circula dintr-o comună în alta se va pedepsi cu aceleași măsuri și în același mod ca la punctul 2 de mai sus. Idem bătaia și cearta între țigani, dresându-le în plus de șeful de post și acte de dare în judecată pentru tulburarea liniștei publice"[674]. Chiar și așa, punerea în practică a măsurii a fost extrem de dificilă. Tot la Galați, șeful Jandarmeriei județene, colonelul C. Sârbulescu, semnala într-o adresă către Direcția Siguranței și Ordinii Publice din Inspectoratul General al Jandarmeriei că, după ce s-a trezit cu „teritoriul invadat de țigani nomazi trecuți fraudulos din Transnistria" în luna aprilie a primit ordinul de a îi opri spre a fi repartizați la munci agricole, dar întâmpină mari greutăți în executarea lui[675]. Potrivit sursei citate, majoritatea romilor repatriați „nu sunt apți pentru muncă, fiind copii sau bătrâni neputincioși, așa că nu se pot plasa" și mai

---

[673] *Ibidem.*
[674] ANIC, *Fond IGJ*, dosar 86/1944, f. 211.
[675] *Ibidem*, f. 96.

mult, nici proprietarii nu erau mulțumiți, întrucât cei apți de muncă „pe lângă că nu sunt pricepuți arată și rea voință, iar unii se dedau chiar la furturi de păsări, obiecte de îmbrăcăminte etc., din care cauză îi concediază"[676]. El cerea instrucțiuni, arătând că respectivii riscă să moară de foame, din moment ce nu puteau să-și câștige cele necesare traiului și nici să părăsească localitatea, avertizând că, dacă situația se prelungește, „poate deveni un pericol permanent pentru ordinea și siguranța publică" și solicitând înființarea de „lagăre de muncă pentru cei apți de muncă și a unor colonii pentru cei inapți"[677]. Proprietarii mai multor moșii au refuzat din capul locului să îi primească sau să le construiască locuințe. Un raport al Legiunii de Jandarmi Ilfov adresat superiorilor de la Direcția Siguranței și Ordinii Publice din Inspectoratul General al Jandarmeriei semnala, în 28 mai 1944, că, deși li s-a pus în vedere proprietarilor de moșii Regală Mănăstirea și Academia Română din comuna Chiselet, să le construiască locuințe romilor rudari pe care îi au la muncă, acest lucru nu s-a întâmplat. Ca atare, rudarii locuiau „în mod primitiv" în bordeie pe care și le-au construit singuri, neîncăpătoare și lipsite de aer, abandonate când începea sezonul agricol – pentru că își improvizau în locurile în care munceau alte adăposturi - și unde reveneau toamna. „Credem că problema construirii locuințelor, mai ales în timpurile de azi, este foarte grea. Moșia Regală Mănăstirea nu-și ia niciun angajament în această privință, iar moșia Academia Română, deși s-a angajat în scris că le va face locuințe, totuși nu a realizat nimic până în prezent", se arată în raportul amintit, semnat de comandantul Legiunii de Jandarmi Ilfov, colonel Aurelian David, și șeful Biroului Poliției, maior Gheorghe Vântu[678]. În iunie, o situație centralizatoare a datelor primite de la legiunile de jandarmi din țară arăta diverse situații unde aplicarea ordinului întâmpina probleme: cele două moșii din Ilfov deja menționate - Regală Mănăstirea și Academia Română, ferma Ocolna din Romanați (unde romii locuiau în bordeie) și o serie de particulari, care de asemenea nu le-au construit locuințe zecilor de romi care lucrau la ei, motivând lipsa de materiale sau prin faptul că romii erau angajați cu ziua; de asemenea, ordinul nu era pus în aplicare nici de

---

[676] *Ibidem.*
[677] *Ibidem.*
[678] *Ibidem*, f. 292.

Administrația Domeniilor Coroanei din Segarcea și Sadova-Dolj, care însă și-a luat angajamentul de a le construi locuințe confortabile până în toamna aceluiași an, având materialele necesare depozitate și urmând a începe imediat lucrul.

VI. 2 Deportarea în Transnistria în cadrul proceselor pentru crime de război

Procesele de la Nürnberg au judecat crimele împotriva păcii, crimele de război și crimele împotriva umanității în baza Statutului Tribunalului Militar Internațional de la Nürnberg, adoptat prin Declarația de la Londra din 8 august 1945, semnată de statele învingătoare[679], cu argumentul că crimele de război erau deja prevăzute într-un alt act internațional în vigoare la momentul producerii faptelor, respectiv Convenția de la Haga din 1907[680]. Aceasta prevedea, în ce privește legile războiului, la articolul 46 că în teritoriile ocupate militar „trebuie respectate onoarea și drepturile familiei, viața persoanelor, proprietatea privată, precum și convingerile și practicile religioase"[681]. Astfel articolul 6 al Statutului Tribunalului Militar Internațional de la Nürnberg prevedea ca fiind „crime împotriva păcii" plănuirea, pregătirea, inițierea sau desfășurarea unui război de agresiune sau a unui război cu încălcarea tratatelor, acordurilor sau asigurărilor internaționale, sau participarea la un plan premeditat sau la o conspirație pentru realizarea oricăreia dintre faptele amintite. Deportările erau prevăzute atât la „crimele de război" – definite ca încălcările legilor sau obiceiurilor de război[682], cât și la „crimele împotriva umanității"[683], iar responsabili de crimele amintite erau făcuți

---

[679] Vezi în acest sens https://avalon.law.yale.edu/imt/imtconst.asp, accesat la 10.05.2021.

[680] https://avalon.law.yale.edu/imt/judlawre.asp, accesat la 10.05.2021.

[681] https://avalon.law.yale.edu/20th_century/hague04.asp, accesat la 10.05.2021.

[682] „Astfel de încălcări includ, fără a se limita la, omorul, maltratarea sau deportarea la muncă forțată sau în orice alt scop a populației civile din sau în teritoriul ocupat, omorul sau maltratarea prizonierilor de război sau a persoanelor pe mări, uciderea ostaticilor, jaful proprietății publice sau private, distrugerea deliberată a orașelor sau satelor sau devastarea nejustificată de necesitatea militară". *Ibidem.*

[683] „Și anume omorul, exterminarea, înrobirea, deportarea și alte fapte inumane comise împotriva oricărei populații civile, înainte sau în timpul războiului; sau persecuții pe motive politice, rasiale sau religioase, în executarea sau în legătură cu orice infracțiune din juris-

„liderii, organizatorii, instigatorii sau complicii care participă la formularea sau executarea unui plan comun al conspirației de le a comite"[684].

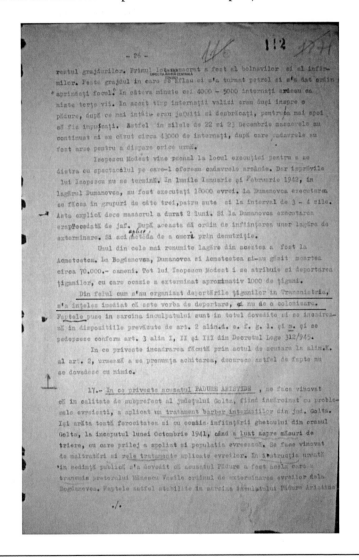

---

dicția Tribunalului, indiferent dacă încalcă sau nu legea de drept intern a țării în care s-au săvârșit". Au fost codificate ulterior, prin Convenția de la Geneva din 1949, vezi: https://ihl-databases.icrc.org/applic/ihl/ihl.nsf/Article.xsp?action=openDocument&documentId=77068F12B8857C4DC12563CD0051BDB0, accesată la 10.05.2021.
[684] https://avalon.law.yale.edu/imt/judlawre.asp, accesată la 10.05.2021.

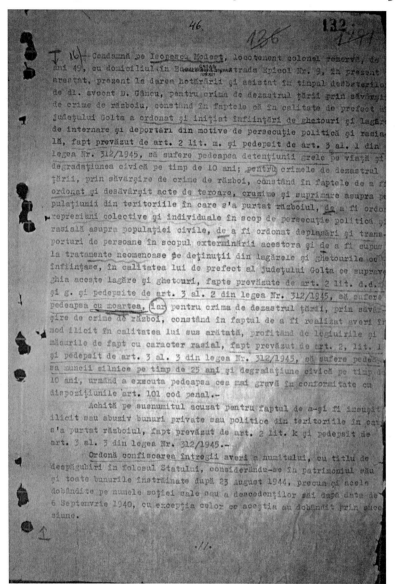

Actul de condamnare a fostului prefect de Golta, Modest Isopescu.
Sursa: Consiliul Național pentru Studierea Arhivelor Securității,
Arhiva Operativă.

Între acuzațiile din „Procesul marei trădări naționale" inspirat de procesele de la Nürnberg s-au numărat și cele referitoare la persecuțiile populației civile și deportări[685]. În special, au fost vizate ceea ce numim în mod obișnuit crime împotriva umanității, cu referire îndeosebi la evrei – masacrele evreilor din Basarabia și Bucovina, represaliile ordonate după atentatul de la Odessa.

Vizită a mareșalului Ion Antonescu pe front, în Transnistria, după declanșarea „războiului de agresiune" contra URSS. Alianța cu Germania nazistă și „aservirea economică și financiară" a României, pentru susținerea războiului, au constituit primul capăt de acuzare de la procesul din 1946.
Sursa: Muzeul Holocaustului din Odessa.

Persecuțiile romilor apăreau în subsidiar, iar acest aspect a fost evident în cadrul procesului, prin tratarea destul de marginală.

---

[685] Și alți reprezentanți ai regimului Antonescu au fost judecați și condamnați după război, între ei, fostul prefect de Golta, Modest Isopescu. Modul în care Modest Isopescu a gestionat problema romilor în Golta apare în actul de acuzare de la procesul din 1945, în care fostul prefect a fost judecat alături de generalul Nicolae Macici și alte zeci de persoane și în care a fost condamnat la pedeapsa cu moartea, comutată apoi în muncă silnică pe viață – vezi Consiliul Național pentru Studierea Arhivelor Securității, Arhiva Operativă, dosar P 0000241_002, ff. III-II2 și 132.

Astfel, actul de acuzare, publicat în *Procesul marei trădări naționale*, se referă întâi la acuzațiile de natură politică și economică – alierea cu Germania nazistă, „aservirea economică și financiară a Țării Românești Germaniei hitleriste, întru susținerea războiului său agresiv" – abia treia acuzație vizând în crime împotriva umanității. Au fost menționate masacrele împotriva evreilor, în special cel de la Odessa, lagărele și deportările, inclusiv ale romilor, urmate de intoleranța religioasă, cu referire la deportarea „inochentiștilor"[686].

Dincolo de procesul evident politic[687], în actul de acuzare, din 29 aprilie 1946, având la bază „dispozițiunile art. 5 și următorii și 15 din Legea 312/1945, Legea nr. 61/1946 și art. 241 din Codul de Procedură Penală" aceste din urmă acuzații stau și în prezent în picioare[688]. Legea 312/1945, „pentru urmărirea și sancționarea celor vinovați de dezastrul țării sau de crime de război"[689] prevedea la articolul 2 că între vinovați sunt cei care „e) Au ordonat sau săvârșit represiuni colective sau individuale în scop de persecuție politică sau din motive rasiale asupra populației civile", „f) Au ordonat sau organizat munci excesive sau deplasări și transporturi de persoane în scopul exterminării acestora", „m) Au ordonat sau inițiat înființări de ghetouri, lagăre de internare ori deportări din motive de persecuție politică sau rasială" respectiv „n) Au ordonat edictarea de legiuni sau măsuri nedrepte de concepție hitleristă, legionară sau rasială, ori au practicat - cu intenție - o execuție excesivă a legilor derivate din starea de război sau a dispozițiunilor cu caracter politic sau rasial". La articolul 3 se arăta că vinovații de faptele

---

[686] *** *Procesul marei trădări naționale*, pp. 34-45.

[687] De altfel, acuzații din proces au invocat și motive de neconstituționalitate legate de Legea 312/1945.

[688] Cererile de revizuire au fost respinse de Înalta Curte de Casație și Justiție în 2008. Sentința precedentă, a Curții de Apel București, care îi achitase parțial pe membrii Guvernului Antonescu pe motiv că nu cunoscuseră prevederile Pactului Ribbentrop-Molotov, arăta însă că „legat de crimele de război și contra umanității, CAB a stabilit că Pactul Ribbentrop-Molotov nu putea justifica comiterea crimelor de război și contra umanității prevăzute de D-L.312/1945, cererea de revizuire fiind sub acest aspect neîntemeiată". Vezi în acest sens https://romanialibera.ro/ actualitate/ eveniment/iccj-va-judeca-recursul-la-achitarea-partiala-a-maresalului-antonescu-102874, accesat la 10.05.2021.

[689] https://lege5.ro/Gratuit/g42dinrq/legea-nr-312-1945-pentru-urmarirea-si-sanctionarea-celor-vinovati-de-dezastrul-tarii-sau-de-crime-de-razboi, accesată la 10.05.2021.

de la art. 2 alin. a)-j) „se vor pedepsi cu moartea sau cu munca silnică pe viață", în timp ce sancțiunea aplicată pentru faptele de la art. 2 alin. m)-o) era „detențiunea grea pe viață, detențiunea grea de la 5 la 20 ani sau detențiune riguroasă de la 3 la 20 ani".

Tribunalul Poporului i-a găsit vinovați de faptele prevăzute la literele e), f), m) și n) atât pe fostul *Conducător* al statului, Ion Antonescu, cât și pe fostul vicepreședinte al Consiliului de Miniștri, Mihail Antonescu, și pe fostul subsecretar de Stat de la Ministerul de Interne, generalul Constantin Z. Vasiliu (condamnările au privit, în mod evident, mult mai multe capete de acuzare)[690]. Fostul guvernator al Transnistriei, Gheorghe Alexianu, a fost condamnat, între altele, pentru faptele de la aliniatele f), m) și n)[691]. Recursurile depuse au fost respinse[692], ca și cererile de grațiere privindu-i pe cei doi Antonești, pe Gheorghe Alexianu și generalul Constantin Z. Vasiliu[693].

În actul de acuzare, reprezentanții regimului Antonescu au fost învinuiți că au dus o „politică criminală față de naționalitățile conlo-cuitoare", așa-numita politică a „migrațiunii forțate", pe care acuzatorul public a calificat-o drept „politica urii, politica barbară a șovinismului și a purității și superiorității unei rase asupra alteia, izvorâte din falsa teorie hitleristă"[694] care ar fi avut ca scop cucerirea și exploatarea. Acuzarea a enumerat în acest sens deportările mai multor grupuri etnice: evreii din Basarabia și Bucovina - susținând că, după peregrinări prin lagărele din

---

[690] Au mai fost condamnați cu același prilej liderul legionar Horia Sima – fost vicepreședinte al Consiliului de Miniștri, fugit din țară, fostul director al Serviciului Special de Informații, Eugen Cristescu, fostul ministru de Război Constantin Pantazi și fostul ministru al Comunicațiilor - Constantin Bușilă, fostul ministru de Interne Constantin Petrovicescu, fostul împuternicit al Guvernului pentru Chestiuni Evreiești Radu Lecca și fostul ministru al Sănătății - Vasile Iașinschi, fostul subsecretar de Stat al Românizării, Colonizării și Inventarului - Titus Dragoș și fostul ministru al Înzestrării Armatei - Gheorghe Dobre și fostul ministru de Interne Gheorghe Popescu.
[691] Hotărârea nr. 17 a Tribunalului Poporului București, pronunțată în 17 mai 1946, în Ciucă, Marcel-Dumitru (ed.), *Procesul mareșalului Antonescu. Documente*, vol. II, București, Editura Saeculum I.O și Editura Europa Nova, 1995, pp. 209-309.
[692] *Ibidem*, pp. 371-419.
[693] Acestea au fost însă acceptate de Rege în cazul lui Eugen Cristescu, Radu Lecca și Constantin Pantazi, pedeapsa fiind comutată în închisoare pe viață, pe baza referatelor exponenților noii puteri comuniste (ministrul Justiției, Lucrețiu Pătrășcanu, și șeful Guvernului, Petru Groza) - *Ibidem*, pp. 421-422.
[694] *** *Procesul marei trădări naționale*, p. 41.

Transnistria, în Bucovina s-au mai întors 6.000 din cei 56.000 de deportați, iar din Dorohoi doar jumătate – polonezii și ucrainenii, deportați în baza Ordinului nr. 81 din 6 Decembrie 1941 al Președinției Consiliului de Miniștri, precum și romii[695]. În descrierea faptelor, despre care a spus că au fost „pe bază de criterii și discriminări odioase, bazate numai pe ură", acuzarea a folosit, doar în cazul romilor, un epitet calitativ - „bieții", care poate indica sărăcia, dar și empatia cu suferințele acestora: „De această prigoană a cetățenilor români pe bază de criterii și discriminări odioase, bazate numai pe ură, n-au scăpat nici bieții țigani. Mii de familii nenorocite au fost ridicate din bordeie și cocioabe și deplasate dincolo de Nistru. Zeci de mii de bărbați, femei și copii au pierit de foame, frig și boli"[696], se arată în actul de acuzare. Procurorii au prezentat și documente ale Președinției Consiliului de Miniștri și Ministerului de Interne, inclusiv referitoare la romii fugiți din Transnistria, semnate de generalul Vasiliu, ca să ateste faptul că toți cei care „fugeau din iadul din Transnistria" erau retrimiși Inspectoratului de Jandarmi Transnistria la Tiraspol, pentru a fi închiși și trimiși în lagăr[697].

Ion Antonescu a susținut în permanență că deportarea romilor în Transnistria a fost determinată de problemele de ordine publică grave pe care aceștia le ridicau, mai ales noaptea, în timpul camuflajului, când singuri sau în bande, uneori înarmați, furau, jefuiau sau chiar omorau – „în București și alte orașe". Potrivit declarațiilor de la proces, în condițiile în care guvernatorul Transnistriei, Gheorghe Alexianu, i-ar fi spus că are nevoie de brațe de muncă, el ar fi decis abandonarea planurilor inițiale de colonizare a romilor în Bărăgan și trimiterea lor în Transnistria, mai ales că opinia publică îi cerea să o „apere". În această expunere, nu este clar de ce nu i-a colonizat la propriu în Transnistria și de ce a trimis și romii de la sate, aceștia constituind de fapt cei mai mulți dintre deportați (cei de „evacuarea" cărora se ocupa Jandarmeria).

Astfel, la interogatoriul din 6 mai 1946, în cadrul procesului „criminalilor de război" români, chestionat cu privire la deportări, Ion Antonescu a susținut că i-a evacuat pe evreii din Basarabia și Bucovina

---

[695] *Ibidem*, p. 42.
[696] *Ibidem*.
[697] *Ibidem*.

„pentru motive de siguranță politică, militară și pentru siguranța lor proprie", întrucât toate armatele evacuează populația din spatele frontului pe o rază de zeci de kilometri. Acuzatorul public șef, V. Stoican, l-a confruntat, întrebându-l „ce necesități strategice și naționale au determinat deportarea a 26.000 de țigani, a inochentiștilor, a sectelor religioase, a luptătorilor antifasciști... de pe teritoriul Țării Românești? Nu din zona frontului"[698], iar Antonescu a invocat motive legate de ordinea publică. El a subliniat că printre cei trimiși în Transnistria se numărau și persoane cu 17 condamnări: „*Mareșalul Ion Antonescu*: Sunt trei probleme aicea, domnule Președinte. Este problema țiganilor, este problema sectelor și problema luptătorilor antifasciști. (...) Problema țiganilor. Din cauza camuflajului, în București și în orașe erau furturi și omoruri și atuncea mi se cerea de către opinia publică să-i apăr, pentru că nu se pot apăra, intrau noaptea și... asta. După multe cercetări și investigații s-a constatat că erau țigani, care unii dintre ei erau chiar înarmați cu arme de război și făceau aceste atacuri. Toți țiganii aceștia care au fost deplasați, unii aveau câte 17 condamnări. Atunci, am spus, și cum domnul Alexianu avea nevoie de brațe în Transnistria, căci le lipseau brațele, am spus: luați-i și duceți-i in Transnistria. I-am deplasat în Transnistria. Ordinul meu, și-mi iau răspunderea acestei chestiune [sic!]. Și mă justific pentru ce am făcut"[699].

El a ales să răspundă selectiv la întrebarea acuzatorul-șef, care l-a chestionat dacă știe cumva că „printre infractorii aceia țigani" erau trimiși, de către organele din subordine, „și români ceva mai închiși la față", precum și „femeile, nevestele celor care luptau pe front", în armata sa. A oferit totuși o explicație pentru deportarea celor din urmă, care a stârnit, așa cum se consemnează în volumul de documente scos de pe înregistrările pe plăci ale ședințelor de judecată, rumoare în sală: „*Mareșalul Ion Antonescu*: Țiganii, domnule Președinte, își luau nevestele, ei nu se separă de neveste"[700].

---

[698] ed. Marcel-Dumitru Ciucă, *Procesul mareșalului Antonescu. Documente*, vol. I, București, Editura Saeculum, Europa Nova, 1995, p. 245.
[699] *Ibidem*, pp. 245-246.
[700] *Ibidem*, p. 246.

Rațiunile legate de ordinea publică se regăsesc de asemenea în memoriul pe care mareșalul l-a înaintat în 15 mai 1946 Tribunalului Poporului, în care s-a referit și la deportări. În ce privește romii, el a justificat „evacuările" prin rațiuni de ordine publică, susținând că în timpul camuflajului terorizau populația orașelor, că indivizi sau bande, de multe ori înarmați, „jefuiau și uneori chiar omorau", adăugând că „toți cereau împușcarea lor": „ȚIGANII. Din cauza camuflajului, populația orașelor era, noaptea, terorizată de bande sau de indivizi, de multe ori înarmați, care jefuiau și uneori chiar omorau. Aceștia erau țiganii. Toți cereau împușcarea lor. Am pus să se studieze facerea unor sate în Bărăgan pur țigănești. Transnistria ducea mare lipsă de brațe. Atunci am hotărât ca țiganii care aveau la activele lor crime sau mai mult de trei furturi, să fie deportați în Transnistria"[701].

La interogatoriul vicepreședintelui Consiliului de Miniștri, Mihai Antonescu, acesta a susținut că el, ca profesor universitar, nu a fost niciodată antisemit și că nu a aderat vreodată la teoriile rasiale sau doctrina fascistă: „*Acuzat Mihai Antonescu*: Domnule președinte, trebuie să vă fac o mărturisire: eu aparțin Universității și prin formațiunea mea de gândire nu am avut nicio contingență nici cu doctrina rasistă, nici cu doctrina fascistă și nici cu vreo altă ideologie; trebuie să vă mărturisesc cinstit că niciodată n-am fost antisemit"[702]. Despre deportările romilor, el nu a fost chestionat.

Pe de altă parte, generalul Constantin Z. Vasiliu a motivat, la interogatoriu, că trebuia să facă „organizarea" „evacuaților" romi pentru a-i proteja și s-a apărat de acuzații cu scuza clasică și din cazul unora dintre naziștii judecați la Nürnberg, aceea că trebuia să execute ordinele primite: „*Acuzator public Stoican*: Dacă, primind dispozițiuni de principiu de a-i deporta pe țigani, a organizat în amănunt aceste deportări? *Acuzat C.Z. Vasiliu*: Ca să trimiți 24.000 de oameni din toate colțurile țării fără să faci organizare însemnează să-i trimiți pe toți la moarte. Eu am luat toate măsurile, am dat, deci, trenuri complete pentru îmbarcarea acestor țigani.

---

[701] Ed Marcel-Dumitru Ciucă, *Procesul mareșalului Antonescu. Documente*, vol. II, București, Editura Saeculum, Europa Nova, 1995, p. 176.
[702] *** *Procesul marei trădări naționale*, p. 82.

Președintele: Dvs sunteți organizatorul acestor depo.rtări? *Acuzat C.Z. Vasiliu*: Dacă am primit ordin, ce era să fac?"[703].

„Procesul marei trădări naționale" a urmat îndeaproape modelul proceselor de la Nürnberg. Sursa: Arhiva Muzeului Holocaustului din Statele Unite (USHMMA).

---

[703] *Ibidem*, p. 108.

Mareşalul Ion Antonescu, înaintea execuţiei. Sursa: Arhiva Muzeului
Holocaustului din Statele Unite (USHMMA).

Vasiliu a oferit câteva detalii interesante despre mersul opera-
ţiunii – spre exemplu că au fost romi care au făcut, de la Timişoara
până la locul deportării, în Transnistria, peste 40 de zile. Acesta a
motivat faptul că „evacuaţii" au putut să-şi ia doar un bagaj de mână
prin lipsa spaţiului în trenuri, chiar dacă el a fost cel care a indicat
folosirea trenurilor, în loc de şlepuri, cum se intenţiona în ordinul
iniţial; în plus, probabil ca să fie mai credibil, a dat un număr mai mic
de trenuri decât au fost implicate în operaţiune în realitate (5 în loc de
9): „*Acuzator public Stoican*: Dacă a dispus ca fiecare ţigan să nu plece în
Transnistria decât cu o boccea şi cu ce putea să încapă în ea? *Acuzat
C.Z. Vasiliu*: Dacă s-ar fi permis fiecărui deportat să ia cu el casa
întreagă, n-ar fi putut să ajungă cele 5 trenuri care ni s-au pus la

dispoziție. *Acuzator public Stoican*: Dacă a dispus să fie deportați în cel mai scurt timp posibil, ca să nu se producă agitații? *Acuzat C.Z. Vasiliu*: Țiganii au călătorit peste 40 de zile de la Timișoara la București până să ajungă în Transnistria. A fost o operațiune grea și trebuiau luate măsuri să nu se întâmple incidente". Chestionat de președintele de ședință cu privire la măsurile luate „în legătură cu deportarea țiganilor și sectanților", Vasiliu s-a apărat prin invocarea celor 3 comisii pe care le-a dispus, pentru a verifica situația romilor trimiși în Transnistria, precum și cu un ordin prin care se dispunea colonizarea acelora care luptau pe front și ale căror familii fuseseră deportate „din greșeală": „*Președintele*: Ce măsuri ați luat în legătură cu deportarea țiganilor și sectanților? *Acuz. C. Vasiliu*: Domnul mareșal a expus în ședința de ieri motivele. Deși domnul acuzator spune că nu sunt uman, se găsește tot în dosarele dvs. un ordin dat de mine prin care am trimis la fața locului trei comisiuni să verifice situația acestor țigani, cari din nenorocire au fost luați cu duiumul, au fost aproape 20.000, și să se vadă care sunt nevinovați. Mai mult decât atât, tot în acest dosar se găsește altă adresă – mă refer la ceea ce a spus domnul acuzator public, că au fost luate femeile unora care erau plecați pe front – din care rezultă că atunci când dintr-un sălaș de țigani nomazi se găseau astfel de femei, acestea nu înțelegeau să rămână, și atunci plecau și ele cu sălașul. Se găsește în dosarul dvs. un ordin al domnului mareșal Antonescu către domnul Alexianu și o adresă a mea, în care se spune că acestora să li se dea casă, pământ de lucru și hrană"[704]. Potrivit lui Vladimir Solonari, Vasiliu ar fi dispus trimiterea comisiilor alarmat fiind de zvonurile că guvernatorul Transnistriei, Gheorghe Alexianu, ar avea intenția de a ancheta abuzurile care fuseseră semnalate[705]. În ce privește ideea de colonizare - respectiv „să li se dea casă, pământ de lucru și hrană" – nu am găsit documente că acest lucru s-ar fi și întâmplat.

În ce îl privește pe fostul guvernator al Transnistriei, Gheorghe Alexianu, la interogatoriu, acesta a spus că prefectul de Golta,

---

[704] *** *Procesul marei trădări naționale*, p. 104.
[705] Vladimir Solonari, *op. cit.*, pp. 262-263.

Modest Isopescu, i-a raportat despre unele masacre, care ar fi fost făcute însă exclusiv de germani[706].

Înainte de pronunțarea condamnărilor, acuzatorul public șef Vasile Stoican a dat citire unui rechizitoriu lung, în care le-a imputat reprezentanților fostului regim „crime înfiorătoare" făcute din ordinul lui Hitler ori din proprie inițiativă, „după exemplul și sugestiile barbariei hitleriste": *„Rechizitoriul acuzatorului-public șef Vasile Stoican*: Onorat Tribunal, nu este cruțat de deportare nimeni: nu sunt cruțați nici cetățenii polonezi, cari au fost și ei deportați; nu sunt cruțați nici invalizii de război, nici bătrânii din azile, nici bolnavii din spitale: sunt deportați chiar și cei 66 de nebuni din azil. Iată opera de purificare întreprinsă sub directivele celor doi șefi hitleriști I. Antonescu și M. Antonescu. Onorat Tribunal, s-a vorbit aici de necesități strategice, de ordine hitleriste. Dar ce necesități strategice și ce ordine hitleriste au impus deportarea nenorociților[707] de țigani?", a afirmat acesta.

În ceea ce privește romii deportați, în cursul procesului „Antonescu", în rechizitoriul prezentat, acuzatorul Vasile Stoican a făcut referire la deportarea a 26.000 de romi în Transnistria, „din care 6-8.000 au fost omorâți de același colonel Isopescu Modest[708] la Golta", el susținând că nu trupele germane au comis masacrul, așa cum a susținut fostul guvernator al Transnistriei, Gheorghe Alexianu[709]. Radu Ioanid preia aceste cifre în *Holocaustul din România. Distrugerea evreilor și țiganilor sub regimul Antonescu, 1940-1944*, adăugând și mărturia din anii '60 a unui supraviețuitor evreu, Mihail Hausner, potrivit căruia „11.500 de țigani fuseseră ridicați de SS și împușcați în gara Trihatca (Trihati)[710].

---

[706] *Ibidem*, p. 144.

[707] Din nou un epitet care sugerează fie sărăcia, fie empatia.

[708] Prefectul de Golta, căruia i s-a imputat o serie de alte masacre, comise împotriva populației evreiești deportate în Transnistria. La proces, fostul guvernator al Transnistriei, Gheorghe Alexianu, a spus, interogat fiind cu privire la cei „peste 40.000 de cetățeni sovietici" care ar fi fost „măcelăriți la Golta", că Isopescu i-a raportat „că germanii, care se găseau în massă compactă la Golta au executat pe evreii cari se găseau acolo", fără a se referi la numărul indicat. Despre romi nu i s-a pus nicio întrebare. Vezi *** *Procesul marei trădări naționale*, p. 149.

[709] *** *Procesul marei trădări naționale*, p. 305.

[710] Radu Ioanid, *Holocaustul din România. Distrugerea evreilor și țiganilor sub regimul Antonescu, 1940-1944*, București, Editura Hasefer, 2006, p. 343.

Documentele cercetate fac referire și ele la cazuri în care romii au fost împușcați. Primul dintre ele apare într-un raport al Comisiei de anchetă din 19 decembrie 1942, deplasată în zona Balșoia Carinica, județul Oceacov, din care reiese că germanii au împușcat 35 de romi în comuna Steimberg, fără alte detalii[711]; al doilea, datând din mai 1943, este dintr-un raport al postului de jandarmi din Covaleovca adresat Legiunii de Jandarmi Berezovca în care se afirmă că acolo primarul nu le dă de mâncare romilor, pentru că nu merg la lucru, iar pe cei care „pleacă după lucru prin comunele vecine, exemplu la Trihati, unde nu sunt țigani, jandarmii acestui post îi împușcă"[712], astfel că „au fost împușcați o mulțime de țigani până în prezent"[713]. „Câțiva țigani au fost împușcați de nemții din satele germane și apoi arși (ex. Schönfeld)", se arată și în memoriul depus la proces de fostul prefect de Oceacov, Vasile Gorsky[714]. De asemenea, liderul rom Ion Cioabă, într-o mărturie apărută în revista *Lacio Drom* în 1984, pomenește în nu mai puțin 4 locuri, de romi împușcați – „lângă orașul Trei Duble", unde cei care s-au opus confiscării căruțelor „au fost împușcați fără milă" de soldații germani; în momentul când au ajuns în lagăr - „bătrânii și cei bolnavi au fost împușcați", dar de asemenea și romii care călcau interdicția de a ieși din lagăr și mergeau în sat după hrană sau cei care încercau să fugă înapoi în România, iar „dacă erau văzuți de nemți erau împușcați fără milă sau erau striviți de tancuri"[715]. De asemenea, într-un interviu realizat cu supraviețuitoarea Florica Gongoroiu, apărut în volumul de documente semnat de Lucian Nastasă și Andrea Varga, aceasta afirmă că „nemții au băgat 3.000 de oameni într-o groapă și i-au împușcat"[716]. După cum se poate lesne observa, documentele fac referire îndeosebi la ucideri ale

---

[711] ANIC, *Fond IGJ*, dosar 43/1943, vol. II, f. 11.

[712] USHMMA, RG-31.008M, microfiche 1594/3/10; NA, fond 1549, opis 3, delo 10, f. 47 copie, ms, în Viorel Achim, *Documente privind deportarea țiganilor în Transnistria*, vol. II, Editura Enciclopedică, București, 2004, p. 197.

[713] *Ibidem*.

[714] Mărturia acestuia apare atât în Radu Ioanid, *op. cit.*, p. 341, cât și în Viorel Achim, *Documente privind deportarea țiganilor în Transnistria*, vol. II.

[715] Joan Cioaba, „Il genocidio in Romania: una testimonianza", în *Lacio Drom*, n. 2-3, 1984, pp. 54-56.

[716] Lucian Nastasă, Andrea Varga, *op. cit.*, p. 626.

romilor comise de trupele germane, dar există și unele cazuri în care au fost implicați jandarmi (români).

În rechizitoriu, acuzatorul șef a respins ideea existenței unor „necesități strategice" pentru deportări, inclusiv ale romilor, invocată de acuzați, cu Ion Antonescu în frunte. El a susținut că a existat o „identitate de proceduri" și de „concepție criminală" între acuzați și „stăpânii lor hitleriști", prezentând un document de la Nürnberg în care un martor norvegian descria rezultatele experiențelor cu gaze făcute de savanții hileriști asupra unui grup de romi și susținând că „hitleriștii făceau experiențe cu gaze otrăvitoare asupra țiganilor, iar voi îi deportați în Transnistria, ca să fie exterminați acolo"[717]. Acuzatorul-șef a arătat că din documentele de la dosar rezultă că generalul Vasiliu a executat în amănunt deportările, „că a ridicat pe țigani, numai cu sdrențele depe ei și cu ceia ce puteau lua într-o batistă" și că printre cei deportați „în cel mai scurt timp posibil – spune ordinul – ca să nu stârnească agitație în țară" s-au regăsit multe femei și mulți copii, mamele, nevestele și copiii celor de pe front. „Iată, Onorat Tribunal, necesități strategice; barbarie și imitație servilă a sistemelor hitleriste, împământenite în România", a conchis el[718].

O declarație a unui martor din procesul criminalilor de la Odessa și din județul Golta, referitoare la romii deportați în Transnistria, a făcut parte din rechizitoriul acuzatorului public A. Bunaciu, fiind reprodusă de Radu Ioanid, în *Holocaustul din România. Distrugerea evreilor și țiganilor sub regimul Antonescu, 1940-1944*: „Un martor, Alexandru Blumenfeld, ne arată că în afară de evrei au venit în județul Golta și țigani care au fost jefuiți de toate lucrurile lor. Nu li se dădeau locuințe și mureau ca muștele"[719].

---

[717] Nu s-a documentat, până acum, vreun experiment făcut pe romii deportați în Transnistria. Singura problemă care ar putea ridica semne de întrebare în acest sens este legată de faptul că romii au fost deportați într-o zonă în care tifosul făcuse ravagii în urmă cu un an, între deportații evrei – Golta. Între experimentele naziste s-au numărat și unele referitoare la arme biologice, printre care și tifosul.

[718] *** *Procesul marei trădări naționale*, pp. 304-305.

[719] DCFRJDH - Documents Concerning the Fate of Romania Jewry during the Holocaust, vol. VI, p. 94, în Radu Ioanid, *Holocaustul din România. Distrugerea evrelor și țiganilor sub regimul Antonescu, 1940-1944*, București, Editura Hasefer, 2006, pp. 335-336.

Mărturii ale supraviețuitorilor

Primele mărturii legate de experiența deportării în Transnistria a romilor din România, apărute în revista italiană dedicată *Lacio Drom*, le aparțin lui Petre Rădiță, care se referă la deportarea romilor nomazi"[720] și liderului rom Ion Cioabă, care a publicat un amplu material, la îndemnul Mirellei Karpati, transmis ulterior Papei Ioan Paul al II-lea și al cărui conținut l-a dezvăluit și Securității statului[721].

---

[720] „Am fost trimiși din București în căruțe, ni s-a permis să luăm doar ce puteam transporta. Am mers câteva săptămâni, cu opriri frecvente. Nopțile erau reci, pături puține și la fel și mâncarea. Ca urmare, mulți au murit de foame și de frig înainte să ajungă la râul Nistru. Plasați în magazii, mulți au fost siliți să sape șanțuri" - Petre Rădiță, „La tragedia degli Zingari rumeni durante la guerra", în *Lacio Drom*, n.2, 1966, pp. 9-11.

[721] Memoriul lui Ion Cioabă, publicat în *Lacio Drom* (copia în limba română din arhiva Consiliului Național pentru Studierea Arhivelor Securității) - „Niciodată n-am să pot uita clipele de groază, pe care le-am trăim în timpul celui de-al Doilea Război Mondial. Imaginile din lagăr mi-au rămas adânc întipărite în memorie, cu toate că eram doar un copil. În 1941, țiganii din România au fost strânși și escortați către Prut. La Prut erau o mulțime de căruțe țigănești. Înainte de a trece Prutul, țiganilor li se făcea o percheziție foarte amănunțită și li se luau toate obiectele de preț. Mulți țigani și-au înghițit monezile de aur pentru a nu le lua jandarmii. De la Prut, țiganii au fost trecuți în Rusia. Lângă orașul Trei Duble ni s-a spus să coborâm toți din căruțe, inclusiv copiii. Acolo, soldații nemți ne-au luat căruțele cu tot ce era în ele. Cei care s-au opus au fost împușcați fără milă. Timp de două zile am fost lipsiți de hrană și apă. După două zile au venit soldații nemți și au spus că ne duc la un lagăr. Dar, la lagăr nu erau admiși decât cei voinici, copiii și femeile. Bătrânii și cei bolnavi au fost împușcați. Înainte de a ajunge la lagăr, soldații au spus că vor primi casă cei care vor alerga mai iute să și-o ocupe. Fuga a fost dramatică. Se loveau, se împingeau, se călcau în picioare. Casele nu erau altceva decât niște bordeie scobite în pământ, fără vreun horn, iar ca acoperiș erau lemne puse în formă de con peste care erau puse frunze, pământ și paie. Nici măcar acestea nu erau de ajuns, fiindcă majoritatea au rămas pe afară. După prima noapte, dormită în acele bordeie, mulți au murit asfixiați, altora li s-au umflat ochii din cauza fumului. Frigul a făcut și el multe victime. Din acel lagăr, țiganii nu aveau voie să plece nicăieri. Erau lipsiți de orice hrană, dar dacă erau prinși în sat că veneau după mâncare, erau împușcați. Frigul iernii, care se apropia, și foamea au făcut multe victime. Odată cu venirea primăverii s-a îmbunătățit și situația țiganilor. Și-au făcut bordeie la suprafața pământului, iar cu mâncarea se descurcau. Înainte de sosirea verii, țiganii au fost duși în colhozuri, unde făceau construcții, dar cei mai mulți făceau munca câmpului. Când s-a auzit despre retragerea nemților, țiganii au început să evadeze pentru a se întoarce în România. La început fugeau câte unul, doi, dar cu timpul începeau să fugă grupuri întregi. Dacă erau văzuți de nemți erau împușcați fără milă sau erau striviți de tancuri. Ca să poată fugi mai bine, țiganii își aruncau din brațe proprii copii. Părinții mei au evadat cu un grup foarte mare la care li s-au mai alăturat și alții pe drum. Într-o noapte, țiganii au ajuns lângă un deal și s-au hotărât să rămână acolo până a doua zi. Au făcut focuri ca să se mai încălzească. Aviația americană, crezând că focurile provin de la furnale ale unor combinate, a început

Pe fondul înteţirii luptei romilor din Europa pentru recunoaşterea lor ca victime ale Holocaustului / obţinerii de despăgubiri şi în urma colaborării cu IRU, cel din urmă a semnat, în anii '80, mai multe scrisori adresate unor lideri europeni, între care Papa Ioan Paul al II-lea, cancelarul Republicii Federale Germania, Helmut Kohl, precum şi Tribunalului de la Haga, în care susţinea că măsura a avut la bază motivaţii rasiale[722].

---

bombardamentul. Atunci, acolo au murit foarte mulţi ţigani. Cei care au putut, au început să fugă. Au fugit foarte mult de frica acestui bombardament. În altă zi, ţiganii au fost înşelaţi de către natură. Soarele începuse să încălzească mai tare. Ţiganii s-au culcat în jurul focurilor, dar a doua zi erau complet acoperiţi de zăpadă. Din cauza gerului şi zăpezii au murit mulţi. După toate chinurile care le-au îndurat, ţiganii au mai avut de suferit din cauza lipsei de bani pentru a plăti trecerea Prutului. Cei care aveau bani au trecut, ceilalţi...În România, ţiganii au găsit satele pustii. Într-una din aceste sate s-au oprit să-şi oblojească rănile, să se odihnească şi să-şi astâmpere foametea. Când credeau că în sfârşit au scăpat de toate, a apărut o epidemie de tifos şi alte boli contagioase, care pur şi simplu i-au secerat. Foarte puţini au fost cei care au putut scăpa. Ţiganii rămaşi au plecat fiecare de pe unde erau. Numărul oficial al victimelor acestui holocaust a fost de 35.000 ţigani. După 23 August 1944 ţiganii au fost priviţi ca orice cetăţean liber, s-au bucurat de toate drepturile politice. Cu ajutorul Partidului Comunist Român, ţiganii s-au integrat în cadrul societăţii, şi-au făcut case, şi-au dat copiii la şcoli. V-am adresat această scrisoare cu speranţa de a ne ajuta să obţinem despăgubiri. Noi, ţiganii din România, dorim să folosim aceste despăgubiri la construcţia unui monument în memoria celor ucişi şi un teatru ţigănesc. Cu încredere că ne veţi ajuta, Vă mulţumim. Cioabă Ioan, Membru al Prezidiului R.U., Reprezentantul Ţiganilor din R.S. România" - Joan Cioaba, „Il genocidio in Romania: una testimonianza", în *Lacio Drom*, n. 2-3, 1984, pp. 54-56.
[722] Vezi mai multe în Florinela Giurgea, „The forgotten Holocaust: Compensations for Roma People, Victims of Deportation during World War II", în vol. *Mediating Globalization: Identities in Dialogue*, (ed.) Iulian Boldea, Cornel Sigmirean, Târgu Mureş, Arhipelag XXI Press, 2018, pp. 276-284.

VII CONCLUZII

VII.1 Considerații privind implementarea „politicii de populație"

Memoriul locotenent-colonelului Vasile Gorsky, fost prefect al județului Oceacov, constituie o bună sinteză a implementării „politicii de populație" în cazul romilor deportați în Transnistria[723]. Documentul este datat 15 aprilie 1945 și cuprinde indicația de a fi depus la dosarul generalului Constantin Z. Vasiliu, fost secretar de stat în Ministerul Afacerilor Interne, judecat de Tribunalul Poporului în cadrul procesului din mai 1946, condamnat la moarte și executat.

Memoriul confirmă că decizia s-a luat fără a fi consultați cei de la fața locului, Gorsky fiind înștiințat cu privire la decizia deja luată de Ion Antonescu de către guvernatorul Transnistriei, Gheorghe Alexianu, și avertizând la acel moment că nu sunt condiții pentru adăpostirea, încălzirea și hrănirea romilor - fapt confirmat în scurt timp de realitate. Astfel, la Oceacov au ajuns într-o săptămână în jur de 15.000 de romi, într-o „mizerie de neînchipuit"[724], reclamând numeroase abuzuri, motiv pentru care prefectul a anunțat Președinția Consiliului de Miniștri și au venit în teritoriu comisiile de anchetă. După acest episod, mulți romi au venit direct pe front, pentru a-și căuta în Transnistria membrii de familie deportați abuziv. „Revolta acestora, îndreptățită, era grozavă"[725], notează Gorsky. Comandantul uneia dintre comisiile de cercetare trimise la fața locului, colonelul Lucian Ivașcu, s-a contaminat de tifos exantematic cu acest prilej și a murit la scurt timp, ceea ce a determinat rămânerea pe post a lui

---

[723] USHMMA, RG-25.004M, reel 34; ASRI, FD, dosar 40010, vol. 59, ff. 113-122, în Viorel Achim, *Documente privind deportarea țiganilor în Transnistria*, vol. II, pp. 495-500.
[724] *Ibidem*, p. 496
[725] *Ibidem*, p. 497.

Gorsky – care își dăduse demisia din motive de boală la 1 octombrie 1942 și urma să fie înlocuit de Ivașcu de la 1 ianuarie 1943. Fostul prefect punctează bulversarea produsă pe front de măsura deportării și descrie modul abuziv în care romii i-au relatat că a decurs operațiunea - că au fost luați de pe stradă, ceea ce confirmă abordarea operațiunii ca una de „ecarisaj polițienesc", după expresia generalului Vasiliu. Între cei deportați se aflau și oameni cu stare, comercianți cu inițiativă și chiar bani, ceea ce ridică serioase semne de întrebare asupra motivelor pentru care au fost trimiși în Transnistria (aparența fizică? răzbunări? moduri de a scăpa de competiție, cu sprijinul polițiștilor sau jandarmilor? încercări de extorcare?). Gorsky amintește și de șicanarea unora dintre romii veniți să-și caute familiile în Transnistria, spre exemplu un caz în care o persoană a fost nevoită să meargă de nu mai puțin de 3 ori la București pentru aprobare, întrucât „i se cereau mereu alte acte"[726]. Se pune problema nedreptăților care li s-au făcut acestor oameni, deportați în timp ce membri ai familiei lor luptau pentru România pe front, ca și a drepturilor civile – pentru că au fost deținuți contra voinței lor și trimiși în Transnistria, unii abuziv, împreună cu familia. Deportarea a dat prilejul unor abuzuri și din partea organelor de ordine, care au profitat de situație – au cerut mită spre a nu-i deporta sau și-au însușit din proprietățile celor deportați, ori au cerut bani și, neprimind, i-au trimis în Transnistria, unde regimul era de exterminare – lipsă de hrană, de încălzire pe timp de iarnă cruntă, plus tifos exantematic. Acesta era un teritoriu care nu le putea asigura hrana, pentru că în urmă cu un an trecuse războiul pe acolo, astfel că alimentarea romilor s-a arătat a fi extrem de grea, pentru că mai erau de hrănit și trupele locale, precum și cele românești în trecere spre front, scrie Gorsky. El menționează problemele de ordine publică create de romi: furturi, distrugeri, probleme cu localnicii și chiar cu germanii, care i-ar fi împușcat și apoi ars[727], drame familiale - românizarea a avut și efecte neașteptate, cum ar fi 2 copii români orfani, deportați alături de mama lor vitregă, romă, care îi creștea. Autoritățile s-au confruntat și cu refuzul de a munci al

---

[726] *Ibidem.*
[727] *Ibidem*, p. 498.

multor romi, care cereau insistent să fie trimiși înapoi în țară. Potrivit aceleiași surse, a existat un dezinteres în ce privește mijloacele de a le asigura condiții de a trăi romilor, cum ar fi materiale – lemn și scânduri – pentru construirea de bordeie. O dată cu apropierea iernii, aceștia s-au confruntat cu probleme din ce în ce mai mari. Prefectul din Oceacov afirmă că a sugerat măsuri precum mutarea romilor în județe în care existau păduri, însă i s-a ordonat să evacueze câteva sate și să îi mute acolo, problema încălzirii rămânând tot nerezolvată. Pe de altă parte, s-a intervenit pentru a se limita epidemia de tifos exantematic, prin mai multe deparazitări (deparazitarea făcută în prealabil, la Trihati, fusese ineficientă). În iarna precedentă fusese o altă epidemie de tifos exantematic în zonă, în rândul deportaților evrei, iar unii dintre romi au venit gata infestați cu paraziți. În concluzii, Gorsky arată că într-un timp extrem de scurt, adică „până în primăvara 1943 satele ocupate de țigani nu au mai fost de recunoscut, erau numai ruine"[728], că deportarea în Transnistria a implicat resurse care ar fi putut fi folosite mai bine în țară, în alte scopuri, mai ales în timp de război și că măsura în sine a creat și o problemă majoră de imagine României: „În Rusia sovietică se spunea înainte că românii sunt un neam de țigani. Aducerea celor 15.000 de țigani la Oceacov i-a întărit pe băștinașii județului în ideea că este adevărat"[729].

Este extrem de discutabil dacă măsura deportării romilor în Transnistria a răspuns unei nevoi reale. Ea a fost justificată de Ion Antonescu prin nevoia asigurării ordinii publice – acesta a declarat la proces că „toți îi cereau să îi împuște" după problemele pe care romii le-ar fi creat în cursul rebeliunii legionare și în timpul camuflajului și că a văzut o oportunitate în faptul că guvernatorul provinciei, Gheorghe Alexianu, îi spusese că are nevoie de brațe de muncă acolo. Această explicație nu se susține însă din două motive. Primul, că foarte mulți dintre cei deportați erau copii, care nu aveau nici cum să „dea statul peste cap" în cursul rebeliunii legionare sau al camuflajului și nici nu au avut mare productivitate, puși la muncă fiind. Al doilea, că munca agricolă este sezonieră, astfel că nu exista niciun motiv să nu fie trimiși

---

[728] *Ibidem*, p. 499.
[729] *Ibidem*, p. 500.

înapoi în țară după strângerea recoltei sau să nu li se asigure locuințe permanente, în caz că îi țineau locului. În mod logic, dacă organele de Interne ar fi fost depășite în țară de problemele create de romi (care, de altfel, ar fi trebuit rezolvate individual, în baza legislației penale), ne întrebăm cum ar fi fost acestea capabile să gestioneze un și mai mare număr de populație potențial periculoasă, deplasată în Transnistria cu tot cu familia. În plus, Acordul de la Tighina din 30 august 1941 se referea doar la evacuarea evreilor peste Bug – fiind prevăzut că aceștia urmau să fie concentrați în tabere de muncă și întrebuințați la lucru, considerându-se că abia „după terminarea operațiunilor evacuarea lor spre Est va fi posibilă"[730], fără nicio referire la romi. Guvernatorul Alexianu avea la acel moment disponibili pentru strângerea recoltei, cel puțin teoretic, atât localnicii – pe care Antonescu îi dăduse voie să îi scoată la muncă „cu biciul, dacă trebuie"[731], cât și evreii: nu se susține nevoia aducerii „brațelor de muncă" ale romilor - care nu erau agricultori. Pentru următorii romi vizați de deportare – pentru că la un moment dat au fost vizați toți - nu s-a mai susținut deportarea prin niciun motiv, în afara etniei. În acest context, al motivației legate de recoltă, este interesant că romii nu au fost deportați în toată Transnistria, esențialmente agricolă[732], ci doar pe malul Bugului, ceea ce se potrivește mai mult cu Generalplan Ost și politicile rasiale.

În mod evident, nu a existat un studiu de impact. Ion Antonescu a cerut analiza situației romilor de la directorul Institutului Central de Statistică, Sabin Mănuilă, la sfârșitul lunii iunie 1942, când era în curs deportarea romilor nomazi, și era deja decisă „evacuarea" și în cazul romilor stabili, dar „periculoși ordinii publice". A primit-o în 7 septembrie 1942, cu mai puțin de o săptămână înainte de faza a doua a deportărilor. Ca atare, s-a bazat doar pe „recensământul" romilor, făcut de organele Ministerului Afacerilor Interne – din păcate, după cum s-a văzut, defectuos încă de la început.

---

[730] Arhivele Militare Pitești, *Fond Divizia 13 Infanterie*, dosar 1765/1941, f. 109.

[731] ANIC, *Fond CC al PCR*, dosar 141/1941, f. 110.

[732] Alexander Dallin, *Odessa, 1941-1944. A Case Study of Soviet Territory Under Foreign Rule*, Iași –Oxford-Portland: Center for Romanian Studies, 1998, p. 94.

În ce privește consultările, se pare că a discutat „politica de populație" doar cu directorul Institutului Central de Statistică, Sabin Mănuilă, care, dincolo de competență, era o persoană cu opinii rasiste și eugenice. Mai departe, a luat decizia, ca un lider autoritar, și a transmis ordinul. În opinia noastră, ar fi trebuit să consulte și alte autorități – în principal pe cele din Transnistria, întrucât cunoșteau situația în teren (memoriul fostului prefect de Oceacov arată că a sesizat inconvenientele, dar era deja târziu; din documente publicate de Jean Ancel reiese că guvernatorul Transnistriei, Gheorghe Alexianu, a fost consultat cu privire la colonizări care priveau doar românii[733] și că Serviciul sanitar al Transnistriei nu fusese de acord cu aducerea romilor, din cauza riscului ca nomazii să fie factor de răspândire a epidemiilor[734]). De asemenea, ar fi trebuit să se consulte asupra implicațiilor măsurii deportării romilor și în cazul regiunilor de unde aceștia urmau să fie „evacuați" – inclusiv în cel sensibil al Transilvaniei, unde sunt revelatoare adresele autorităților referitoare la problemele de natură interetnică ridicate de măsură, inclusiv cea a

---

[733] În 11 decembrie 1941, guvernatorul Gheorghe Alexianu îi raporta lui Ion Antonescu rezultatul consultărilor cu delegații Subsecretariatului de Stat al Românizării, referitoare la subiectul viitoarelor colonizări în Transnistria, arătând că părerea generală e ca în Transnistria să fie aduși români „de dincolo de Bug, cum și din alte părți", dar nu imediat, ci după ce se luau măsuri prealabile, pentru ca aceștia să aibă condiții și să nu-și piardă „valoarea etnică": „O colonizare pentru ca să reușească, nu poate fi făcută decât în aceste condiții: satul întreg în care vrea să fie colonizată o populație, trebuiește evacuat, curățit, reparat, pus în ordine. Populația din satul evacuat ar putea să fie dispersată în diferite sate din zona care nu este supusă colonizării. Colonia trebuie să fie formată dintr-un sat compact românesc, din oameni cu legături familiare, pentru că altminteri populația românească dispersată în mijlocul altei populații ar putea să piardă valoarea sa etnică" - în Jean Ancel, *Transnistria*, vol. II, p. 372.
[734] „Răspândirea țiganilor în județ, măsură cu care nu am fost de acord - deoarece prin caracterul lor nomad, constituie un pericol permanent de propagare a epidemiilor - m-a determinat să constituiesc în fiecare raion câte o echipă de deparazitare, care a avut de făcut deparazitarea țiganilor... Medicii evrei din țară sunt repartizați la supravegherea deparazitărilor. Medicii evrei din lagăre au misiunea de a face deparazitări și control sanitar în comuna respectivă" – din „Activitatea Serviciului Sanitar de la 1 Decembrie la 31 Decembrie 1942", apud Jean Ancel, „Prefață", în Luminița Mihai Cioabă, *Lacrimi rome=Romane asva*, București, Editura Ro Media, 2006, p. 30.

prefectului din Târnava Mare, care și-a exprimat nemulțumirea că nu a fost consultat înainte.

În ce privește metodele, mijloacele și actorii implicați, se remarcă minuțiozitatea cu care s-a încercat să prevadă fiecare segment al operațiunii. Ion Antonescu a avut o preocupare legată de deportări - a încercat să le pregătească în cele mai mici amănunte, a cerut să vadă pe hartă traseele pe unde romii stabili urmau să ajungă în Transnistria etc. Au existat scăpări precum lipsa apei în trenuri, deși oficialitățile române aveau experiența „trenurilor morții" de la pogromul de la Iași. Abandonarea ideii de a face transportul romilor din a II-a categorie cu vase, care aveau capacitate mai mare și faptul că s-a optat pentru trenuri, în care romii a trebuit să fie încuiați când se opreau în gări, spre a nu le da posibilitatea să evadeze, și care au ajuns în unele cazuri mai târziu decât era programat, între timp proviziile terminându-se ridică semne de întrebare serioase asupra faptului că, în documente, nu apar morți în timpul transportului. Acest fapt pare destul de improbabil – în mărturia scrisă a lui Petre Rădiță referitoare la deportarea romilor nomazi, din vara anului 1942, acesta face referire la morți pe drum.

Se pune întrebarea de ce mareșalul a încercat să prevadă în cele mai mici amănunte deportarea romilor doar până la ajungerea în Transnistria. Sunt aici două ipoteze, destul de plauzibile amândouă: ori a văzut-o ca o operațiune care era de resortul autorităților numite în Transnistria, ori considera sarcina încheiată pe teritoriul românesc (Transnistria era doar în administrarea României, mareșalul nedorind să o accepte ca teritoriu cucerit și primind doar o parte din ce i s-a oferit, în administrare[735]).

În ce privește măsurile de ajustare, trebuie recunoscut că s-a reacționat destul de rapid la multiplele semnale privind în primă fază lipsa de concordanță între datele recensământului și ulterior abuzurile, s-au dispus anchete și tragerea la răspundere a celor vinovați. Totuși, decizia de suspendare a deportărilor pare să nu aibă legătură cu aceste semnale, ea privind în principal evreii - față de problema acestora se

---

[735] Vezi în acest sens Alexander Dallin, *Odessa, 1941-1944. A Case Study of Soviet Territory Under Foreign Rule*, Iași –Oxford-Portland: Center for Romanian Studies, 1998, pp. 57-59.

făceau numeroase presiuni, inclusiv internaționale, în timp ce „evacuarea" romilor în Transnistria a fost tot timpul un subiect marginal, atât pentru autorități, cât și în ochii opiniei publice. În opinia noastră, Ion Antonescu și cei implicați în operațiunea „evacuării" romilor erau conștienți că unii dintre cei deportați vor muri. Primul argument rezidă în faptul că prima categorie de romi deportată în Transnistria, teoretic la muncă, a fost cea a nomazilor, adică exact a celor care nu se stabilizaseră vreodată în decursul secolelor, în condițiile în care agricultura e considerată ca principal factor al sedentarizării. Un alt argument este legat de precedente. Mareșalul avea precedentul deportării evreilor în Transnistria, cu un an înainte. Aceștia suferiseră, în iarna 1941/1942, atât din cauza frigului, cât și mai ales din cauza epidemiei de tifos exantematic[736], ceea ce nu l-a făcut să ezite în a deporta romii tot acolo.

Dacă romii – îndeosebi cei nomazi și seminomazi - apăreau ca principala sursă de răspândire a tifosului exantematic în anii precedenți, o motivație a deportării fiind legată de lipsa de igienă, pare de neînțeles faptul că nu a existat o deparazitare temeinică prealabilă a romilor și a căruțelor celor nomazi care au fost confiscate, cu atât mai mult cu cât în zonă fusese tifos exantematic și în anii precedenți. Și dacă nu ar fi fost aceste condiții preexistente: mii de oameni strânși într-un loc, după câteva zile de călătorie ar fi fost un motiv suficient de luare a unor măsuri preventive, însă deparazitarea făcută, cel puțin la Trihati, a fost ineficientă, așa cum reiese din memoriul fostului prefect din Oceacov, iar în alte părți nici nu a existat. În scurt timp de la „evacuare", au apărut probleme între autoritățile germane și românești pe acest subiect, în august 1942 Erich Koch, comisarul Reichului pentru Ucraina, scriindu-i responsabilului Reichului pentru teritoriile ocupate din Est, Alfred Rosenberg, că romii veniți în estul Bugului constituie un pericol și

---

[736] La solicitarea germanilor îngrijorați de contaminarea trupelor și satelor unde erau cazați, cu aprobarea lui Ion Antonescu, prefectul de Golta, Modest Isopescu, a luat măsura împușcării a mii de evrei din lagăre în decembrie 1941-februarie 1942, pentru a limita epidemia. Despre masacrele evreilor din Bogdanovca, Domanevca, Acmecetca, vezi Jean Ancel, *Transnistria*, vol. I, pp. 180-238.

pot fi o influență rea pentru ucraineni. Rosenberg a notat că în partea de est în care se așezaseră romii problema fusese rezolvată de germani și a cerut intervenția biroului extern german[737]. În momentul în care romii au început să se întoarcă în țară, expunând și restul populației la contagiunea cu tifosul exantematic, Ion Antonescu a dispus suspendarea repatrierilor până în primăvara anului 1943: măsura viza protejarea cetățenilor din țară, romii rămânând în voia sorții.

Planurile inițiale ale lui Ion Antonescu prevedeau ca deportarea să se facă din timp, pentru ca romii să apuce să-și agonisească cele necesare până la venirea iernii. În cazul celor nomazi, a căror deportare s-a încheiat până în 15 august 1942, a existat un timp ce ar putea fi considerat suficient; în cazul celor stabili „periculoși", care au ajuns începând de la mijlocul lunii septembrie, când deja se lăsase frigul, nu. Măsurile pe care le-au luat autoritățile române s-au dovedit în scurt timp insuficiente, în ce privește încălzirea, astfel că romii au devastat locuințe, păduri, livezi, chiar și cruci din cimitire. Pe lângă că nu aveau mâncare suficientă, romii nu au avut niciun fel de ustensile cu care s-o pregătească. În plus, chiar dacă admitem că autoritățile au recurs la confiscarea căruțelor celor nomazi pentru a le îngreuna posibilitățile de evadare, aceasta a echivalat și cu lipsirea de adăpost și chiar de posibilități de muncă a acestora. Legat de subiectul înfometării, remarcăm explicația potrivit căreia, potrivit guvernatorului Transnistriei, Gheorghe Alexianu, în primă fază, romilor li s-a terminat hrana pentru că o mâncau pe toată odată[738]. Iar apoi nu au fost în măsură să și-o câștige: ori pentru că nu aveau ce munci, ori pentru că erau prea slăbiți în urma regimului care li s-a aplicat, ori pentru că refuzau să meargă la muncă. Principala lor preocupare era să fugă înapoi în România.

Măsurile luate pentru ameliorarea situației – cum ar fi găzduirea romilor în casele ucrainenilor din satele unde erau

[737] Mikhail Tyaglyy, „Nazi Occupation Policies and the Mass Murder of the Roma in Ukraine", în *The Nazi Genocide of the Roma. Reassessment and Commemoration*, ed. Anton Weiss-Wendt, Berghahn, New York – Oxford, 2013, pp. 133-134.
[738] ANIC, *Fond IGJ*, dosar 130/1942, f. 118.

deportați sau împărțirea lor în grupuri mai mici, în sate – s-au dovedit insuficiente. În condițiile în care îi aștepta o iarnă cumplită, atunci când în final s-a dispus ca romilor deportați să li se dea îmbrăcăminte și încălțăminte, numărul perechilor distribuite a fost infim. Din documente reiese că hrănirea romilor a fost prevăzută și asigurată doar până la ajungerea acolo, în rest aprovizionarea a fost deficitară – nu primeau hrană cu săptămânile și au ajuns să moară de foame, de multe ori organele administrative din Transnistria decizând să le dea de mâncare, chiar dacă refuzau să muncească, „în contul muncii lor viitoare". În plus, deși prosperă din punct de vedere agricol, Transnistria nu era Bărăganul. Era locuită de ucraineni și, chiar dacă într-adevăr dusese lipsă de brațe de muncă, când au ajuns romii, foarte rar au fost întrebuințați. Prefectul din Oceacov, unde au fost deportați mare parte dintre romi, arată că nu avea cum să le asigure hrana celor „15.000 de flămânzi" ajunși în zona sa. Și aceasta pentru că „în urmă cu un an trecuse războiul pe acolo", iar „județul mai avea de hrănit trupele românești în trecere spre front și cele locale". De altfel, planul cu mutarea romilor în Bărăgan a fost implementat în anii `50 de autoritățile comuniste, cu rezultate nesatisfăcătoare[739].

În vreme de război, așa cum reiese din documente, prima grijă a fost asigurarea aprovizionării Armatei și apoi a civililor, existând greutăți cu aprovizionarea peste tot. Subsumat acestui obiectiv, ducerea la muncă a unor persoane într-o regiune agricolă prosperă pare o idee logică. Aceasta devine însă de neînțeles în momentul în care primii deportați sunt nomazii, care nu au putut fi convinși timp de veacuri să practice agricultura. Se poate ca mareșalul, un om autoritar, să fi avut intenția să-i silească să muncească, conștient însă că unii nu o vor face[740]. Tot de neînțeles pare faptul că, în plin război,

---

[739] Lucian Nastasă, Andrea Varga, *op. cit.*, p. 642.
[740] Potrivit lui Armin Heinen, în 10 ianuarie 1941, Ion Antonescu i-a cerut socoteală ministrului de Interne, legionarul Constantin Petrovicescu, asupra faptului că evreii intrați clandestin în țară nu fuseseră determinați să plece, dându-i ordin să îi bage în lagăr și să îi silească să muncească pe cei pe care îi mai depistează, arătând totodată că această măsură trebuie luată și față de alți minoritari intrați clandestin în țară, între care și romii: „Am anunțat că toți jidanii intrați clandestin în țară vor fi puși în

având nevoie de oameni pe front, s-a decis ca și nomazii concentrați să fie trimiși în Transnistria, iar apoi și cei mobilizați și mobilizabili, inițial exceptați.

Organele din subordinea Ministerului Afacerilor Interne – în primul rând Jandarmeria - au avut un mare rol în eșecul acestei politici, în primul rând prin zvonul cu împroprietărirea romilor, în al doilea prin abuzurile făcute, care au creat probleme mari Armatei, în timp de război, și în al treilea rând prin informațiile răspândite, privind deportarea tuturor romilor. Acestea din urmă au fost de natură să bulverseze localitățile, din rural și urban deopotrivă, cu implicații chiar nebănuite, cum ar fi speculațiile privind modificări de structuri de putere locală, pe baze etnice, în Ardeal, ori acelea că se pregătește deportarea inclusiv a românilor. Chiar dacă se pregăteau noi deportări în masă ale romilor, nu era treaba Jandarmeriei (sau a Poliției) să lanseze sau să întrețină zvonuri. Generalul Constantin Z. Vasiliu se referă foarte vag la măsuri care ar fi fost luate împotriva vinovaților, deși din ordinul său circular reiese că are informații sigure și cunoaște și motivația – adică specularea interesată a situației romilor presupus deportabili – ceea ce conduce la ideea de complicitate. Având în vedere cele două episoade, nu excludem ipoteza ca zvonistica să fi fost programată de la un nivel superior. Reaua-credință e evidentă în adresa din 1 februarie 1943, în care generalul Constantin Z. Vasiliu a descris operațiunea ca pe un „ecarisaj polițienesc": acesta arăta că, dacă ar da curs tuturor cererilor de readucere, avizate de organele de poliție, ar anula practic intenția respectivă, susținând că aceasta era după „cum se hotărâse de conducerea statului".

Mareșalul Ion Antonescu și-a asumat măsura deportării romilor în Transnistria ca aparținându-i în exclusivitate. E adevărat că a profilat-o în anii anteriori și că este puțin probabil să se fi consultat

---

lagăre. Trebuie să luăm această măsură și să-i silim pe jidani să muncească, pentru că numai așa îi vom face să plece. Și măsura aceasta trebuie luată nu numai pentru jidani, ci și pentru toți ceilalți, greci, armeni, țigani, intrați clandestin în țară" – apud Armin Heinen, *România, Holocaustul și logica violenței*, Iași, Editura Universității „Alexandru Ioan Cuza" Iași, 2011, p. 66.

cu altcineva în afară de Sabin Mănuilă în această privință. Însă, pe de altă parte, implementarea a fost defectuoasă din foarte multe puncte de vedere, care nu i se pot imputa tot timpul doar lui. Nici măcar la procesul din 1946, capătul de acuzare referitor la deportări - și ulterior condamnarea - nu l-a vizat doar pe el, ci și pe generalul Constantin Z. Vasiliu și pe guvernatorul Transnistriei, Gheorghe Alexianu (cel din urmă nu a fost chestionat deloc cu privire la romi). Însă, în urma numeroaselor semnale privind abuzurile legate de deportarea romilor, care au determinat trimiterea a nu mai puțin de 3 comisii de anchetă în zonele din Transnistria, mareșalul a ajuns la concluzia – citâm - că situația este „din vina Jandarmeriei, care n-a executat cu conștiință" ordinul său.

În unele cazuri, Ion Antonescu a reacționat dispunând măsuri, în funcție de problemele ridicate de operațiune, de obicei prompte, cum ar fi în momentul când i s-au semnalat deportările abuzive ale familiilor romilor mobilizați sau mobilizabili, probabil având în vedere și implicațiile – demoralizarea celor de pe front, care trebuiau să lupte, impactul negativ în rândul opiniei publice etc. În unele cazuri, aplicarea a fost însă tardivă și romii au murit oricum. Spre exemplu, permisiunea de a pleca, acordată celor în cazul cărora s-a stabilit că au fost deportați abuziv, s-a lovit de izbucnirea epidemiei de tifos, astfel că cele 1.261 de persoane care au primit permisiunea de repatriere din Transnistria în decembrie 1942 nu s-au putut întoarce până în mai 1943, mareșalul dorind să limiteze cât se putea răspândirea epidemiei și în România.

Acceptând că ar fi fost vorba de o problemă de ordine publică, statul român, în loc să ia măsuri să o rezolve intern și individual, a mutat-o dintr-o parte în alta, din țară în Transnistria, unde, din cauza implementării defectuoase și a condițiilor, a devenit chiar mai mare: „Până în primăvara 1943 satele ocupate de țigani nu au mai fost de recunoscut, erau numai ruine", arată fostul prefect din Oceacov, Vasile Gorsky, în *Memoriul* amintit.

În general, măsurile dispuse pentru remediere au fost nesatisfăcătoare și de multe ori au depins de bunăvoința sau implicarea responsabililor de operațiune – mergând de la indiferența șefului de post din Covaliovca, constatată de comisia III în decembrie 1942, până la propunerile făcute de diverse comandamente, acceptate sau nu. Memoriul fostului prefect din Oceacov confirmă abuzurile și indică drept principal vinovat tot organele Ministerului Afacerilor Interne. Documentul face o veritabilă analiză a măsurii ca politică publică, descriind toate dispozițiile, măsurile și intervențiile birocratice și subliniind, printre altele, că aceasta a determinat și o risipă importantă de resurse.

Ca politică publică, măsura deportării – indiferent de motivație - a fost un eșec de proporții, recunoscut ca atare. Următoarea etapă a deportărilor romilor, prognozată a avea loc tot în septembrie 1942, a fost suspendată[741] până în primăvara anului următor, pentru ca, apoi, să se renunțe cu totul. La scurt timp de la debutul acestei politici de stat referitoare la romi, se contura eșecul în implementarea ei, recunoscut, din fericire pentru cei care ar fi urmat, destul de repede de conducerea statului. Având în vedere modul cum a fost formulată – evacuarea tuturor cetățenilor români, fără deosebire de etnie - nu se poate aprecia cu certitudine dacă permisiunea care li s-a dat în final și romilor deportați, să plece din Transnistria, odată cu evacuarea / retragerea armatei române, a fost una dictată de umanism sau simplu automatism.

VII.2 Un model nazist al deportării

Deportarea romilor în Transnistria de către regimul Ion Antonescu a urmărit modelul nazist, exact cum o mulțime de țări aflate de partea Germaniei în acea perioadă au făcut acest lucru. Modelul a fost vizibil în denumirea similară („problema țigănească" apare ca atare în corespondență birocratică) și primele măsuri, însemnând restrângerea dreptului lor de circulație, dar și sub aspectul teoretic, care, după intrarea României sub influența nazistă, a cunoscut o schimbare de optică – radicalizată în sensul „rasei" - la principalul colaborator în „politicile de populație" ale lui Ion Antonescu, Sabin Mănuilă. Modelul nu a fost urmat „1 la 1",

---

[741] ANIC, *Fond IGJ*, dosar 121/1942, ff. 337-338.

cunoscând variații, acolo unde a fost implementat. Spre exemplu, forma preferată a persecuțiilor antirome, deportarea și trimiterea în lagăre de muncă, a fost legată la nivelul retoricii oficiale în unele țări de presupusa lor „asocialitate", în altele – cum a fost România - de infracționalitatea „țigănească". Recenzarea prealabilă nu a fost practicată peste tot, dar ea apare și în cazul romilor deportați în Transnistria, și în al celor din Crimeea[742]. Condițiile au fost peste tot unele de exterminare, în general din cauza înfometării. Nu a existat peste tot „iarna rusească" care să facă victime, dar în toate lagărele condițiile de igienă precare și supraaglomerarea au dus la apariția epidemiilor – acesta fiind un fapt previzibil și posibil luat în calcul ca metodă de exterminare. Date fiind situația romilor din România, în mare parte asimilați, și poziția geografică depărtată de front, deportarea lor în Transnistria nu a putut fi motivată prin faptul că ar putea fi spioni, trădători etc. - „model" practicat și în cazul italian și la romii din Crimeea[743]. Ce este tulburător, în cazul romilor deportați din România, este că mulți au fost deportați în zone, îndeosebi Golta, unde tifosul făcuse ravagii în anul anterior în rândul evreilor deportați din Basarabia și Bucovina, câteva mii dintre cei din urmă fiind împușcați pentru a limita răspândirea epidemiei - o zonă locuită de o populație slavă, considerată la rândul ei inferioară de ideologia nazistă și vizată de exterminare. Este tulburător și pentru că romii – mai ales cei nomazi – apăreau în anii anteriori, în acte oficiale, ca factori de răspândire a tifosului. Într-un document din arhivele din Nikolaev, medicul militar cpt. Dumitru Tomescu îi descria ca pe „noua molimă a județului" după ce a vizitat Domanevca, Bogdanovca, Acmecetca, Novo-Cantacuzenco și alte sate și avertiza asupra riscului izbucnirii unei epidemii în rândul acestui grup, debilizat: „Țiganii, noua molimă a județului, nu primesc mâncare... și, deoarece condițiile lor de igienă sunt groaznice, iar la acestea se adaugă foametea, ei reprezintă un pericol

---

[742] Tyaglyy, Mikhail, „*Were the «Chingene´» Victims of the Holocaust? Nazi Policy toward the Crimean Roma, 1941–1944*", în *Holocaust and Genocide Studies*, Volume 23, Issue I, Spring 2009, p. 34.
[743] *Ibidem*, pp. 30-33.

imediat pentru izbucnirea unei epidemii"[744]. Potrivit lui Jean Ancel, epidemia de tifos a reizbucnit, fiind similară cu cea din anul precedent, „atât ca virulență cât și ca motiv al izbucnirii", iar mortalitatea în rândul romilor a fost chiar mai mare[745] decât în cel al evreilor, chiar dacă între timp fuseseră înființate de Guvernământul Transnistriei și Armată centre pentru prevenirea și tratarea epidemiei[746]: „Nu învățaseră nimic. Mai precis, cât timp bolnavii erau țigani și evrei, nu erau interesați să învețe ceva"[747]. Între deosebirile față de modelul nazist, remarcăm că romii nu au fost discriminați prin lege, că nu au fost nici gazați, nici sterilizați, iar din documentele disponibile nu rezultă efectuarea unor experimente pe victimele deportării în Transnistria.

În ce privește motivul deportării, sunt mai multe nuanțe. Statul coercitiv și aversiunea lui Ion Antonescu față de dezordine, posibil exploatată de cei care doreau să scape de romii „problemă", par să fie factorii favorizanți, în condițiile în care, în referirile sale la romi se remarcă mai degrabă o familiaritate comună în epocă, decât rasismul. Un autor precum Alex Mihai Stoenescu pune – discutabil – "oscilațiile decizionale" ale mareșalului, prezente și în cazul deportării romilor, pe seama unei „componente sentimentale" existente la nivelul întregii societăți românești cu privire la această etnie[748]. În ce privește presupusa „atitudine provenită din filonul psiho-social al supraviețuirii, generat în mare parte de sărăcie"[749] a romilor, argumentația lui pare scoasă direct din teoriile rasiale și pune în antiteză românii „mai puțin înclinați spre agresiunea fizică", care trec în defensivă, față de romii care „scot cuțitul": „Efectul acestei stări psiho-sociale este imaginea remanentă că în societatea românească țiganul neintegrat este hoțul care fură din

---

[744] Arhivele Nikolaev, 2178-1-27, f. 150.

[745] Jean Ancel, *Transnistria*, vol. I, p. 245.

[746] *Ibidem*, p. 240.

[747] *Ibidem*.

[748] Alex Mihai Stoenescu, *Țiganii din Europa și din România: studiu imagologic*, București, Editura Rao, 2014, p. 418. Și Gilad Margalit invoca un argument, și anume o raportare sentimentală a lui Heinrich Himmler – frecventă în rândul germanilor - la romi, când susținea că în cazul lor nu se poate vorbi de genocid.

[749] *Ibidem*.

puținul care există, și de aici hoția țiganilor este considerată de multe ori ca infracționalitate minoră, imagine cu care a intrat și a trecut inclusiv prin regimurile comuniste. De cealaltă parte constatăm un raport radical cu viața al țiganului cu «potențial criminogen», care scoate repede cuțitul și îl folosește în situații care nu sunt aparent de apărare, dar care în concepția lui reprezintă un prag al vieții și al morții prea ușor de trecut atunci când ești obișnuit cu supraviețuirea. George Potra, să ne reamintim, punea atitudinea asta pe seama sentimentului puternic al libertății. Sociologii îl plasează în zona promiscuității și a detenției, ca parte devenită implicită a destinului unui țigan infractor, în care ceea ce pentru omul obișnuit reprezintă o oroare, o excepție nedorită, este pentru criminal un fapt posibil oricând, o fatalitate"[750].

În planurile mareșalului Ion Antonescu, inițiale, declarate, intenția era de deportare a romilor și punerea lor la muncă. Regimul a fost până la urmă unul de exterminare, dar nu avem suficiente date pentru a afirma că mareșalul a intenționat exterminarea romilor, spre deosebire de alți oficiali cu care colabora. Îl remarcăm în acest peisaj pe generalul Constantin Z. Vasiliu, comandantul Jandarmeriei, care s-a referit la măsura deportării romilor ca la un „ecarisaj polițienesc", care ar fi fost dispus de conducerea statului. Comparația implicită e romi – animale, iar intenția de exterminare apare ca evidentă, întrucât ecarisajul înseamnă jupuirea animalelor moarte. Mai mult, ecarisajul vizează animalele vagabonde, care trebuie strânse de pe stradă și omorâte. În ambele cazuri, „inamicul" e dezumanizat, simbolic (pentru a fi ucis?). Intenția de exterminare e destul de clară, însă nu avem destule elemente ca să afirmăm că această idee venea de la mareșal și nu era, de fapt, o proiecție sau o dorință a lui Vasiliu. Cel din urmă pare să fi împrumutat mai mult modelul nazist în ce privește grupurile indezirabile și metodele, oricât de brutale. La Antonescu, intenția de exterminare – care este definitorie în cazul genocidului – nu este clară, dar la Vasiliu, da. Vladimir Solonari îl descrie pe cel din urmă ca brutal și perfid și

---

[750] *Ibidem.*

susține că „intenționa să deporteze cât mai mulți romi posibil, deoarece credea că toți sunt criminali"[751]. Radu Lecca susține că a fost „cel mai mare bandit și asasin din cărți a produs jandarmeria"[752], relatând un episod în care, intervenind pentru un avocat evreu care ajutase români la evacuarea Basarabiei din 1940, acesta i-a răspuns în fața comesenilor înmărmuriți că „Soldații nemți când găsesc o evreică frumoasă o poftesc la ei, iar după ce își satisfac toți... dorințele, evreica este aruncată cu gâtul tăiat pe trotuar. Asta este recunoștința care o merită evreii"[753]."

Chiar dacă a fost motivată prin rațiuni de ordine publică, există multe elemente care pot susține existența unui substrat rasial în motivația măsurii deportării romilor în Transnistria. E pe undeva ilogic să susții că, odată intrată sub influența germană, România ar fi avut posibilitatea să *nu* aplice politici rasiale inspirate de naziști. Aici discuția despre „rasismul" mareșalului se cuvine nuanțată, pentru că în cazul său există cu siguranță un substrat xenofob al declarațiilor și al concepțiilor, dar în privința romilor acesta nu e manifest. Dacă în cazul evreilor este virulent, în ce privește romii are frecvent aprecieri legate de „parazitismul" lor, de mizerie și de dezordine, dar nu face nicio referire la exterminarea lor fizică. El spune că vrea să facă „o politică de purificare a rasei românești", însă, atunci când începe să enumere „străinii", de fiecare dată romii lipsesc. Lipsesc și din enumerarea „dușmanilor patriei", când declară că a crescut cu un sentiment de ură împotriva acestora (ura lui e împotriva „turcilor, jidovilor și ungurilor"[754]) și din cea a minoritarilor de care voia să „scape" prin evacuare din Basarabia (ucraineni, greci, găgăuzi, evrei), în cel din urmă caz, explicabil, pentru că nu prea erau romi în această provincie. Dar, cel mai important, lipsesc din enumerare atunci perorează împotriva unor minoritari - ucraineni, polonezi, bulgari, găgăuzi – pe care îi califică drept „lifte" (termen peiorativ pentru „străin") de care vrea să

---

[751] Vladimir Solonari, *op. cit.*, p. 254.

[752] Radu Lecca, *op. cit.*, p. 137.

[753] *Ibidem*, p. 195.

[754] ed. Marcel-Dumitru Ciucă, Maria Ignat, Aurelian Teodorescu, *Stenogramele ședințelor Consiliului de Miniștri. Guvernarea Ion Antonescu*, vol. III, București, Arhivele Naționale ale României, 1999, p. 105.

„scape"[755]; destul de probabil, conviețuirea îndelungată făcându-l să îi vadă pe romi ca „de-ai casei". Cu toate acestea, în cadrul politicii de „purificare a rasei românești", bunurile au fost preluate de Centrele de Românizare și în cazul romilor deportați.

Pe de altă parte, între colaboratorii săi se regăseau eugeniști notorii ca Sabin Mănuilă sau Traian Herseni, care susțineau teorii precum alterarea corpului națiunii române de către romi, evrei sau greci (romii fiind declarați drept principalul factor de disgenie), ori promotori ai statului etnocrat precum Nichifor Crainic; ca și birocrați cu opinii rasiste, precum Ovidiu Vlădescu și generalul Constantin Z. Vasiliu. Aceștia ar fi putut vedea în politicile rasiale naziste o oportunitate de a scăpa de persoane care creau probleme de ordine sau de sănătate publică și care – ca să îl citam pe primul „din punct de vedere al economiei naționale sunt o pacoste". Dacă acceptăm ipoteza că aceștia – mai ales Sabin Mănuilă – au avut o influență mult mai mare decât s-ar putea crede, la prima vedere, în decizia deportării romilor în Transnistria, atunci motivația rasială este nu numai clară, ci și de pură inspirație nazistă. Pe această linie de raționament, am putea afirma chiar că, dacă în cazul evreilor din România, măsurile antisemite au avut în principal o motivație financiară, și nu rasială, în cel al romilor – mare parte săraci – acestea au fost rasiale. Ar putea fi o explicație pentru apariția bruscă a măsurii deportării, fără să existe de fapt o „problemă țigănească", așa cum exista o „problemă evreiască", în ochii opiniei publice.

În analiza acestei măsuri, trebuie să facem o distincție între grupurile de romi deportate. În cazul primului, cel al romilor nomazi, motivația rasială este mult mai ușor de demonstrat, din moment ce nomazi erau doar cei de etnie romă și până la urmă au fost trimiși în Transnistria toți, inclusiv cei aflați pe front. Nomazii erau, în ochii autorităților, cei neasimilați, care nu aveau „sânge" românesc, nu erau din rasa „superioară" de român, exponenții autentici ai „traiului

---

[755] ed. Marcel-Dumitru Ciucă, Maria Ignat, *Stenogramele ședințelor Consiliului de Miniștri. Guvernarea Ion Antonescu*, București, Arhivele Naționale ale României, vol. VI, București, Arhivele Naționale ale României, Editura Mica Valahie, 2002, p. 199.

țigănesc" care deranja autoritățile – iar aici se pot face conotații cu permanenta legare de criminalitate a traiului nomad.

În cazul celui de-al doilea grup deportat, al romilor „periculoși" ordinii publice, o interpretare ar putea fi a infracționalității văzute ca o manifestare a degenerării, mod în care s-ar putea explica de ce au fost vizați de deportare și cei achitați sau care își ispășiseră pedepsele pentru care fuseseră condamnați. Aceștia ar fi păstrat atavismele „țigănești" ori ale stilului de viață „țigănesc". Concepția pare să fi fost următoarea: deportarea tuturor celor care erau în mod evident romi – nomazii – și a acelora din rândul etniei la care se observa o înclinație spre comiterea de delicte. În ambele cazuri sunt incidente teoriile privind degenerarea - nomadismul ca stil de viață parazitar și respectiv înclinația spre criminalitate. În plus, romii erau „negri" la piele, deci aparținând unei „rase" inferioare - acesta fiind, cum reiese din documente, indicatorul după care s-au orientat o parte dintre jandarmii și polițiștii care au fost implicați în punerea în practică a operațiunii. Deportarea lor în Transnistria împreună cu familiile – persoane diferite, care nu aveau nicio vină, fapta fiind individuală – poate fi explicată prin „pericolul" transmiterii degenerării, din teoria eredității infracționale. Ion Antonescu a declarat la proces că aceasta s-a întâmplat pentru că romii nu se despărțeau de nevestele lor. Dar și lagărul pentru romi de la Auschwitz-Birkenau era destinat „familiilor" de romi, după ce experiența deportărilor anterioare a arătat că o separare a membrilor ar fi pus probleme legate de o eventuală rezistență[756]. În dispozițiile date cu privire la recenzarea romilor și deportarea acestora se menționează că trebuie să se facă prin surprindere, ceea ce ridică serioase semne de întrebare cu privire la intenții.

În ce privește măsurile luate pentru „transferul" romilor în Transnistria, e de reținut faptul că romii au fost manipulați prin sloganul „În Transnistria frumoasă, să vă dăm pământ și casă". Sunt două mobiluri psihologice aici – dorința/disperarea de a fi împroprietăriți, pe un orizont de așteptare, și desigur câștigul rapid, fără efort (judecând la rece, e greu de presupus că niște persoane, chiar

---

[756] Karola Fings, *op. cit.*, p. 35.

având un grad de instrucție redus, pot să creadă că ar putea fi recompensate pentru delicte; însă genul acesta de promisiune trece de rațiune și eventuala circumspecție). În concluzie, s-a creat un curent de opinie favorabil, iar romii au fost chiar dornici să plece, o serie îmbarcându-se clandestin în trenurile spre Transnistria. Promovarea în acest fel a măsurii, prin lansarea unui slogan - neoficial, desigur - cuprinzând o jumătate de adevăr, pentru că Transnistria era într-adevăr frumoasă și chiar prosperă, ar fi putut de asemenea avea rolul să-i momească pe cei vizați, ca să nu opună rezistență la măsură. Nu vedem de ce cineva ar recurge la manipulare, dacă ar avea intenții bune (ceea ce oricum nu a fost cazul, regimul în care au trăit cei deportați a fost unul de exterminare). Păcălirea romilor nu este o metodă originală, ea fiind încercată și cu ocazia lichidării „lagărului țigănesc" de la Auschwitz-Birkenau.

Că a fost vorba de o politică pe bază rasială o dovedește și faptul că în documentele studiate apar în lagărele din Transnistria și români, trimiși acolo pentru că suferiseră condamnări: nu am găsit nicio mențiune din care să reiasă că ar fi fost deportați cu tot cu familia. În schimb, există o serie de documente în care persoanele deportate reclamă abuzul, invocând faptul că ele nu sunt de etnie romă.

Am putea admite că măsurile pe care Antonescu le-a luat împotriva romilor și referirile la ei – mai blânde, fără virulența din discursurile referitoare la evrei - au fost legate în primul rând de rațiuni de ordine publică. Însă nu trebuie uitat că Antonescu era un om metodic, care se baza pe statistici în fundamentarea deciziilor[757]. Atunci când i-a cerut lui Sabin Mănuilă un studiu privind romii din țara noastră și în subsidiar evreii veniți în România după 1941 (deci refugiați), deportase deja romii nomazi și era stabilită deportarea

---

[757] De altfel, Ion Antonescu însuși afirma că el își fundamentează deciziile pe statistici, rezervând în acest sens un rol central Institutului Central condus de Sabin Mănuilă. Într-o ședință a Consiliului de Miniștri din 9 februarie 1944, la care l-a invitat, le-a declarat celor prezenți că „atâta timp cât nu punem ordine în Statistică, va fi dezordine în Stat, și cât este dezordine în Stat, va fi dezordine și în Armată, și deci lupta Neamului Românesc, pentru apărarea lui și realizarea drepturilor sale, nu va putea fi asigurată în condiții optime" – ed. Marcel-Dumitru Ciucă, Maria Ignat, *Stenogramele ședințelor Consiliului de Miniștri. Guvernarea Ion Antonescu*, București, Arhivele Naționale ale României, vol. X, 2007, p. 106.

celor stabili, dar considerați „periculoși" (pe evreii din Basarabia și Bucovina îi deportase deja de mai multe luni). Este destul de plauzibil că studiul respectiv era premergător altor deportări, probabil pe fondul unor presiuni germane, mai ales că se cerea expres indicarea celor folositori. Este demn de remarcat aici că discuția privind soluționarea „problemei țigănești" a fost ridicată și de partenerii Germaniei naziste din Garda de Fier înaintea Rebeliunii legionare (la începutul anului 1941, în ziarul legionar „Cuvântul", se cerea punerea acesteia pe agenda guvernamentală și de asemenea promovarea unei legislații care să interzică căsătoriile romilor cu românii și izolarea romilor, treptat, în ghetouri). Dacă ar fi să-l credem pe mareșal, el ar fi acționat chiar ca un factor de frânare a acestor tendințe, inclusiv a legionarilor, așa cum a declarat la proces – că după rebeliunea legionară și problemele de ordine publică care ar fi fost create de romi „toți cereau împușcarea lor".

În opinia noastră, deportarea altor categorii de romi – în documentele oficiale ale autorităților apar referiri la preconizate noi „evacuări" – a fost amânată pe termen nedefinit, alături de cea a evreilor, de fapt în subsidiar, din motive de oportunism politic. Declarațiile lui Mihai Antonescu, din ședința Consiliului de Miniștri din 13 octombrie 1942, în care a anunțat suspendarea deportărilor, arată o delimitare bruscă de chestiunea rasială. Acesta a invocat motive de ordin economic, în cazul persecuției evreilor, și sociale în cazul romilor, negând aderența la teoriile rasiale ale dr. Alfred Ronseberg. Dintr-o dată, dispoziția sa era foarte tolerantă. Astfel, Mihai Antonescu a explicat că măsurile de românizare a economiei au fost determinate de necesitatea ca românii să dețină „stăpânirea pozițiilor cheie în economia națională", cu precizarea „aceasta este problema naționalismului economic și antisemitismului economic, dacă vrem să fim sinceri și serioși și să nu facem numai fațadă sau demagogie cu problema antisemită" și precizând că mareșalul Antonescu îi împărtășește punctul de vedere. Mihai Antonescu a negat vreo intenție de exterminare a evreilor, discursul său fiind total opus celui din ședința Consiliului de Miniștri din 8 iulie 1941, în care descria momentul de a „purifica" țara de evrei și ucraineni ca o oportunitate unică și în care a arătat printre altele: „îmi e indiferent dacă în istorie vom trece ca barbari", „omenia siropoasă, vaporoasă, filosofică n-are ce căuta aici", „la nevoie, să trageți cu mitralierea" și „vă spun că nu există lege"[758]. La doar un an și ceva distanță, în ședința din 13 octombrie 1942, el invoca „sufletul românesc", care nu se potrivea cu „barbaria": „Eu n-am nicio preocupare să pun în țeapă pe evrei, să stropesc cu sânge sau să fac o barbarie, care, la urma urmei, nici nu se potrivește cu sufletul românesc, pe care avem datoria să-l cinstim, dacă vrem să facem revoluție românească. Sufletul românesc este un suflet de creație și de cinste, nu de ură sau demagogie. Noi trebuie să facem și din reforma noastră antisemită o reformă de creație, nu de demagogie, ca să ne zgâriem noi singuri cu cioburile și să nu stăm pe pozițiile pe care le creăm"[759]. O poziție mai degrabă prudentă, în care se suspendau toate trimiterile de evrei peste Nistru, dar nu se abandonase planul. Mihai Antonescu insista pe coordonarea acțiunilor între ministere, în vederea continuării deportării evreilor periculoși „prin acțiunea lor subversivă sau comunistă", pentru evitarea, pe viitor, a „atmosferei". Aceasta urma să fie metodică și în timp. Indirect, se recunoșteau caracterul de improvizație cu care se implementase măsura în trecut, inconvenientele modului de lucru prin surprindere, care a dat naștere la abuzuri. Raziile polițienești sunt descrise plastic ca o „vânătoare" de oameni, Prefectura Poliției din București fiind menționată direct, în două rânduri. Din paragraf reies preocuparea constantă pentru ordinea publică - descrierea modului de lucru insistând pe dorința de a nu se crea tulburări și pe metodă – și un interes mai degrabă pentru imaginea statului decât pentru oamenii

---

[758] „Veți fi fără milă cu ei. Nu știu peste câte veacuri neamul românesc se va mai întâlni cu libertatea de acțiune totală, cu posibilitatea de purificare etnică și revizuire națională. Este un ceas când suntem stăpâni pe teritoriul nostru. Să-l folosim. Dacă este nevoie, să trageți cu mitraliera. Îmi este indiferent dacă în istorie vom intra ca barbari. Îmi iau răspunderea în mod formal și spun că nu există lege. Deci fără forme, cu libertate completă" - Jean Ancel, *Documents*, vol. 6, doc. 15, pp. 199-201, apud *Raport final*, p. 126. „Îmi este indiferent dacă în istorie vom trece ca barbari" a constituit unul dintre titlurile din rechizitoriul procesului exponenților regimului Antonescu – vezi *** *Procesul marei trădări naționale*, p. 35.
[759] ed. Marcel-Dumitru Ciucă, Maria Ignat, *Stenogramele ședințelor Consiliului de Miniștri. Guvernarea Ion Antonescu,* București, Arhivele Naționale ale României, vol. VIII, p. 382.

terorizați, Mihai Antonescu făcând referiri în mod repetat la „măsuri care afectează prestigiul Guvernului", reclamate internațional. Practic, pasajul în care descrie cum ar trebui să se procedeze în viitor subliniază disfuncțiile operațiunilor anterioare: „Trimiterile de evrei se vor face de aici înainte printr-un organ comun, care va fi creat de Marele Stat Major, Ministerul de Interne, Ministerul de Finanțe și Președinția Consiliului de Miniștri, organ care va face să nu se mai prezinte asemenea situații: Marele Stat Major dă ordin, Ministerul de Interne trebuie să execute, Prefectura Poliției începe vânătoarea la București, ca să-i prindă pe cei de pe listă, evreii ajung să se ascundă prin case; se creează panică și se face atmosferă în jurul acestui lucru și în vreme ce Ministerul de Interne trebuie să vegheze la liniște, desigur că aceștia, speriați, terorizați și amenințați, fac atmosferă și răspândesc zvonuri alarmiste. La ei este o problemă de viață și de moarte; preferă viața ca orișice animal[760] și aruncă moartea pe altul. Se exagerează, se creează panică și se face atmosferă. Chiar dacă Marele Stat Major a hotărât o listă de principiu de 20.000 de oameni, nu trebuie s-o comunicăm dintr-o dată pe toată, ci progresiv trebuie să alegem dintre aceștia pe cei care sunt realmente periculoși[761]. Menținem principiul că toți evreii care, prin activitatea lor subversivă sau comunistă, sunt periculoși, activează, sau vor fi găsiți fără să activeze vor fi supuși tuturor rigorilor și li se vor aplica măsurile cele mai aspre, până la pedeapsa cu moartea, ca să nu se facă frământări tocmai prin această măsură. Să se procedeze metodic, să se facă alegerea celor care urmează să fie trimiși. Prefectura de Poliție să nu fie pusă în situația să execute într-o noapte depărtarea câtorva sute de oameni și să înceapă vânătoarea lor în București; trebuie ca, prin măsuri de poliție, să fie ridicați cei periculoși"[762]. În aceeași ședință, generalul Pălăgeanu a mai

---

[760] Indirect, se recunoaște că aceștia erau puși față în față cu perspectiva morții. Descrierea lor ca animal – corectă biologic, pentru că omul este un animal – nu mai are nevoie de comentarii.

[761] De unde reiese că autoritățile știau că unii nu erau de fapt periculoși, chiar dacă fuseseră trecuți pe listă.

[762] ed. Marcel-Dumitru Ciucă, Maria Ignat, *Stenogramele ședințelor Consiliului de Miniștri. Guvernarea Ion Antonescu*, București, Arhivele Naționale ale României, 2004, vol. VIII, p. 382.

ridicat o problemă, cea a mituirii agenților de ordine de către evrei, ca să scape de deportare, iar Mihai Antonescu i-a răspuns că acesta este încă unul dintre motivele pentru care s-a decis suspendarea deportărilor, „că s-a creat o atmosferă de turbitudine odioasă în jurul acestei acțiuni", asumându-și lipsa de „preciziune și metodă": „Nu numai că agenții iau bani, ca să scape de trimitere peste Nistru pe cei care sunt supuși acestei măsuri, dar ei se duc și amenință pe alții, care nu intră în această categorie, își creează venituri pe această cale și fac ca administrația românească – atunci când noi ne străduim să punem cinste peste tot – să fie stropită de noroiul unei asemenea acțiuni, pentru care noi n-am dat suficientă preciziune și metodă și de toată dezordinea și imoralitatea, pe care o răspândesc acești agenți, prin acțiunea lor de șperțuială trivială și nedemnă. Prin urmare, orișice trimitere de evrei deocamdată se oprește"[763]. Nu apare nicio referire la sancțiuni care să fie îndreptate împotriva responsabililor de aceste abuzuri. Când generalul Pălăgeanu a întrebat ce să facă cu cei strânși pe motiv că n-au executat munca obligatorie, Mihai Antonescu i-a cerut să fie triați cei periculoși, însă a primit răspunsul că niciunul nu era - astfel că s-a dispus să li se dea drumul, iar Marele Stat Major să urmărească executarea muncii obligatorii de către aceștia[764].

Ne permitem să emitem o interpretare proprie a acestei schimbări de atitudine, bazată pe studierea mai multor stenograme ale Președinției Consiliului de Miniștri și pe formația lui Ion Antonescu, mai exact partea din cariera sa anterioară, de atașat militar pe lângă ambasade occidentale[765], și a lui Mihai Antonescu, de profesor de drept[766]. Este posibil ca aceștia să fi dat înapoi în momentul în care

---

[763] *Ibidem*, pp. 382-383.

[764] *Ibidem*, p. 383.

[765] Între 1920-1926 a fost atașat militar la Paris, Londra și Bruxelles. Apud Vasile Arimia, Ion Ardeleanu, Ștefan Lache, *Antonescu - Hitler. Corespondență și întâlniri inedite (1940-1944)*, București, Editura Cozia, 1991, p. 5.

[766] Jean Ancel face o interpretare similară a dispozițiilor date pentru romii deportați în Transnistria, citând un ordin al guvernatorului Gheorghe Alexianu, de asemenea profesor de drept, despre care apreciază că a fost „emis astfel încât printr-o manevrare abilă a limbii române, să eludeze orice răspundere" pentru catastrofa umană ce a rezultat. O interpretare similară o face și unei comunicări secrete a comandantului Jandarmeriei Transnistria, col. Iliescu - „operațiunea începe în luna

exterminarea fizică, în masă, se putea demonstra („soluția finală" fusese decisă la conferința de la Wansee și existau presiuni germane în acest sens asupra guvernului român) și ca atare aduce în fața unui tribunal internațional, mai ales că victoria Axei la acel moment nu mai părea atât de sigură[767]. Dacă în ce privește morții de până atunci se puteau invoca condiții nefavorabile, în momentul trecerii la „soluția finală", se ajungea direct la acuzații de crime de război/împotriva umanității. Ar putea și motivul pentru care, la proces, Ion Antonescu a declarat că ia asupra sa „tot, în afară de crimă".

Atitudinea lui Ion Antonescu până atunci era în cel mai bun caz indiferentă față de posibilitatea morții celor deportați. Instrucțiunile referitoare la regimul de lucru al romilor au fost date în decembrie 1942, deci la multe luni după ce aceștia fuseseră deportați, răstimp în care mulți muriseră din cauza condițiilor de acolo. Chiar și așa, la aproape un an de la sosire, mâncau muguri din pomi și riscau moartea, doar pentru a găsi ceva de mâncare; unii cereau să fie mitraliați, pentru că nu mai suportau foamea, alții, să fie trimiși pe front, toate acestea echivalând cu o situație mai bună. Problema lor a ajuns în atenția Consiliului de Miniștri, dar cu toate acestea au fost salvați puțini dintre cei deportați abuziv. În cazul evreilor, atitudinea lui Ion Antonescu era și mai rea, după cum reiese din dialogul purtat într-o ședință cu guvernatorii provinciilor Basarabia, Bucovina și Transnistria, legată de cazurile de tifos apărute, în care a afirmat prioritatea Armatei față de cei 85.000 de evrei din Transnistria, în care l-a îndemnat pe guvernatorul Alexianu să-i „lase să mai moară pe aceia"[768]. La observația primului că s-ar putea infecta și satele, a cerut să se studieze problema să se vadă ce se poate da în Transnistria și

---

iunie, pentru ca așa să li se dea posibilitatea de instalare pe timpul verii și agonisirea mijloacelor de trai pentru iarna viitoare" – Jean Ancel, *Transnistria*, vol. I, p. 239 și 77.

[767] Andreas Hillgruber remarcă două perioade în politica vizavi de evrei a mareșalului Antonescu, înainte și după conferința de la Wansee - Andreas Hillgruber, *Hitler, Regele Carol și Mareșalul Antonescu*, București, Editura Humanitas, 2007, pp. 458-466.

[768] ed. Marcel-Dumitru Ciucă, Maria Ignat, *Stenogramele ședințelor Consiliului de Miniștri. Guvernarea Ion Antonescu,* București, Arhivele Naționale ale României, vol. V, București, 2001, p. 159.

eventual realizarea unor cuptoare elementare, adăugând din nou: „Nu dau acolo materialul Armatei"[769].

Măsura suspendării deportărilor a avut drept beneficiari indirecți romii, problemele apărute în legătură cu deportarea acestora putând avea o influență, dar colaterală: abuzurile nu erau totuși neglijabile, dacă judecăm din perspectiva impactului asupra Armatei, bulversării vieții localităților, pierderii încrederii mareșalului în capacitatea Jandarmeriei de a-i executa ordinele întocmai, reclamațiilor venite inclusiv din partea autorităților din Transnistria, intervențiilor de la foarte multe nivele. În plus, concluzia analizei lui Sabin Mănuilă referitoare la situația romilor din România era că, din cauza fenomenului amestecului cu românii, se găsește în fața unei imposibilități de ordin practic de a stabili care dintre români au „sânge țigănesc" în diferite proporții.

Parcurgând documentele, am spune că Ion Antonescu a fost rasist în aceeași măsură în care întreaga societate era, într-o măsură mai mică sau mai mare, în acele timpuri. Mai puțin rafinat în ce privește ideile rasiale exprimate și mai puțin rasist decât unii dintre colaboratori, promotori ai acestor teorii. În cazul special al romilor, mai puțin rasist decât foarte mulți dintre cei din aparatul birocratic care a implementat măsurile dispuse.

Discuția rămâne totuși deschisă în ce privește intenția de exterminare, din partea mareșalului, pentru că toate elementele legate de desfășurarea efectivă a evenimentelor, inclusiv regimul practic de exterminare pe care l-au găsit romii deportați în Transnistria pot fi puse pe seama incompetenței celor care ar fi trebuit să le asigure condițiile. Singurul indiciu legat de o intenție de exterminare rezidă în documentul generalului Vasiliu, referitor la intenția de „ecarisaj polițienesc" al orașelor, despre care afirmă în clar că a fost hotărâtă de conducerea statului. Însă aceasta ar putea fi doar o proiecție a acestuia, vizavi de măsură, rezultată din înțelegerea termenului ambiguu de „eliminare" din ordinul de deportare, sau chiar o scuză. Termenul de „eliminare" se poate să fi fost folosit intenționat ambiguu, cât timp

---

[769] *Ibidem.*

acesta ar fi putut însemna și o deplasare de populație, la fel de bine cum poate fi un indiciu de exterminare. Am înclina să afirmăm a existat o astfel de intenție de exterminare, bazându-ne pe faptul că regimul pe care romii l-au găsit acolo a unul fost de acest fel și nici poveste de ceea ce presupune o colonizare[770].

Un alt argument constă în faptul că motivele invocate nu se susțin și că tot timpul în documente s-a făcut referire la originea etnică, inclusiv pentru intenția de deportare, în final, a tuturor romilor, care nu a mai fost motivată în niciun fel. Dacă luăm în calcul faptul că administrația transnistreană fusese depășită de situație în ce privește evreii în anul anterior – intenția ca aceștia să fie trimiși mai departe, în zona controlată de germani, s-a materializat doar parțial, astfel că mare parte a rămas în Transnistria – nu are nicio logică trimiterea în aceeași zonă și a altor mii de romi, în plus.

Este interesant faptul că motivarea oficială a constat doar în pericolul pe care l-ar fi presupus romii vizavi de ordinea publică (ulterior, invocându-se și nevoia de brațe de muncă), nu și în cel vizavi de sănătatea populației, pentru care existau rapoarte prealabile. Cel mai probabil, nu s-a mers pe această linie întrucât se cunoștea amploarea epidemiei de tifos din Transnistria din anul precedent și ar fi ieșit în evidență faptul că romii au fost trimiși tot acolo.

La data la care a dispus efectuarea „recensământului" care a premers deportării romilor, Ion Antonescu își declarase deja intenția de a păstra Transnistria după război și de a o „face românească", respectiv a o coloniza cu români, după ce în prealabil ar fi „scos" de acolo „străinii". Dacă pentru alte minorități ar fi fost posibil – să zicem – un schimb de populație, existând țări de origine, în lipsa documentelor clarificatoare, ne întrebăm ce ar fi putut face cu romii (sau evreii, pentru că la acea dată statul Israel nu exista, iar posibilitățile de emigrare în alte țări extrem de limitate). „Oportunitatea" de a curăți „neamul românesc" era, cum a spus-o

---

[770] Aceasta a fost propusă ulterior, dar ca un fel de compensație și doar pentru cei deportați abuziv, având rude pe front: din documente reiese, oricum, că acest lucru nu s-a întâmplat. Românilor care au fost colonizați în Transnistria li s-a permis să-și ia cât pot din avut; în cazul romilor, s-a prevăzut că pot să ia doar bagaj de mână.

Mihai Antonescu, unică și dată de război, deci, cel mai probabil, după aceea nu ar fi avut cum să mai facă o împingere a lor spre Est. Pe de altă parte, nici romii, nici evreii nu ar fi avut cum să devină „rasă pură de român". Parcurgând documentele, ne-am întrebat dacă nu cumva deportarea romilor (începută cu romii nomazi, adică cei care ridicau cele mai mari probleme de igienă și desemnați drept purtători și răspânditori ai bolilor contagioase, mai ales tifosul în anii anteriori) într-o zonă în care cu un an înainte fusese epidemie de tifos, fără o deparazitare temeinică, cum relata fostul prefect de Oceacov (mai grav, raportul uneia dintre comisiile de anchetă arăta că existau medic și etuvă, dar nu și personalul necesar, instrumente și medicamente) masca intenția de exterminare nu numai a romilor, ci și a tuturor celor care locuiau în zonă. În definitiv, populația ucraineană era slavă, iar ideologia nazistă o voia și pe aceasta exterminată; iar Ion Antonescu intenționa – așa cum am arătat anterior - să facă Transnistria românească, „odată curățit acest spațiu de jidovi și ruși".

O observație de bun-simț este că nu au cum să moară 11.000 de oameni, într-un timp atât de scurt, din cauza întâmplării. În cel mai bun caz, au murit din cauza neglijenței criminale. În cel mai rău, din cauza unei intenții de exterminare. Dacă pentru mareșal intenția este neclară și mai degrabă orientată în ideea de purificare etnică, pentru mulți exponenți ai aparatului represiv din subordine, mai ales în cazul generalului Vasiliu, este evidentă, ca și reaua-credință[771] în legătură cu acești oameni. În documentul în care apare pasajul cu „ecarisajul polițienesc", rezoluția lui a fost negativă, deși subordonații dădeau avize de întoarcere. El a susținut tot timpul că romii trimiși abuziv în Transnistria sunt puțini, s-a opus repatrierii chiar și în cazuri justificate, susținând că sunt hoți etc. Probabil, având modelul și oportunitatea, Vasiliu le-a folosit pentru a scăpa de toți, prezentându-i ca o problemă de ordine publică care trebuia rezolvată.

În ce privește discuția referitoare la genocid, se poate admite o astfel de abordare doar dacă acceptăm definițiile nenuanțate ale lui Henry Huttenbach - „Genocid este orice act care pune în pericol

---

[771] Cum ar fi faptul că romilor stabili li s-a permis să ia doar bagaj de mână, deși chiar oficial se afirma că în trenuri mai era loc disponibil.

existența unui grup" (romii nomazi, în cazul nostru) – și Israel W. Charny - „uciderea în masă a unui număr substanțial de oameni, dacă nu în cursul unei acțiuni militare împotriva unei forțe militare dușmane declarate, în condițiile unei imposibilități de apărare a victimelor". Celelalte definiții iau în calcul intenția de distrugere, care este foarte dificil de probat în cazul lui Ion Antonescu[772], deși există o mulțime de dovezi colaterale. Spre exemplu, „evacuarea" romilor doar în zona Bugului din Transnistria se potrivește planurilor naziste de „împingere spre Est", mai degrabă decât unor motive legate de recoltă. Trimiterea unor oameni în bătaia puștii (trupele Einsatzgruppe D care aveau ordine de a împușca orice element susceptibil de a încurca în zona frontului), deportarea lor într-un loc afectat major de epidemia de tifos în anul anterior, fără nicio posibilitate de a-și procura hrana și nici de a ieși dintr-un perimetru păzit cu jandarmi, sugerează același lucru[773].

Dincolo de discuția referitoare la intenție, în ce privește celelalte elemente legate de genocid, remarcăm faptul că romii din România nu au fost ținta unor atacuri ideologice rasiale și nu se poate demonstra că

---

[772] Jean Ancel susține că o parte dintre documente, inclusiv cele referitoare la crimele comise în Transnistria de regimul Antonescu, a fost falsificată, sustrasă sau înlocuită după 1942 - după ce țările democratice avertizaseră că vor fi pedepsiți cu asprime cei vinovați de persecutarea evreilor - în scopul de a da vina pe germani. Această operațiune ar fi fost pusă în practică mai ales de reprezentanții Ministerului de Externe, dar și de cei de la Interne și Marele Stat Major. – Jean Ancel, „Surse arhivistice despre Holocaustul din România", în Asociația Evreilor din România– Victime ale Holocaustului, *Reflecții despre Holocaust*, București, AERVH, 2005, pp. 24-25. Vladimir Solonari afirmă în legătură cu actele birocratice date în legătură cu Transnistria că s-au folosit diverse strategii, în scopul de a evita o eventuală răspundere penală ulterioară și că unii dintre cei care trebuiau să le pună în practică au recurs la un procedeu de „evadare", cerând în scris ordine care le erau date verbal sau sustrăgându-se sub diferite pretexte. Ambii dau cazul lui Nicolae Melinescu, care a păstrat și a depus la procesul în care au fost investigate masacrele din Bogdanovca un bilet de la pretorul Vasile Mănescu din decembrie 1941, în care i se cerea să-i permită șefului poliției locale din Golta, Andrușin, să lichideze evreii din ghetou, cu mențiunea de a distruge apoi notița. - Vladimir Solonari, „A conspiracy to murder: explaining the dynamics of Romanian «policy» towards Jews in Transnistria", în *Journal of Genocide Research*, 2017, 19:1, p. 8.
[773] O părere similară și în Armin Heinen, în *România, Holocaustul și logica violenței*, p. 203: „Mareșalul este însă principalul vinovat, întrucă el a fost cel care i-a lăsat pradă pe evrei și pe rromi urii, samavolniciei și sadismului torționarilor lor".

Antonescu a intenționat distrugerea lor – nu are referiri la ei în termeni de rasă, iar în pasajele unde e clar xenofob nu îi pomenește.

Chiar dacă prin formația sa Ion Antonescu era un birocrat, care dorea să rezolve problemele prin lege, bazându-se pe statistici, chiar „într-o manieră sistematică"[774], nu se poate demonstra existența unui plan concertat ori a unui program metodic care să fi presupus exterminarea, pentru că ceea ce ar fi fost eventual planificat a fost un dezastru în termeni de implementare.

De fapt, din păcate, „mulțumită" abuzurilor și corupției endemice a structurilor de jandarmerie și poliție conduse de generalul Constantin Z. Vasiliu, care apar în foarte multe documente, deportarea romilor în Transnistria are totuși un aspect original: perturbarea produsă în rândurile Armatei, în plin război, în viața localităților, din țară, ca și în teritoriul transnistrean administrat.

---

[774] În *Raportul final al Comisiei Internaționale pentru Studierea Holocaustului în România*, capitolul „Rolul lui Ion Antonescu în planificarea și implementarea politicilor antisemite și anti-rome ale statului român", se afirmă că „Ura lui nu era cea a huliganului cu bâta, ci aceea a unui birocrat care dorea să rezolve problema prin lege, într-o manieră sistematică" (p. 257). Citatul este inspirat probabil din aprecierea lui Radu Ioanid – membru în Comisia respectivă „Ura lui nu era cea a plebeului cu bâta în mână, ci aceea a unui birocrat care pretindea să rezolve o problemă în mod fundamental, rațional și nuanțat" (Radu Ioanid, *Holocaustul în România: Distrugerea evreilor și romilor sub regimul Antonescu 1940-1944*, București, Editura Hasefer, 2006, p. 411.

VIII BIBLIOGRAFIE

Surse arhivistice
Arhivele Militare Pitești
Fondul Armata a IV-a, Marele Cartier General
Fondul Corpul VI Armată
Fondul Direcția Justiției Militare
Fondul Divizia 13 Infanterie
Fondul Marele Stat Major

Arhivele Naționale Istorice Centrale București
Fondul CC al PCR
Fondul Direcțiunea Generală a Poliției
Fondul Inspectorate Regionale de Jandarmi
Fondul Inspectoratului General al Jandarmeriei
Fondul Ministerul de Interne Cabinetul Ministrului
Fondul Președinția Consiliului de Miniștri
Fondul Sabin Mănuilă

Archivio dell'Ufficio Storico dello Stato Maggiore dell'Esercito (AUSSME) Roma
Fondo I∧DIV Comando Generale dell'Arma dei Carabinieri

Archivio di Stato Pescara
Fondo Prefettura di Pescara - Gabinetto
Fondo Questura di Pescara – Stato di Guerra

Volume de documente
*** *Procesul marei trădări naționale. Stenograma desbaterilor dela Tribunalul Poporului asupra Guvernului Antonescu*, Editura Eminescu, 1946.

Achim, Viorel (ed.), *Documente privind deportarea țiganilor în Transnistria*, vol. I și II, București, Editura Enciclopedică, 2004.

Arimia, Vasile, Ardeleanu, Ion, Lache, Ștefan (ed.), *Antonescu - Hitler. Corespondență și întâlniri inedite (1940-1944)*, București, Editura Cozia, 1991.

Arimia, Vasile, Ardeleanu, Ion (ed.), *Mareșalul Antonescu. Secretele guvernării. Rezoluții ale Conducătorului Statului (septembrie 1940-august 1944)*, Bucurelști, Editura „Românul", 1992.

Buzatu, Gheorghe (ed.), *Istorie interzisă*, Craiova, Editura Curierul Doljean, 1990.

Buzatu, Gheorghe, Cheptea, Stela, Cîrstea, Marusia (ed.), *Pace și război (1940-1944), Jurnalul mareșalului Ion Antonescu*, vol. I, Iași, Casa editorială Demiurg, 2008.

Ciucă, Marcel-Dumitru (ed.), *Procesul mareșalului Antonescu. Documente*, vol. I și II, București, Editura Saeculum I.O și Editura Europa Nova, 1995.

Ciucă, Marcel-Dumitru, Ignat, Maria, Teodorescu, Aurelian (ed.), *Stenogramele ședințelor Consiliului de Miniștri. Guvernarea Ion Antonescu*, București, Arhivele Naționale ale României, vol. I-XI, 1997-2008.

Drăgan, Iosif Constantin (ed.), *Antonescu, Mareșalul României și răsboaiele de reîntregire*, Centrul European de Cercetări Istorice Veneția, ed. Nagard, 1986.

Marin, Manuela (ed.), *Romii și regimul comunist din România. Marginalizare, integrare și opoziție*, Cluj-Napoca, Editura Mega, 2017, volumele I și II.

Nastasă, Lucian, Varga, Andrea (ed.), *Minorități etnoculturale. Mărturii documentare. Țiganii din România (1919-19:4)*, Cluj-Napoca, Fundația Centrul de Resurse pentru Diversitate Etnoculturală, 2001.

Volume

*** *Protocoalele înțelepților Sionului cu o introducere de Roger Lambelin* (ediția în limba română, tradusă de Ion Moța), tiparul și editura Libertatea Orăștie, 1923.

Achim, Viorel, *Țiganii în istoria României*, București, Editura Enciclopedică, 1998.

Achim, Viorel, Iordachi, Constantin (coord.), *România și Transnistria: Problema Holocaustului*, București, Editura Curtea Veche, 2004.

Ancel, Jean, *Transnistria*, vol. I și II, București, Editura Atlas, 1998.

Alecsandri, Vasile, *Dridri*, București, Editura Minerva, 1987.

ANFP, *Manual curs Politici Publice*, elaborat în cadrul proiectului „Creșterea capacității funcționarilor publici din Ministerul Apărării Naționale și Agenției Naționale a Funcționarilor Publici de a gestiona procesele de management strategic instituțional și de proiect, în contextul dezvoltării și întăririi rolului funcției publice", cod SMIS nr. 22857, 2011-2012.

Berman, Paul, *Teroare și liberalism*, București, Editura Curtea Veche, 2005.

Boursier, Giovanna, „Gli Zingari nell' Italia fascista", în *Italia Romanì*, a cura di Leonardo Piasere, vol. II, Roma, ed. CISU (Centro di Informazione e Stampa Universitaria), 1999.

Bravi, Luca, *Altre tracce sul sentiero per Auschwitz. Il genocidio dei Rom sotto il Terzo Reich*, Roma, ed. CISU (Centro di Informazione e Stampa Universitaria), 2002.

Bravi, Luca, Bassoli, Matteo, *Il Porrajmos in Italia*, Città di Castello, Casa editrice Emil di Odoya, 2013.

Bucur, Maria, *Eugenie și modernizare în România interbelică*, Iași, Editura Polirom, 2005.

Butaru, Lucian, *Rasism românesc: componenta rasială a discursului antisemit din România până la al Doilea Război Mondial*, Cluj-Napoca, Editura Fundației pentru Studii Europene, 2010.

Capogreco, Carlo Spartaco, *I campi del Duce. L'internamento civile nell'Italua fascista (1940-1943)*, Einuadi, Torino, 2004.

Cioabă, Luminița Mihai, *Lacrimi rome=Romane asva*, București, Editura Ro Media, 2006.

Chiriac, Bogdan, *The „Retrial" of Marshal Ion Antonescu in Post-Communist Romanian Historiography*, Budapest, Central European University, May 2008.

Coja, Ion, *Holocaust în România?*, București, Editura Kogaion, 2002.

Crainic, Nichifor, *Ortodoxie și etnocrație*, București, Editura Cugetarea, [193-].

Crișan, Nicolae, *Țiganii. Mit și realitate*, București, Editura Albatros, 1999.

Crowe, David, Kolsti, John (ed.), *The Gypsies of Eastern Europe*, M. E. Sharpe Inc, New York, 1991.

Dallin, Alexander, *Odessa, 1941-1944. A Case Study of Soviet Territory Under Foreign Rule*, Iași – Oxford-Portland: Center for Romanian Studies, 1998.

Demeter M. Attila *Naționalism, multiculturalism, minorități naționale*, Editura Institutului pentru Studierea Problemelor Minorităților Naționale, Cluj-Napoca, 2012.

Drăgan, Iosif Constantin, *Antonescu, Mareșalul României și răsboaiele de reîntregire*, Centrul European de Cercetări Istorice, Veneția, Ed. Nagard, 1986.

Duroselle, Jean-Baptiste, *Istoria relațiilor internaționale 1919-1947*, vol. I, București Editura Științelor Sociale și Politice, 2006.

Fings, Karola, *De la "știința" rasială la lagărele de exterminare: rromii în perioada regimului nazist*, București, Editura Alternative, 1998.

Fraser, Angus, *Țiganii: originile, migrația și prezența lor în Europa*, București, Editura Humanitas, 2017.

Furtună, Adrian-Nicolae, *Rromii din România și Holocaustul: Istorie, teorie, cultură*, Editura Dykhta! Publishing House, Popești Leordeni, 2018.

Germinario, Francesco, *Fascismo e antisemitismo (Progetto razziale e ideologia totalitaria)*, Bari, Editori Laterza, 2009.

Galton, Francis, *Hereditary Genius. An Inquiry into its Law and Consequences*, Macmillan and co. and New York, London, 1892.

Gobineau, Joseph Arthur, *The Inequality of Human Races*, London, William Heinemann, 1915.

Heinen, Armin, *Legiunea „Arhanghelului Mihail". Mișcare socială și organizație politică. O contribuție la problema fascismului internațional*, ed. a II-a, București, Editura Humanitas, 2006.

Heinen, Armin, *România, Holocaustul și logica violenței*, Iași, Editura Universității „Alexandru Ioan Cuza" Iași, 2011.

Heydecker, Joe, Leeb, Johannes, *Procesul de la Nürnberg*, București, Editura Politică, 1983.

Hillgruber, Andreas, *Hitler, Regele Carol și Mareșalul Antonescu*, București, Editura Humanitas, 2007.

Ioanid, Radu, *Evreii sub regimul Antonescu*, București, Editura Hasefer, 1997.

Ioanid, Radu, *Holocaustul din România. Distrugerea evrelor și țiganilor sub regimul Antonescu, 1940-1944*, București, Editura Hasefer, 2006.

Ioanid, Radu, Kelso, Michelle, Cioabă, Luminița, *Tragedia romilor deportați în Transnistria: 1942-1945: mărturii și documente*, Iași, Editura Polirom, 2009.

Ionescu, Cristian, *Post-scriptum la Nürnberg*, București, Editura Politică, 1989.

Ionescu, Vasile, Neacșu, Mihai, Costache, Nora, Furtună, Adrian-Nicolae, *O Samudaripen. Holocaustul romilor România. Deportarea romilor în Transnistria. Mărturii – documente*, București, Centrul Național de Cultură a Romilor, 2017.

Isaac, Jules, *Geneza antisemitismului*, București, Editura Hasefer, 2014.

Jones, Adam, *Genocide: A Comprehensive Introduction*, Routledge, London and New York, 2006.

Kenrick, Donald, Puxon, Grattan, *The Destiny of Europa's Gypsies*, New York, Basic Books, Inc. Publishers, 1972.

Kertzer, David I., *Papa și Mussolini. Istoria secretă a Papei Pius al XI-lea și evoluția fascismului în Europa*, București, Editura Rao, 2015.

Kissinger, Henri, *Diplomația*, București, Editura All, 2007, 2008.

Lecca, Radu, *Eu i-am salvat pe evreii din România*, București, Editura Roza vânturilor, 1994.

Lemkin, Raphael, *Axis Rule in Occupied Europe: Laws of Occupation Analysis of Government, Proposal for Redress*, Washington, D.C., Carnegie Endowment for International Peace, 1944.

Levi, Primo, *Mai este oare acesta un om*, Iași, Editura Polirom, 2004.

Livezeanu, Irina, *Cultură și naționalism în România Mare 1918-1930*, București, Editura Humanitas, 1998.

Lombroso, Cesare, *L'Uomo deliquente. In rapport all'antropologia, alla giurisprudenza e alle altre discipline, carcerarie*, Torino, 1878, reprodus de e-book Project Gutenberg, https://www.gutenberg.org/files/59298/59298-h/59298-h.htm

Maria, Regină a României, *Țara Mea*, Bucuresci, 1916.

Maryks, Robert Aleksander, *The Jesuit Order as a Synagogue of Jews: Jesuits of Jewish Ancestry and Purity-of-Blood Laws in the Early Society of Jesus*, Brill, 2010.

Masserini, Annamaria, *Storia dei Nomadi: La persecuzione degli zingari nel 20. Secolo*, Padova, Edizione GB, 1990.

Medan, Diana, *Psihologia negativă. Antisemitismul*, București, Editura Hasefer, 2015.

Motta, Giuseppe, *Robie. La Schiavitù dei Rom in Vallachia e Moldavia*, Roma, Aracne Editrice, 2013.

Narciso, Loredana, *La maschera e il prejudicio Storia degli Zingari*, Roma, Editore Melusina, 1990.

Nastasă-Matei, Irina, *Educație, politică și propagandă. Studenți români în Germania nazistă*, Cluj-Napoca, Editura Școala Ardeleană; București, Eikon, 2016.

Novitch, Myriam, *Le genocides des Tziganes soul le regime Nazi*, Paris, Imprimerie Montbrun, 1968.

Oișteanu, Andrei, *Imaginea evreului în cultura română*, Iași, Editura Polirom, 2012.

Olivera, Martin, *Romanes. Tradiția integrării la romii gabori din Transilvania*, Cluj-Napoca, Institutul pentru Studierea Problemelor Minorităților Naționale, 2012.

Quétel, Claude, *Totul despre Mein Kampf*, București, Editura Niculescu, 2018.

Petcuț, Petre, *Rromii. Sclavie și libertate. Constituirea și emanciparea unei noi categorii etnice și sociale la nord de Dunăre 1370-1914*, București, Centrul Național de Cultură a Romilor, 2016.

Pistecchia, Alessandro, *I rom di Romania*, Roma, Edizioni Nouva Cultura, 2010.

Președinția Consiliului de Miniștri, *Pe marginea prăpastiei*, vol. II, București, Editura Scripta, 1992.

Rose, Romani, *The National-Socialist Genocide of the Sinti and Roma, Catalogue of the permanent Exhibition in the State Museum of Auschwitz*, Heidelberg, 2003.

(coord.) Rotman, Liviu, *Demnitate în vremuri de restriște*, București, Editura Hasefer, 2008.

Sala, Gabriel, *Romii în vâltoarea istoriei*, 2015.

Sandu, Mariana, *Romii din România: repere prin istorie*, București, Editura Vanemonde, 2005.

Sarău, Gheorghe, *Floarea romă = I rromani luludi: 55 de exponenți rromi din România, decedați după 1989*, București, Editura Vanemonde, 2016.

Schaferman, S., „Românii, Antonescu și evreii", în (ed.) Teșu Solomovici, *Mareșalul Antonescu. Erou, martir sau criminal de război? Un colocviu istoric virtual*, București, Editura Teșu, 2007.

Snyder, Timothy, *Pământul negru. Holocaustul ca istorie și avertisment*, București, Editura Humanitas, 2018.

Solomonovici, Teșu, *Mareșalul Ion Antonescu. O biografie*, București, Editura Teșu, 2011.

Solonari, Vladimir, *Purificarea națiunii. Dislocări forțate de populație și epurări etnice în România lui Ion Antonescu, 1940-1944*, Iași, Editura Polirom, 2015.

Stancu, Zaharia, *Șatra*, București, Editura Litera, 2010.

Stoenescu, Alex Mihai, *Armata, mareșalul și evreii*, Editura Rao, București, 2010.

Stoenescu, Alex Mihai, *Țiganii din Europa și din România. Studiu imagologic*, București, Editura RAO, 2015.

Turda, Marius, *Eugenism și antropologie rasială în România 1874-1944*, București: Cuvântul; Editura Muzeului Literaturii Române, 2008.

Tuvia Friling, Radu Ioanid, Mihail E. Ionescu (ed.), *Raportul final al Comisiei Internaționale pentru Studierea Holocaustului în România*, Iași, Editura Polirom, 2004.

UNESCO, *Rasismul în fața științei*, București, Editura Politică, 1982.

Vălenaș, Liviu, *Cartea neagră a României 1940-1948*, București, Editura Vestala, 2006.

Veiga, Francisco, *Istoria Gărzii de Fier, 1919-1941. Mistica ultranaționalismului*, București, Editura Humanitas, 1995.

Viaggio, Giorgio, *Storia degli Zingari in Italia*, Centro Studi Zingari, Roma, Anicia, 1997.

Vitale, T. (a cura di), *Politiche possibili. Abitare le città con i rom e con i sinti*, Carocci, Roma, 2009.

Volovici, Leon, *Ideologia naționalistă și „problema evreiască" în România anilor '30*, București, Editura Humanitas, 1995.

Zăloagă, Marian, *Romii în cultura săsească în secolele al XVIII-lea și al XIX-lea*, Cluj-Napoca, Institutul pentru Studierea Problemelor Minorităților Naționale, 2015.

Publicații

Monitorul Oficial al României

Colecția revistei *Lacio Drom*, editată de Centro Studi Zingari, 1965-1997.

Articole științifice

Viorel Achim, „The Communist authorities' refusal to recognize the Roma as a national minority. A moment in the history of the Roma in Romania 1948-1949", în *Baltic Wolds, Romani Studies in the Balkan Area: Roots, Barriers & ways forward*, vol. XI:2-3, September 2018.

Achim, Viorel, *Schimbul de populație în viziunea lui Sabin Manuilă*, în *Revista istorică*, 13, nr. 5-6, 2002.

Achim, Viorel, *La déportation des Romes in Transnistrie, les données principales*, în *Revue Etudes Tsiganes*, 56-57, 2016.

Aizenstadt Leistenschneider, Naiman Alexander, *Origen y Evolución del Concepto de Genocidio*, în Revista de la Faculdad de Derecho, Universidad Francisco Marroquín, 25, 2007.

Anăstăsoaie, Marian Viorel, *Roma / Gypsies in the History of Romania: An Old Challenge for Romanian Historiography*, în Romanian Journal of Society and Politics, nr. 3, 2003.

Bravi, Luca, „La «questione zingari» nell'Italia fascista. La costruzione culturale di una categoria razziale", în T. Vitale (a cura di), *Politiche possibili. Abitare le città con i rom e con i sinti*, Carocci, Roma, 2009.

Blum, Rony, Stanton, Gregory H., Sagi, Shira, Richter, Elihu D.,"«Ethnic cleansing» bleaches the atrocities of genocide", în *European Journal of Public Health*, Volume 18, Issue 2, April 2008.

Cioaba, Joan, „Il genocidio in Romania: una testimonianza", în *Lacio Drom*, n. 2-3, 1984.

Conversi, Daniele, „Genocide, Ethnic Cleansing and Nationalism" în *The Sage Handbook of Nation and Nationalism*, edited by Gerard Delanty and Krishan Kumar, London, Sage Publications, 2006.

Făcăoaru, Iordache, „Amestecul rasial și etnic în România", în *Buletinul eugenic și biopolitic*, editat de Subsecția eugenică și biopolitică a „Astrei" și de Institutul de Igienă și Igienă Socială Cluj, IX, 1938.

Florian, Alexandru, „Memoria publică a Holocaustului în postcomunism", în *Revista Polis, Volumul IV, Nr. 1(11), 2016*.

Galinski, A. „Il campo nazista per Zingari a Lodz", în *Lacio Drom*, n. 2-3, 1984.

Florinela Giurgea, „Deportarea abuzivă a romilor și Armata", în (ed) Adrian-Nicolae Furtună, *Deportarea în Transnistria a familiilor soldaților romi. Între „greșeli" administrative și imperative biopolitice. Studii de caz și documente de arhivă*, Dykta! Publishing House, București, 2020.

Giurgea, Florinela, „The forgotten Holocaust: Compensations for Roma People, Victims of Deportation during World War II", în vol. *Mediating Globalization: Identities in Dialogue*, (ed.) Iulian Boldea, Cornel Sigmirean, Târgu Mureș, Arhipelag XXI Press, 2018.

Hancock, Ian, „Antiziganism – What's in a Word?", în Jan Selling, Markus End, Hristo Kyuchukov, Pia Laskar and Bill Templer(ed.), *Proceedings from the Uppsala International Conference on the Discrimination, Marginalization and Persecution of Roma, 23-25 October 2013*, Cambridge Scholars Publishing, Uppsala, 2013.

Kaplan, Robert D., „The Antonescu Paradox", în *Europe's Shadow: Two Cold Wars and a Thirty-Year Journey Through Romania and Beyond Hardcover*, Random House Publishing, New York, 2016.

Karpati, Mirella, „Una storia di diritti negate", în *Lacio Drom*, n. 3, 1996.

Karpati, Mirella, „La politica fascista verso gli Zingari in Italia", în *Lacio Drom*, n. 2-3, 1984.

Landra, Guido, „Il problema dei mettici in Europa", în *La difesa della razza*, anno IV, no. 1, 1940.

Levene, Mark, „Why Is The Twentieth Century the Century of Genocide?", în *Journal of World History*, vol. II, no. 2 (Fall 2000).

Levy, Robert, „Transnistria 1941-1942: The Romanian Mass Murder Campaigns (review)", în *Jewish Quarterly Review,* University of Pennsylvania Press, volume 98, number 3, summer 2008.

Lewy, Guenter, „Gypsies and Jews under the Nazis", în *Holocaust and Genocide Studies*, V13 N3, Winter 1999.

Lewy, Guenter, „Himmler and the <Racially Pure Gypsies>„ în *Journal of Contemporary History*, Sage Publications, London, Thousand Oaks, CA and New Delhi, vol. 34, 1999.

Margalit, Gilad, „The uniqueness of the Nazi Persecution of the Gypsies", în *Romani Studies*, 5, Vol. 10, No. 2 (2000).

Matei, Petre, „Romi sau țigani? Etnonimele – istoria unei neînțelegeri", în István Horváth, Lucian Nastasă (ed.), *Rom sau țigan. Dilemele unui etnonim în spațiul românesc*, Cluj-Napoca, Editura Institutului pentru Studierea Minorităților Naționale, 2012.

Mănuilă, Sabin, „Acțiunea eugenică ca factor de politică de populație", în *Buletin eugenic și biopolitic* 12, 1 (1941).

Petrovic, Drazen, „Ethnic Cleaning, An Attempt of Methodology" în *European Journal of International Law*, Volume 5, Issue 3, 1 January 1994.

Puxon, Grattan, „Forgotten Victims. Plight of the gypsies", în *Journal Patterns of Prejudice*, volume 11, 1977 – Issue 2.

Radosav, Doru, „Holocaustul între istorie și memorie. Câteva considerații", în *Anuarul Institutului de Istorie Orală* din Cluj-Napoca, volum 7, 2006.

Rădiță, Petre, „La tragedia degli Zingari rumeni durante la guerra", în *Lacio Drom*, n. 2, 1966.

Schabas, William A., „Convention for the Prevention and Punishment of the Crime of Genocide", în *United Nations Audiovisual Library of International Law*, United Nations, 2008.

Schabas, William A., „«Ethnic Cleansing» and Genocide: Similarities and Distinctions", în *European Yearbook of Minority Issues Online,* vol. 3, Brill, 2003.

Semizzi, Renato,*"Gli zingari" în La Rassegna di clinica, terapia e scienze affini,* fasc. I, gennaio-febbraio 1939, p. 67.

Shahar, Shulamith, „Religious, Minorities, Vagabonds, and Gypsies in Early Modern Europe", în Roni Stauber, Raphael Vago (ed.), *The Roma: A Minority in Europe: Historical, Political and Social Perspectives,* Central European University Press, Budapest, 2007.

Snyder, Timothy, „The Next Genocide", în *The New York Times,* 12 septembrie 2015.

Solonari, Vladimir, „A conspiracy to murder: explaining the dynamics of Romanian <policy> towards Jews in Transnistria", în *Journal of Genocide Research,* 2017.

Thorne, M. Benjamin, „Assimilation, Invisibility, and the Eugenic Turn in the „Gypsy Question" in Romanian Society, 1938-1942", în *Romani Studies,* Liverpool University Press, volume 21, number 2, December 2011.

Trașcă, Ottmar, „Ocuparea orașului Odessa de către armata română și măsurile adoptate față de populația evreiască, octombrie 1941-martie 1942", în *Anuarul Institutului de Istorie „G. Barițiu" din Cluj-Napoca,* tom XLVII, 2008.

Trevisan, Paola, „«Gypsies» in Fascist Italy": from expelled foreigners to dangerous Italians, în *Social History,* 2017.

Turda, Marius, „Corpul etnic al națiunii și eugenismul românesc, 1918-1939", în Mihăilescu, Vintilă (coord.), *De ce este România astfel? Avatarurile excepționalismului românesc,* Iași, Editura Polirom, 2017.

Tyaglyy, Mikhail, „Nazi Occupation Policies and the Mass Murder of the Roma in Ukraine", în *The Nazi Genocide of the Roma. Reassessment and Commemoration,* ed. Anton Weiss-Wendt, Berghahn, New York – Oxford, 2013.

Tyaglyy, Mikhail, „*Were the <Chingene´ > Victims of the Holocaust? Nazi Policy toward the Crimean Roma, 1941–1944",* în *Holocaust and Genocide Studies,* Volume 23, Issue I, Spring 2009.

Turda, Marius, *Fantasies of degeneration: Some Remarks on Racial Anti-Semitism in Interwar Romania*, în *Studia Hebraica*, nr. 3, CEEOL, 2003.

Viaggio, Giorgio, „Pregiudizio-Ideologia-Discriminazione. La menzogna della razza nell'ideologia fascista", *Lacio Drom*, n. 1/1995.

Zimmermann, Michael, „Jews, Gypsies and soviet prisoners of war: comparing nazi persecutions", în Roni Stauber, Raphael Vago (ed.), *The Roma: A Minority in Europe: Historical, Political and Social Perspectives*, Central European University Press, Budapest, 2007.

Teze de doctorat

Suciu, Pavel Cristian, coord. prof.univ.dr Ion Cuceu, *Imaginea romilor în literatură*, Universitatea Babeș-Bolyai, Cluj-Napoca, 2010.

Surse online

Apariții în presă

https://adevarul.ro/news/politica/rromii-autoinsclavizare-libertate-160-ani-abolirea-sclaviei-1_56c6e84c5ab6550cb8f96228/index.html

https://m.adevarul.ro/news/societate/a-murit-nicolae-gheorghe-reformatorul-miscarii-internationale-rromilor-1_5203f912c7b855ff56bb400d/index.html

https://www.bbc.com/news/world-11108059

https://carnegieendowment.org/2014/07/28/crying-genocide-use-and-abuse-of-political-rhetoric-in-russia-and-ukraine-pub-56265

https://dilemaveche.ro/sectiune/dileme-on-line/articol/cultul-lui-antonescu-si-reabilitarea-criminalilor-de-razboi

https://www.jobbik.com/horthys_statue_was_unveiled_budapest_city_center

https://www.mediafax.ro/social/sedinta-foto-de-la-cotroceni-a-lui-iohannis-si-urmarile-ei-deputatul-minoritatii-evreiesti-condamna-declaratiile-lui-breaz-si-colajul-publicat-de-dana-varga-opozitia-cere-o-demitere-18264564

https://romanialibera.ro/actualitate/eveniment/iccj-va-judeca-recursul-la-achitarea-partiala-a-maresalului-antonescu-102874

https://revista22.ro/istorie/anatomia-unei-repetate-falsificari

https://www.youtube.com/watch?v=TO3SPLuJhJo

Resurse asociate temei Holocaustului
https://encyclopedia.ushmm.org/content/en/article/introduction-to-the-holocaust
http://www.errc.org/news/why-it-is-important-to-remember-the-roma-holocaust
https://www.facebook.com/watch/?v=2400574703529690
http://www.holocaustresearchproject.org/holoprelude/Wannsee/wanseeminutes.html
https://www.jewishvirtuallibrary.org/the-banality-of-history-and-memory-romanian-society-and-the-holocaust
http://www.inshr-ew.ro/ro/holocaustul-din-romania/ce-este-genocidul.html
http://iru2020.org/
http://www.osservatoriosulfascismoaroma.org/il-manifesto-della-razza-1938/
http://sfi.usc.edu/education/roma-sinti/it/storia-e-memoria/la-legislazione-nazi-fascista.php
http://www.platzforma.md/arhive/2357
https://www.roma-survivors.ro/ro/pensii-germane/informatii-si-conditii
http://www.romanicriss.org/index.php?option=com_content&view=article&id=51:rom-vs-tigan&catid=308:advocacy
https://the-holocaust.livejournal.com/34071.html
http://w2.vatican.va/content/pius-xi/it/encyclicals/documents/hf_p-xi_enc_19301231_casti-connubii.html
https://www.yadvashem.org/yv/en/holocaust/resource_center/the_holocaust.asp

Resurse legislative și documente emise de autorități
https://avalon.law.yale.edu/20th_century/hague04.asp
https://avalon.law.yale.edu
https://avalon.law.yale.edu/imt/judlawre.asp
http://www.europarl.europa.eu/doceo/document/A-8-2017-0294_EN.html#_part1_def8

http://www.europarl.europa.eu/doceo/document/TA-8-2015-0095_EN.html
https://eur-lex.europa.eu/legal-content/RO/TXT/HTML/?uri=CELEX:32008F0913&from=EN
http://www.gesetze-im-internet.de/beg/BJNR013870953.html#BJNR013870953BJNG003200328
https://www.greens-efa.eu/en/article/document/countering-antigypsyism-in-europe/
https://lege5.ro/Gratuit/g42dinrq/legea-nr-312-1945-pentru-urmarirea-si-sanctionarea-celor-vinovati-de-dezastrul-tarii-sau-de-crime-de-razboi
https://rm.coe.int/roma-week-concept-2018/1680796082
https://treaties.un.org/Pages/ViewDetails.aspx?src=IND&mtdsg_no=IV-1&chapter=4&clang=_en
https://www.un.org/ga/search/view_doc.asp?symbol=S/1994/674